Actitud provocadora

Actitud provocadora

Sherrilyn Kenyon

Traducción de Violeta Lambert

TERCIOPELO

Título original: *Bad Attitude*
Copyright © 2005, by Sherrilyn Kenyon
All rights reserved

Publicado por acuerdo con el editor original, Pocket Books,
una división de Simon & Schuster, Inc.

Primera edición en este formato: enero de 2012

© de la traducción: Violeta Lambert
© de esta edición: Libros del Atril, S.L.
Av. Marquès de l'Argentera, 17, pral.
08003 Barcelona
info@terciopelo.net
www.terciopelo.net

Impreso por Liberduplex, s.l.u.
Crta. BV-2249, km 7,4, Pol. Ind. Torrentfondo
Sant Llorenç d'Hortons (Barcelona)

ISBN: 978-84-15410-07-2
Depósito legal: B. 40.249-2011

El papel utilizado para la impresión de este libro ha sido fabricado a partir de madera
procedente de bosques y plantaciones gestionados con los más altos estándares ambientales,
garantizando una explotación de los recursos sostenible con el medio ambiente y beneficiosa
para las personas. Por este motivo, Greenpeace acredita que este libro cumple los requisitos
ambientales y sociales necesarios para ser considerado un libro «amigo de los bosques».
El proyecto «Libros amigos de los bosques» promueve la conservación y el uso sostenible
de los bosques, en especial de los Bosques Primarios, los últimos bosques vírgenes del planeta.

A mi madre,
que lo significaba todo para mí

Prólogo

Irak, 2003

No hay nada en la tierra tan caluroso como el desierto en agosto. Steele yacía en el agujero que él mismo había cavado en la arena bajo su tienda para ocultarse en caso de un ataque mortal, tratando de recordar la fresca brisa con aroma de madreselvas que solía aligerar los calurosos veranos de su infancia.

Si se quedaba allí durante el tiempo suficiente, podía casi apartar de su mente los sonidos de fondo de las operaciones del ejército. El sonido de tanques moviéndose, de soldados gritándose unos a otros. El olor a sangre, sudor y miedo. La dureza de su fusil caliente, clavándosele en un costado, mientras lo mantenía apretado junto a él.

Dios, quería volver a casa ahora mismo.

Volvió a pensar en Brian, quien hasta hacía tan sólo dos días había compartido su tienda con él, y se estremeció de dolor.

Quizás después de todo no quería regresar a casa.

Todavía podía sentir la punzada que le habían provocado las palabras de Teresa cuando la había llamado para ver cómo estaba.

«¿Cómo te crees que puedo estar, pedazo de imbécil? Simplemente, he tenido que decirle a mi hijo de dieciséis años que su padre ha muerto. ¡Te odio, inútil bastardo! Me juraste que lo mantendrías con vida. Tú eres quien debería haber muerto, y no él. A nadie le importaría si hubieses sido tú.»

Lo peor era que él sabía que ella tenía razón. Brian no habría estado allí si Steele no le hubiera hablado de alistarse cuando acabaron la universidad. Habían sido amigos desde la infancia, y Brian sentía adoración por él. Teresa había querido que Brian se dedicara al mundo de la empresa, pero él había sido tan estúpido como para apartarlo de allí.

«Soy yo, Brian, yo cuidaré de ti. Será como cuando éramos niños. ¿Recuerdas cuando fingíamos ser soldados con nuestros fusiles? Estará bien. Sólo nosotros dos, cubriéndonos las espaldas el uno al otro. Nadie puede tocarnos.»

Ahora estaba pagando por aquella arrogancia.

Debería haber muerto él… a nadie le hubiera importado una mierda si hubiese sido él. El odio de Teresa era irracional, pero muchas esposas de soldados eran presas de ese odio cuando morían sus cónyuges. Incluso aunque supieran los riesgos, era difícil asumir la realidad y resultaba durísimo vivir con ella.

Quizás con el tiempo ella se lo perdonaría.

Dejó escapar una bocanada de aire, con lentitud y cansancio, y se detuvo en seco cuando dos hombres entraron en su tienda, llevando en sus brazos los pequeños baúles reglamentarios del Ejército.

—Sargento —dijeron los dos soldados a modo de saludo.

Si él fuera un oficial, no lo hubieran saludado. Steele tuvo que contenerse para no poner los ojos en blanco ante aquel pensamiento, lo cual, dada la situación actual, podría significar una bala en la nuca para alguien. Pero su comandante había decidido que el protocolo militar debía respetarse, incluso si eso significaba recibir la bala de un francotirador en la cabeza…

A menos que se tratase de un buen capitán. En ese caso las «vías apropiadas» adquirían un significado enteramente nuevo.

Steele frunció el ceño ante ellos.

—¿Qué estáis haciendo aquí?

—El capitán Schmidt nos dijo que empaquetáramos las pertenencias del cabo Garrison. Hoy vendrá un hombre nuevo a reemplazarlo.

Steele entrecerró los ojos al oír sus palabras. Sabía que Brian no tardaría mucho tiempo en ser reemplazado, pero maldita sea…

Era demasiado pronto. Él no estaba preparado. Necesitaba más tiempo para enfrentarse con aquel enorme agujero que había en su interior y le dolía cada minuto de cada día por la pérdida del amigo, mejor dicho, del hermano que había perdido. Nadie podría reemplazar nunca lo que Brian había sido para él.

Con el corazón enfermo, observó cómo los dos soldados comenzaban a colocar las cosas de Brian en una de las taquillas. Había un montón de fotografías de su hogar en Fort Benning que Teresa le había enviado de ella y de Cody. Dibujos que Cody había hecho y coloreado en su clase. Una pequeña almohada que Teresa le había enviado, perfumada con el perfume que siempre llevaba.

Acudieron a él imágenes de Brian sosteniendo esa almohada contra su rostro antes de echarse a dormir. Brian había querido a esa mujer por encima de todas las cosas. Se habían conocido siendo estudiantes en el segundo año de facultad en una lavandería y se habían enamorado inmediatamente. De lo primero que hablaba Brian por la mañana era de Teresa y Teresa era en lo último en que pensaba antes de dormir.

Brian había muerto con una foto de ella y de Cody en el bolsillo.

Steele frunció el ceño al ver a uno de los hombres arrancando páginas del cuaderno de Brian, donde escribía un diario de sus días en el infierno. Brian estaba extremadamente orgulloso de hacerlo. «Algún día, Cody querrá saber qué es lo que hacía su padre mientras estaba lejos. De este modo, sabrá exactamente cuántas veces pensaba en él y en su madre.»

—¿Qué estáis haciendo? —preguntó Steele a los soldados.

—El capitán dijo que confiscáramos cualquier cosa que pudiera contener información confidencial para que el sargento de la sección pudiera revisarla más tarde.

Steele les lanzó una mirada de odio.

—Eso son notas de un diario para su esposa y su hijo.

—Podrían comprometernos.

¿Comprometerlos?

Eso era endiabladamente gracioso, viniendo de su capitán.

Steele se golpeó los pies con el rifle que solía llevar en la mano, pero sabía que no sería nada bueno atacar a esos hombres; se limitaban a obedecer órdenes.

—Brian no escribió ahí nada que…

Se interrumpió al ver a uno de los soldados revisando las fotos. Estaba apartando las que mostraban a Brian en uniforme, que eran casi todas.

Aquellas fotos y las cartas de Brian eran todo lo que a Teresa y a Cody les había quedado del hombre que amaban.

¡Todo aquello era basura! La ira se apoderó de él, arrancó el cuaderno de las manos del soldado y se dirigió a ver a su ilustre capitán.

Con cada paso que daba su furia aumentaba. Lo que hacían no estaba bien. Brian no era una simple pieza que pudiera sustituirse. Había sido un hombre con un futuro. Con una familia que lo quería y lo necesitaba.

«Eres un soldado. Sabes cómo es la vida.»

Steele venía de generaciones de soldados. Hombres que habían muerto en la guerra. Tenía que haber estado preparado para lo ocurrido.

Y, sin embargo, no podía sobreponerse a la muerte de Brian tan fácilmente. Había estado demasiado unido a él. Brian no había sido simplemente otro soldado para Steele.

Había sido un hermano.

Steele se detuvo cuando se halló cerca de la tienda del capitán. Pudo oírlo hablando por teléfono.

—No, señor. No estoy seguro de cómo los hombres llegaron a perderse. —El capitán en realidad se reía—. Ya se sabe cómo es el desierto. No es fácil orientarse en él. Los accidentes pasan en todas partes, y aquí pasan muchos.

Steele comenzó a sentir un tic nervioso en la mandíbula.

—No, señor. Estaban allí sólo para explorar el estado del territorio. Se suponía que el sargento Steele no iba a entablar contacto con el enemigo. Yo mismo continúo intentando imaginarme qué es lo que ha ocurrido.

Basura. Ese hijo de perra los había enviado allí con un objetivo claro. Éste les había estallado en la cara… el enemigo sabía que venían, y ahora ese cabrón pretendía decir que él no estaba al tanto…

Steele sujetó su rifle aún con más fuerza mientras el capitán continuaba restando importancia a un asunto que a Brian le había costado la vida.

Pasados unos segundos, el capitán colgó el teléfono.

Antes de que Steele pudiera controlar sus emociones y entrar a la tienda, el capitán salió fuera.

—¿Estábamos perdidos? —Las palabras salieron de su boca antes de que lograra detenerlas.

El capitán, que ni siquiera se había dado cuenta de que estaba allí, se detuvo sobre sus pasos y se volvió para mirarlo. Sus ojos marrones se estrecharon peligrosamente al fijarse en Steele.

—¿Ocurre algo, sargento?

—No nos perdimos… —Esperó deliberadamente antes de añadir el resto—. Señor, estábamos exactamente donde nos ordenó que estuviésemos. E hicimos exactamente lo que nos ordenó que hiciéramos.

Por el lenguaje corporal del capitán podía ver que estaba yendo demasiado lejos. Pero no le importó. La estupidez de aquel hombre había matado a Brian, y él no estaba dispuesto a permitir que saliera impune de aquello.

No iba a permitir que se lo tomara a risa.

El capitán se adelantó con esa vieja actitud que los militares usan para tratar de intimidar. Le hubiera funcionado mejor de no haber sido trece centímetros más bajo que Steele.

De todos modos, Steele se había vuelto inmune a esa táctica, dado que había crecido con su padre tratando de emplearla constantemente.

El capitán habló en un tono grave y mortífero.

—No volverás a hablar de este asunto con ningún alma viva. ¿Me has entendido, soldado?

Steele apretó los dientes mientras sentía crecer la rabia en su interior, y mantuvo la boca cerrada para evitar decir algo que, sin duda, le acarrearía problemas.

—¿Lo has en-ten-di-do?

—Sí, señor.

El capitán asintió.

—Bien. Te será asignado un nuevo compañero esta tarde. A las cuatro en punto de la tarde preséntate en mi tienda para tu nueva misión.

Steele sabía mantener la boca cerrada, pero no pudo contenerse.

—¿Se trata de otra misión donde nos perderemos, señor?

La rabia en los ojos del hombre era evidente.

—No haga tonterías conmigo, sargento. Sabe muy bien que

incluso a los mejores de nosotros a veces les fallan las armas. Sería una verdadera pena que un hombre con su talento se encontrara con un rifle defectuoso cuando lo necesitara, ¿no cree, sargento?

¿Ahora aquel capullo lo estaba amenazando? Sintió unas ganas irreprimibles de darle un puñetazo en esa cara engreída. Pero sabía que era mejor no hacerlo. Lo único que conseguiría sería que lo arrestaran.

—Sí, señor —dijo Steele con los dientes apretados.

El capitán pasó otros tres segundos contemplándolo con odio antes de retirarse.

—Harás lo que se te ha dicho, soldado, y recordarás quién manda aquí.

Steele observó cómo el hombre se dirigía hacia la parte sur del campamento y con cada paso que daba su rabia no hacía más que aumentar.

Ese creído y jodido bastardo no debía mandar en nada.

Miró el cuaderno que llevaba en la mano y leyó las palabras prolijamente escritas.

> Hola, Cody:
> Otra nota de papá. He estado pensando hoy en ti y extrañándote como loco. Sé que estás cuidando de mamá por mí…

El rostro de Brian surgió en su mente… seguido de la imagen de su muerte.

Todavía ahora podía sentir la sangre de Brian, caliente y pegajosa, salpicándole la cara.

«Incluso a los mejores de nosotros a veces les fallan las armas…»

Esa amenaza era más de lo que podía tolerar. Dejó caer la libreta, levantó el rifle y apuntó al objetivo.

Antes de que ningún pensamiento racional pudiera detener sus emociones, apretó el gatillo una sola vez.

El casco de la cabeza del capitán salió disparado. Aterrizó golpeando contra la arena y ésta se esparció alrededor. Se hizo un silencio total mientras todo el mundo intentaba descubrir si había sido un disparo o un petardo inesperado.

Los únicos que sabían lo que en realidad había pasado eran él y su blanco.

Y mientras el capitán se meaba en los pantalones ahí delante de todos, un solo pensamiento atenuaba la satisfacción de Steele.

Aquélla había sido, sin duda, la jugada más tonta de su vida.

Capítulo uno

—*H*ermana, he encontrado al hombre para ti...

Sydney Westbrook se rio de las alegres palabras de Tee mientras apartaba la silla giratoria de su escritorio, para ver a su jefa de pie tras ella en la entrada de su cubículo. No eran en realidad hermanas, lo cual resultaba evidente por el hecho de que Tee era vietnamita-americana, mientras que Syd era portuguesa, italiana e inglesa... una peculiar combinación genética que le daba un extraño aire exótico. Un aire que no había estado mal hasta que Angelina Jolie había irrumpido en la escena de Hollywood.

Es difícil ser un agente secreto cuando uno parece el doble de alguien tan famoso. Había veces en que llegaba a odiar absolutamente a una mujer a la que ni siquiera conocía.

Pero si tenía que ser la gemela de aquella a la que solía referirse como «esa mujer», hubiera deseado tener un cuerpo que también estuviera a la par del suyo. Desafortunadamente, la naturaleza no había sido tan generosa con ella, y no sólo tenía la maldición de ser bajita, sino que además era ancha de caderas. Por no mencionar que, desde que había dejado la escuela elemental, no tenía la talla de vestido de su famosa homóloga.

—¿Así que tienes un hombre para mí?

Tee asintió.

—Sí, *madame*, y es justo como ordenó el doctor. —Le entregó una carpeta—. Joshua Daniel Steele Segundo. Le gusta el submarinismo, restaurar motocicletas antiguas y jugar con armas de fuego. Mide metro noventa y tiene el cabello y los ojos oscuros. Ex militar. Absolutamente perfecto para ti.

Mientras examinaba los contenidos de la carpeta, Syd vio

cuál era exactamente la razón de que fuera un ex militar, y la verdad es que no resultaba nada reconfortante.

—¿Está en la cárcel?

Tee se encogió de hombros.

—Un ligero obstáculo en la carretera, pero podemos esquivarlo si estás interesada.

Mmm… Se detuvo a considerarlo. Los convictos suelen venir con mucha carga emocional, y lo último que ella necesitaba era un llorón o un loco. A Syd nunca le había gustado hacer de enfermera de nadie. Lo que ella necesitaba era un hombre sin traumas que pudiera hacer lo que ella pidiera sin quejarse ni hacer preguntas… algo que parecía imposible de encontrar.

¿Por qué había tantos hombres que querían hacer las cosas a su manera? ¡Ugh!

Pero a medida que Syd revisaba el dossier se veía obligada a reconocer que aquel hombre parecía tener un enorme potencial.

—Es impresionante.

Y al mirar las fotografías que había al final de la carpeta tuvo que corregirse y admitir que era muy impresionante.

Aquel tipo estaba definitivamente hecho para el pecado. Su cuerpo era delgado y fuerte por las muchas horas de entrenamiento en el ejército. Tenía ojos oscuros, seductores y una sonrisa que podía haber estado en la portada de una revista de modelos. Se distraía con esos pensamientos para evitar silbar ante el paquete que exhibía.

Nunca había visto a ningún hombre tan musculoso y bronceado.

Al menos no lo eran los que pasaban una noche o dos en su cama…

Queriendo detener el curso de sus pensamientos, cerró la carpeta y se la devolvió a Tee.

—Si te soy honesta, te diré que en realidad no estaba buscando un chico guapo.

Antes de que Tee pudiera responder, se alzó una voz masculina.

—Oh, ¿Syd *la Despiadada* ha vuelto a la ciudad?

Syd soltó un suspiro de exasperación mientras el guapo pero estúpido Hunter Thorton-Payne se situaba justo detrás de

Tee. Era una pena que el hombre fuera un imbécil pretencioso. Tenía una apariencia suave y sexy casi imposible de resistir… hasta que abría la boca. Entonces era más repugnante que un animal en celo.

Ella arqueó una ceja.

—¿Cómo va la recuperación del testículo, Payne? ¿Todavía cojeas?

Él la miró entrecerrando los ojos antes de continuar su camino hacia su escritorio.

—Ya me lo imaginaba —dijo Syd en voz alta—. Recibí una postal de agradecimiento del Programa de Paternidad la semana pasada. Parece que quieren condecorarme por salvar la diversidad de los genes.

Se oyó un coro de risas de los otros agentes federales de la oficina.

—Eres tan despiadada… —dijo Tee con una suave risa.

—De ahí viene mi apodo.

Tee sacudió al cabeza.

—¿Sabes que está mal que me hagas parecer Glinda la bruja buena, verdad?

—Llámame Elphaba.[1] Pero no me tires una casa encima, ¿vale?

Como era habitual, Tee continuó con su buen humor.

—Está bien, Elp. ¿Éste te sirve?

Syd dudó mientras lo consideraba.

—No lo sé.

Tee sacó una fotografía de él con el pecho desnudo y sudoroso mientras hacía abdominales que mostraban cada uno de sus músculos. La agitó delante de ella, como si fuera un pedazo de delicioso chocolate.

—Vamos, Syd. Confía en mí. Quieres hablar con este tipo.

---

1. Se trata de alusiones a los personajes protagonistas de un musical estrenado en Broadway en 2003. Se titula *Wicked* y cuenta la historia de las brujas de Oz antes de la llegada de Dorothy. Elphaba tiene fama de bruja mala y Glinda es el hada buena. Al principio no se soportan, pero con el tiempo se descubre que ambas tienen buen corazón y llegarán a ser grandes amigas. *(N. de la T.)*

Necesitas hablar con este tipo. —Luego hizo que su voz sonara más profunda—. Vamos, cariño, soy demasiado sexy para mi camisa…

Syd sacudió la cabeza riéndose. Tee era incorregible.

—Sólo si me prometes que no me perseguirá para un polvo rápido. No necesito y no quiero más *playboys* en mi vida. —Syd estaba harta de hombres como ésos. Se había jurado que la próxima vez que otro hombre como ése entrara en su vida sería ella misma quien le dispararía.

O le haría exactamente lo mismo que le había hecho a Hunter.

Tee devolvió la fotografía a la carpeta.

—Muy bien. Entonces nos encontraremos con él dentro de una hora. ¿Estás preparada?

Syd miró su ordenador. Tenía muchísimo trabajo que hacer, pero necesitaba asegurarse de que este hombre funcionaría. No podía permitir que otro hombre la dejara en la estacada.

No era fácil encontrar un asesino de sangre fría que pudiera ir y cumplir con su tarea sin ningún remordimiento, preguntas o complicaciones.

A juzgar por el archivo, Steele parecía ser justo lo que el médico requería, los hombres del ejército eran buenos obedeciendo órdenes.

Pero los convictos no lo eran…

Syd suspiró mientras sopesaba los pros y los contras de tratar con aquel hombre. Si por la razón que fuese aquello no salía bien, no habría tiempo para encontrar un francotirador que lo sustituyera. Ya habían revisado innumerables archivos de los Marines, del Ejército… todos. Ninguno de ellos servía.

Quedaba el loco convicto submarinista de Steele, él era todo o nada.

Dios los ayude.

—Sí, iré con vosotros para echar un vistazo.

—Bien. Oh, casi me olvido de la mejor parte… ¿Conoces a nuestros amigos de Protección Activa?

Syd apretó los dientes al oír mencionar la «compañía de seguridad» que era una conocida fachada que servía de tapadera al crimen organizado, mercenarios y asesinos a sueldos.

—¿Qué pasa con ellos?

—Han estado en contacto con nuestro chico, Steele. Tengo entendido por buenas fuentes que incluso le hicieron una oferta de empleo no hace mucho tiempo.

Una lenta sonrisa se levantó en su rostro. Oh, sí, era perfecto.

Tee le guiñó un ojo.

—Haz lo que sea que necesites para estar lista mientras yo me peleo con Joe para que nos dé su visto bueno.

Syd observó a Tee mientras ésta se dirigía al despacho privado que compartía con su director, Joe Public. Cuando Syd había firmado con la agencia, su programa había sido exclusivamente proteger a aquellos que no podían protegerse a sí mismos.

Era un juramento que ella se tomaba de lo más en serio. Si fallaba en aquella misión, no había modo de saber qué repercusiones podrían afectar no sólo a su vida, sino también a las de millones de otras personas.

¿Quién hubiera pensado que el mejor modo de salvar vidas era arrebatar una? Joe la había sermoneado con eso desde su primer día de trabajo.

Incluso tenía un nombre para llamarlo. Poda política. Para hacer que el árbol crezca, las ramas muertas, secas y contaminadas tienen que quitarse. Si no se caen por su cuenta, entonces uno tiene que sacar la sierra y cortarlas. Al principio, había sido tan inocente como para pensar que ella nunca podría ser tan cínica. Pero el tiempo y las misiones finalmente habían conseguido arrastrarla hacia el modo de pensar de Joe.

Estaba en un mundo de perros que se comían a otros perros, y ella daría el bocado más grande de todos.

Capítulo dos

—*E*l hombre disparó un tiro a su comandante.

Ignorando su comentario, Tee se apoyó en el escritorio de Joe y leyó por encima de su hombro. Él estaba revisando la carpeta que ella le había entregado, la cual contenía el dossier de su último posible recluta: Joshua Steele, antiguo francotirador del Ejército, ahora un residente casi permanente de Fort Leavenworth, Kansas.

Ella no podía entender las reticencias de Joe respecto a ese pequeño detalle de que Joshua hubiera sido enviado a la cárcel. Normalmente él veía un buen potencial en todo lo que ella le ofrecía.

—Así que ésas tenemos… Es hosco y tiene mal genio. Marcha a su propio ritmo y toma decisiones rápidas. Está bien, estamos de acuerdo, disparar contra su jefe no fue precisamente brillante, pero todos hacemos estupideces de tanto en tanto. Más allá de ese pequeño y crítico error de juicio, suena como un recluta perfecto para el Departamento de Defensa Americano.

Joe la miró divertido mientras cerraba el archivo.

—Disparó a su comandante.

Tee no podía entender por qué seguía obsesionado con eso.

—¿Y eso qué más da? Ha pasado incluso el escrutinio de Syd, y sé que no tengo que explicarte que esa hazaña representa una proeza mortal.

—Yo sería su comandante, Tiger. ¿No crees que ya he recibido suficientes disparos en el curso de mi carrera?

Ella puso los ojos en blanco y le arrebató la carpeta de las manos.

—Nunca vas a superar lo de Praga, ¿verdad?

Él le dirigió una mirada indignada mientras se daba una palmada en la pierna.

—Tú me disparaste en el muslo.

Ella resopló.

—Fue sólo en la parte de carne.

—La parte de carne…, pedazo de imbécil. Un milímetro o dos más y me dejas sin descendencia.

Ella agitó la mano con desdén mientras volvía a su escritorio de metal, que estaba justo en frente del de Joe. A diferencia de éste, siempre escrupulosamente limpio, el de ella estaba lleno de catálogos, carpetas, papeles y varias pequeñas estatuas de Amy Brown[2] que coleccionaba.

—Sí, sí, agradece que estaba cansada y me falló la puntería. —Puso la carpeta en su gran maletín negro—. Ahora deja de comportarte como un niño y haz esa llamada.

Él continuó mirándola con enfado.

—¿Por qué cuando me disparan a mí dices que me porto como un niño, y cuando te disparan a ti se trata de una cuestión de vida o muerte y de seguridad nacional?

—Porque yo estoy más guapa con falda corta. Ahora haz la llamada, Joe.

—Haz la llamada, Joe —se burló él mientras alcanzaba su anticuado fichero de direcciones.

Personalmente, ella prefería su pequeño asistente digital personal, pero Joe prácticamente tenía fobia a la tecnología… odiaba todo lo que fuera electrónico. A excepción del control remoto de la televisión, y ésa era una afición en la que ella ni siquiera quería pensar.

Abrió la tapa y comenzó a pasar las fichas.

—¿Eres consciente de que soy el jefe de esta agencia?

Tee hizo un sonido burlón mientras abría su cajón de archivos y buscaba allí el resto de los papeles que había reunido sobre Steele.

—El jefecillo, querrás decir. Por la mañana no eres capaz ni de encontrar la llave de la puerta a menos que yo te la dé.

2. Artista americana que se ha especializado en un arte de fantasía, con muchos retratos de hadas. *(N. de la T.)*

Él continuó hojeando las fichas sin mirarla a ella.

—Sólo porque no soy una persona de mañanas.

Ella lo miró con malicia.

—Tampoco eres una persona de noches. Reconócelo, pequeño. Sólo tienes dos buenos minutos al día. El minuto inmediatamente anterior al mediodía y el que le sigue después.

Él le lanzó una mirada feroz que de hecho podría haberla asustado si ella no hubiera estado cargando un arma de mayor calibre que la suya.

—Lo sabes, podría despedirte. Podría disponer las cosas parar que fueras asesinada. O incluso yo mismo podría asesinarte.

Mientras él fanfarroneaba, Tee organizaba algunos de los papeles más desordenados de su escritorio.

—Ooooh, una amenaza espeluznante. Podría hasta resultar creíble si no fuera por el hecho de que sé cuánto odias el trabajo administrativo.

—Pero sé manejar un ordenador.

Ella tuvo que hacer esfuerzos para no reírse. Lo primero que había aprendido años atrás cuando habían sido compañeros en la CIA, era que Joe Public preferiría ser golpeado en la cabeza con un martillo de clavos antes que sentarse ante un escritorio para trabajar con un ordenador.

—Sí, bien. ¿Qué estabas diciendo hace diez minutos? Saca esa maldita cosa de mi escritorio antes de que la dispare. Ahora haz esa llamada, cazador de pacotilla.

Joe le lanzó un pedazo de papel enrollado antes de marcar el número.

Tee lo cogió en el aire, lo besó y luego se lo arrojó de vuelta a él.

Le rebotó en la cabeza.

Él le soltó un gruñido mientras se inclinaba para recogerlo, como un buen obsesivo-compulsivo y lo lanzaba al cubo de basura.

—Realmente debería despedirte.

Tee iba a comentarle que ella no tenía esa suerte, pero justo cuando estaba a punto de abrir la boca él comenzó a hablar con su contacto del Ejército.

Ella se contuvo para no sonreír ante el hecho de que se había salido con la suya... otra vez. Casi siempre lo conseguía con Joe. Era como un grande y hosco oso en una cueva. Le dabas un empujón, él gruñía amenazadoramente y luego se apartaba a un lado mientras mostraba sus colmillos y te miraba desafiante.

Por otra parte, Joe sólo hacía aquello por ella.

En lo profundo, ella sabía la verdad. Joe Public nunca fue fácil de convencer. Era duro, despiadado y severo, uno de los mejores agente que la CIA había tenido nunca. Joe no conocía el significado de la palabra «jugar».

Lo cual resultaba una lástima, teniendo en cuenta lo guapo que era. Tenía el cabello largo y castaño oscuro y solía llevarlo recogido en una coleta.

Sus ojos eran tan azules que deberían ser ilegales y su trasero tan magnífico que los agentes de Hollywood se hubieran lanzado a contratarlo.

Ella lo había visto sin camisa una o dos veces durante alguna misión y nunca se había recuperado plenamente de aquella visión. Delgado y firme, su cuerpo podía competir con el de cualquier gimnasta. Y cada vez que ella lo vislumbraba se sentía poseída de una necesidad cruda de lamer cada centímetro de él...

Tee puso freno a esos pensamientos... como siempre hacía. El trabajo y el juego no podían mezclarse.

Joe era su ex compañero y, a fin de cuentas, su jefe. Nunca podría haber nada más que eso entre ellos y ella lo sabía.

Pero en su interior, en zonas que no debería admitir, quería mucho más que una mera relación laboral con él.

Escuchó ese tono suyo de seriedad absoluta mientras hablaba con su contacto. Joe era un chico de la ciudad de Nueva York capaz de disfrazar su acento el noventa y nueve por ciento del tiempo, pero cuando intentaba intimidar o hacerse con el control, ese acento salía con toda su fuerza.

Y había en él algo infernalmente sexy. Aunque en realidad su voz siempre era sexy. Profunda y resonante, tenía la virtud de provocarle escalofríos que recorrían su columna arriba y abajo.

Joe colgó el teléfono.

—¿Y bien? —preguntó ella, ocultando el hecho de que se

avergonzaba de admitir que había estado tan concentrada en él que no había escuchado la conversación.

—Resérvanos un vuelo para Kansas, Dorothy. A ver si *Toto* sabe ladrar.[3]

3. Alusión relacionada con la del musical *Wicked*. Esta vez la referencia es *El Mago de Oz*, cuya protagonista es Dorothy, y a su perro *Toto*. En este caso, Sydney sería Dorothy y Steele, *Toto*. *(N. de la T.)*

Capítulo tres

*P*or lo que concierne a Steele, aquél era simplemente otro día más en el infierno. No estaba seguro de por qué había pensado que sería preferible matar el tiempo en un uniforme naranja que en uno verde.

Pero dos años atrás, cuando en un arranque de ira había decidido disparar sobre el casco de su comandante, se había imaginado que cualquier cosa, incluso un tribunal de guerra y la cárcel, sería mejor que lo que el Ejército reservaba para él.

Dios, qué equivocado estaba.

Ahora iba a pasar los próximos veinticinco años dentro de esas cuatro paredes, escuchando a los otros presos soltar discursos estúpidos mientras tenía que luchar a diario por dejar claro el hecho de que él era el gallo del gallinero y que si alguien quería algo de él, iba a tener que morir por ello.

Oh, sí, su vida era estupenda.

—¿Steele?

Alzó la vista de las zanahorias que estaba pelando con una cuchara para observar que uno de los guardias lo miraba.

—Tienes visita.

Le llevó unos veinte segundos asimilar esas palabras inesperadas.

¿Visitas? ¿A él?

¿Cuáles eran las probabilidades de eso? Su familia lo había abandonado el día que había sido arrestado.

Lo mismo había pasado con sus amigos. No es que nunca hubiera tenido muchos. Siempre había sido un solitario la mayor parte del tiempo, algo tenía que ver con el hecho de que fuera un mocoso del Ejército cuya familia era transportada de lugar en lugar cada tres o cuatro años. Los únicos verdaderos amigos que había tenido habían sido el viejo loco de Jack y Brian. Jack estaba ahora escondido en un refugio lejos del mundo, y lo más probable era que no tuviera ni idea de lo que le había pasado a Steele ni a Brian...

Se estremeció ante el dolor que lo desgarraba. ¿Cómo había podido su familia cortar todos los lazos con él tan fácilmente? Él nunca le habría hecho eso a nadie, pero a pesar de todos sus intentos y propósitos se había quedado completamente huérfano y abandonado por todos aquellos que una vez, equivocadamente, había creído cercanos. Ninguno de ellos quería que la mancha que suponía su encarcelamiento los contaminara. Como si fueran ellos quienes tuvieran que vivir el horror en que se había convertido su vida.

Durante los últimos dieciocho meses los únicos que habían venido a verlo habían sido su abogado y un estúpido gilipollas que quería contratarlo para matar gente.

Sí, muy bien. Eso de matar por un sueldo se había acabado. Si el tío Sam[4] no había podido conseguir eso de él, nadie podría.

Sus días de apretar el gatillo se habían acabado.

Steele apagó ese aparato tan viril que era el procesador de comida, luego se limpió las manos en su igualmente viril delantal. Se sacó el delantal por encima de la cabeza y lo colgó en un gancho en la pared.

—No puede salir —le gritó el cocinero jefe al guardia, que era más de siete centímetros más alto que Steele. De constitución fornida, Hank no era el más benevolente de los guardias de los prisioneros. Más bien era de esos que hacen que todos tengan mala reputación. Si no hubiese sido por un capricho del destino, no cabía duda de que ese hombre debería haber estado en el lugar de Steele, es decir, detrás de aquellas rejas que disfrutaba golpeando cuando bajaba a los pasillos durante la noche. Steele realmente detestaba a ese capullo—. Tenemos que acabar con la comida.

—Entonces será mejor que encuentres a otro que haga funcionar el procesador de comidas —dijo Hank—. Esta gente no es el tipo de gente a la que le gusta esperar.

4. Se refiere a Estados Unidos *(N. de la T.)*

Steele resopló.

—¿Qué pasa? ¿Acaso tenemos fuera al jodido presidente o algo por el estilo?

Hank hizo una mueca con el labio.

—Contrólate, Steele. No son el tipo de gente a quien puedas permitirte cabrear.

Sí, claro. Uno terminaba cabreando a todo tipo de gente en algún momento. Ni el propio presidente, por muy grande que fuese, se salvaba de eso.

—Quizás tú no, Hank, pero ya veremos qué pasa conmigo.

Hank no parecía impresionado por su actitud.

—Será tu funeral.

El guardia lo condujo hacia el vestíbulo, donde lo estaban esperando para abofetearlo. Steele se puso rígido. Una parte de él prefería luchar antes que mostrarse sumiso, pero en las primeras semanas de su lamentable encarcelación había aprendido que luchar contra los guardias realmente no merecía la pena.

En el Club Leavenworth la humillación diaria era tan sólo una parte del curso. Y si era realmente afortunado, podrían incluso despertarlo en plena noche y hacerle fregar retretes con su cepillo de dientes otra vez

Oh, estupendo.

Apretando los dientes, se esforzó por no reaccionar mientras Hank lo agarraba del brazo y lo arrastraba hacia la habitación de invitados que estaba reservada para las consultas con los abogados. No había estado allí desde la vez en que su abogado le había dicho que la última apelación que había hecho había sido rechazada. Ahora el abogado, que le había costado hasta su último centavo, no le devolvía las llamadas. Sí... su vida daba para reírse.

No es necesario decir que no se sentía particularmente excitado ante la idea de estar allí otra vez mientras todas esas emociones reprimidas se agitaban en su interior, llenándolo de ira.

Una vez llegaron a la habitación correcta —y la suerte quiso que fuese la misma habitación en la que había perdido su última esperanza—, el guardia abrió la puerta y lo empujó dentro.

Steele dio un traspié, pero consiguió mantener el equilibrio y caer rígido en la banqueta. Los orificios de su nariz se ensancharon mientras mantenía sujeta su rabia y conservaba la mirada en el suelo. Ansiaba desesperadamente dedicarle una mirada de odio a Hank, pero sabía muy bien que era mejor no hacerlo. En lugar de eso, notó cómo trabajaba un músculo de su mandíbula mientras se enderezaba para mirar a las personas que estaban allí para hablar con él.

Como el resto de la prisión, la habitación era gris, pero aunque las paredes hubieran estado pintadas de un rosa subido con putas desnudas retratadas en ellas, las personas que habían venido a verlo habrían destacado.

Habían sido entrenadas por el gobierno. Él podía olerlo. Surgía de cada poro de sus cuerpos, a pesar de que fueran vestidos como civiles y el hombre llevara el pelo más largo que la mujer que había a su lado. Steele fijó la mirada en el brazo derecho del hombre, donde asomaba un tatuaje por debajo de la larga manga azul oscura. Llevaba pantalones negros plisados y una corbata de rayas rojas, pero todo eso no conseguía ocultar el hecho de que aquel hombre no era tan refinado como pretendía aparentar.

Había en él algo salvaje y peligroso… era el tipo de hombre con quien tenías que pelearte en un bar porque su mujer se había atrevido a mirarte.

Y que Dios te protegiera si eras tan estúpido como para hablar con ella.

La mujer que había a su lado presentaba una extraña dicotomía. Era una diminuta mujer asiática, vietnamita-americana si él no se equivocaba. Vestida con una blusa blanca y una falda negra corta, aparentaba seriedad y calma. Sin embargo, sus instintos le decían que aquello era sólo una fachada. Sus movimientos eran demasiado precisos. Demasiado estudiados. Steele sentía que ella era tan agudamente consciente de él como él lo era de ella. Su cabello negro y corto enmarcaba perfectamente su atractivo rostro y lo observaba con un par de desalmados ojos negros.

Pero era la mujer que se hallaba de pie en una esquina, con los brazos cruzados sobre el pecho, quien le llamaba más la atención. Estaba totalmente inexpresiva y vestía con pantalones vaqueros, una camiseta roja holgada y una chaqueta de cuero marrón. No era muy alta, debía medir un metro sesenta o poco más. No era menudita ni gruesa, sino más bien de complexión firme.

La imagen de una guerrera amazona surgió en su mente. Sí, podía imaginarla de esa forma. Con una espada en una mano y un látigo en la otra, mientras se enfrentaba sin miedo al enemigo.

O mejor aún, desnuda sobre el tipo que ella misma había atado a su cama.

Aquel pensamiento casi lo hace sonreír. Sólo el dolor de su repentina erección le hizo evitarlo. Había pasado mucho tiempo desde la última vez que había hablado con una mujer. No le hubiese importado nada estar tan cerca de una como para que ésta pudiera efectivamente llegar a atarlo.

Lo que hubiera dado por estar cinco minutos a solas con ella…

Steele se esforzó por no delatar esos pensamientos, pero era difícil.

Ella tenía una larga melena negra atada en una trenza que le llegaba hasta la mitad de la espalda. Sin duda, su cabello sería suave al tacto. Como seda contra su rostro mientras él se arrimaba a su cuello…

Aquello bastó para que le dieran ganas de gemir.

La mujer llevaba unas gafas con montura de carey que estaban muy lejos de ocultar sus ojos verdes, que tenían un aire felino. Algo ardiente y perverso surgía en su interior cuando la contemplaba.

Cada parte de él parecía extrañamente sensible a su presencia. Sí, llevaba demasiado tiempo en prisión. Ella estaba muy lejos de ser su tipo. Parecía más capaz de darle una patada en el culo a un hombre que de montarlo.

Y, sin embargo, tenía que esforzarse para no mirarla fijamente, y ni siquiera sabía bien por qué. Sus labios y sus ojos eran un poco grandes y su postura un poco masculina.

Pero incluso así, había algo en ella que resultaba de lo más atractivo.

El guardia lo condujo hasta una silla frente a la mesa ante la cual se hallaban ellos.

—Quítele las esposas —dijo el desconocido en un tono aburrido.

—Eso va en contra del protocolo.

—Quí-te-le las es-po-sas —repitió, acentuando las sílabas de cada palabra sin ni siquiera mirar al guardia.

Hank le lanzó una mirada de odio antes de obedecer a regañadientes. Steele se contuvo para no hacer una mueca mientras Hank tiraba de su mano con tanta fuerza que, por un momento, creyó que iba a romperla.

—Muy bien, si le ataca…

—Si le ataca, morirá antes de caer al suelo —dijo la mujer que estaba sentada en tono distraído mientras buscaba algo en su gran maletín de cuero negro—. Y estoy segura de que él lo sabe.

Steele se frotó las muñecas mientras enganchaba un talón contra la silla para retirarla. Se sentó y miró con expresión hosca a la pareja que tenía delante.

El guardia se colocó junto a la puerta.

—Espere fuera —dijo el hombre.

—Eso…

—Espere. Fuera —acentuó de nuevo las sílabas.

Oh sí, habría un infierno aguardándolo cuando esos tres se hubieran marchado y Hank pudiera demostrarle su superioridad. Steele no podía esperar.

El guardia les hizo un gesto de desprecio antes de obedecer.

—Gracias —dijo Steele con sarcasmo mientras su ira crecía otra vez—. Estoy deseando volver ahí dentro. ¿Ustedes se especializan en algo que no sea enemas de ácido?

Los ojos de la mujer vietnamita brillaron al oír aquello mientras colocaba su maletín en el suelo.

—Oooh, es arrogante. Ya me gusta.

El hombre, al igual que la otra mujer, que continuaba apartada a un lado, tenía un rostro absolutamente inexpresivo. Steele no podía dejar de sentir admiración por eso. Se necesita muchísima práctica para ser capaz de no traslucir ninguna emoción. Él lo sabía muy bien, ya que había practicado religiosamente.

Cuando el hombre habló, su tono fue tan frío como el lenguaje de su cuerpo.

—Estamos aquí para hacerle una oferta especial, señor Steele. Una oportunidad de esas que se dan sólo una vez en la vida.

Steele resopló.

—Oh, espere. Ya he visto esa película. Yo hago un trabajo para usted y usted me deja marchar. Entonces, ¿quién soy? No puedo ser Eddie Murphy, no soy de su raza. No soy calvo, así que tampoco puedo ser Vin Diesel. Por tanto, ¿qué me queda?

La mujer le dedicó una sonrisa malvada.

—Piense en Snake Plissen. ¿Ha visto… *Escapar de Nueva York*? Usted hace el trabajo y, si no fastidia las cosas, le dejamos con vida.

—Sí, he visto esa película. Al final ellos tratan de matarlo de todas formas.

El hombre todavía no había dejado traslucir ningún tipo de emoción.

—Bien, entonces ya conoce nuestros métodos. Eso me ahorra a mí mucho tiempo de entrenamiento y a usted muchas sorpresas.

Steele sacudió la cabeza. Estaban más llenos de mierda que un prado de vacas.

—Miren, no me jodan. No tengo tiempo para esto…

—¿Ah, no? —preguntó la mujer—. A mí me parece que tiempo es lo único que te sobra.

Él la miró con odio.

—¿Por qué no te buscas a otro imbécil para esta aventura suicida? Sé que el Ejército no me va a dejar ir como si nada.

—Y nosotros tampoco —dijo el hombre—. Nunca dejamos que la gente se vaya como si nada.

¿Por qué eso no le sorprendió? Probablemente, porque los tres tenían la actitud de… bueno, a falta de otro término mejor, digamos de Satán.

—¿Quiénes sois vosotros? ¿Wolfram y Hart?[5]

---

5. Referencia a una famosa serie de televisión titulada *Ángel*, en la cual la prestigiosa firma de abogados Wolfram & Hart representa los poderes del mal contra los cuales lucha la agencia de detectives enfocada a fenómenos paranormales Angel Investigations. *(N. de la T.)*

La mujer vietnamita-americana se rio al captar la referencia al programa de televisión.

—Oh, no, cariño, ellos sólo se quedan con tu alma. Nosotros pretendemos quedarnos incluso con algo más que eso.

No era muy reconfortante.

El hombre se frotó el ojo derecho.

—Éste es el trato que te ofrecemos. Tú resuelves nuestro asunto dejándonos completamente satisfechos y, en lugar de pasarte los próximos veinticinco años pelando patatas y haciendo bordado para el Ejército, trabajas para nosotros. Por supuesto nos pertenecerás, noche y día.

Eso sonaba excelente… No, él no iba a cambiar una situación de mierda por otra igual.

—La esclavitud es anticonstitucional.

—Eso díselo al gobernador —respondió la mujer vietnamita-americana.

Steele la observó mientras abría una carpeta de cáñamo y revisaba sus contenidos.

Él no se creyó ni durante un minuto nada de aquello, pero su curiosidad lo traicionaba. Inclinó la cabeza hacia atrás para intentar ver lo que ella estaba mirando, pero no pudo.

Instintivamente, pensó que ya conocía aquel guión.

—Entonces, ¿a quién queréis que mate?

El hombre fue quien respondió.

—Nadie ha dicho…

—Corta el rollo —le soltó Steele interrumpiéndole. —Quería la verdad, y la quería oír sin rodeos—. No soy estúpido. Sólo tengo una habilidad en la vida. Soy un francotirador. Si estáis aquí, significa que queréis a alguien muerto, lo necesitáis desesperadamente, y no podéis encontrar a nadie lo bastante idiota como para hacerlo.

—No es cierto. —La mujer que estaba de pie por fin habló, con una voz que a él le recordó a la de Lauren Bacall. Era una voz grave, ligeramente adornada con el matiz de algún acento de Nueva Inglaterra—. Hay muchísimos hombres suficientemente estúpidos para esto. Sólo que ninguno tiene tanto talento como usted, señor Steele.

Él se rio amargamente al oír eso.

—Odio que me llamen señor Steele. Me recuerda a mi maestra de tercer grado, de la escuela parroquial a la que fui cuando era niño. Ella usaba ese nombre justo antes de golpearme los nudillos con una regla o antes de avergonzarme frente a los otros estudiantes.

Ella entrecerró esos ojos verdes como si dudara entre mostrarse enfadada o divertida.

—Sea como sea, te necesitamos a ti particularmente para llevar a cabo esta misión.

Él soltó un bufido. Misión. Un gran eufemismo para lo que en realidad querían.

—¿Qué os pasa a todos los gilipollas del gobierno para que no podáis decir las cosas con claridad? ¿Siempre tenéis que iros por las ramas y usar eufemismos o malditos anacronismos para todo?

—Bien. —La mujer de ojos verdes se adelantó para mirarlo con rabia. Se detuvo a unos pocos centímetros de la mesa, lo bastante cerca como para que él pudiera notar que llevaba un perfume caro, lo cual parecía una extrañeza teniendo en cuenta la dureza de su actitud—. Necesitamos que mates a un asesino antes de que él lleve a cabo su objetivo. O tú te comes al oso, o el oso te come a ti, señor Steele. O para complacerte, dicho bien claro… tú encuentras y matas al asesino o nosotros te matamos a ti. Fin de la historia.

Steele se burló.

—Si tenéis tanto interés en matar a alguien, ¿por qué no lo hacéis vosotros mismos?

Ella se encogió de hombros despreocupadamente.

—Lo haría si supiera quién es. Pero, desafortunadamente, no lo sé. Y además no tengo la habilidad que tú posees.

La otra mujer cerró la carpeta y la colocó sobre la mesa.

—Lo sabemos todo sobre tu entrenamiento en el cuerpo oculto del Ejército, señor Steele. Incluso tenemos a uno de tus viejos camaradas en nuestra plantilla, pero lamentablemente se dio contra un árbol esquiando en una zona peligrosa y complicó nuestros planes. Dado que estará fuera de servicio durante un tiempo, él te recomendó para reemplazarlo. Al parecer no está al corriente del lugar donde te alojas actualmente.

El hombre deslizó la carpeta hacia él.

—Si aceptas trabajar para nosotros, estamos en condiciones de suprimir tu documentación. Te será dada una licencia honorable del Ejército y tu pequeño periodo en la cárcel será borrado de todas partes menos de tus pesadillas.

Ahí había algo por lo que sería capaz de matar… Quizás.

Steele abrió la carpeta que contenía los papeles de la licencia, ya firmados, junto con una orden del Pentágono y del gobernador de liberarlo de su custodia.

Estaba impresionado. Y cuando miró el papel que había debajo donde venía escrita su nueva paga y beneficios, se quedó aún más impresionado.

Pero todavía quedaban muchas preguntas sin respuesta.

—¿Quién es vuestra gente?

El hombre se echó hacia atrás.

—No necesitas saber eso ahora. Después de que hayas aceptado la oferta hablaremos sobre los detalles.

Sonaba bien. Demasiado bien, de hecho, y él no era tan inocente como para pensar que estaban siendo benevolentes con él. Nada en la vida venía sin un precio que a menudo uno comprendía cuando ya era demasiado tarde.

—Hay un detalle que quiero saber ahora.

—¿Cuál es?

—Después de hacer este trabajo, ¿qué me ocurrirá?

Los ojos azules del hombre se clavaron en él.

—Continuarás trabajando para nosotros. A efectos prácticos somos tus agentes de libertad condicional.

—Sólo que llevamos revólveres —dijo la mujer de ojos verdes—. Revólveres grandes. Y no tenemos inhibiciones a la hora de usarlos. Si intentas jodernos o traicionarnos te mataremos. Sin rodeos. Adiós, señor Steele. ¿Son palabras bastante claras para ti?

Él sacudió la cabeza ante su frialdad.

—Apuesto a que dormirás bien esta noche.

—No tienes ni idea.

Steele hojeó las páginas de la carpeta mientras reflexionaba acerca de lo que le estaban ofreciendo. ¿Cómo podía decir no? ¿Cómo podía decir sí?

Y lo más importante, ¿en qué demonios iba a meterse? De pronto, se sintió como Joe Hardy de pie frente al señor Applegate. Vagamente se preguntó si la descarada mujer que seguía allí de pie se llamaría Lola.

Sin embargo, el diablo siempre era retratado como un hombre mayor, y el que tenía delante de él…

Aunque era cierto que había algo malvado en él.

—¿Cuánto tiempo tengo para tomar mi decisión?

La mujer vietnamita-americana se encogió de hombros.

—El juez dijo veinticinco años sin posibilidad de libertad condicional. Eso significa que tendrás… ¿cincuenta y cuatro años cuando salgas fuera? Es realmente una mierda, ¿no? No habrá mujeres calientes con faldas cortas detrás de las que correr porque serás un viejo de mierda sin porvenir. Los mejores años de tu vida los habrás pasado luchando contra hombres que piensan que tienes un precioso culito sobre el cual les encantaría abalanzarse.

Steele arrugó la cara con disgusto.

—¿Ella es así en casa?

El hombre seguía sin mostrar ninguna emoción.

—Créeme, está siendo amable contigo. Normalmente es mucho peor. —Miró a la mujer que tenía a su lado—. ¿Estás bien, Tigre?

—Nunca he estado mejor.

Steele respiró profundamente, pero ya sabía lo mismo que ellos. En realidad no tenía elección. La última cosa que quería era malgastar su vida entre rejas. Como había dicho la mujer de ojos verdes, era una mierda estar ahí.

Se echó hacia atrás mientras los miraba a los tres.

—¿No queréis saber si no pretendía matarlo y soy inocente?

—Eso no nos importa —dijo el hombre tranquilamente—. Además, incluso aunque quisieras matarlo podrías mentir diciendo que no.

Steele se levantó despacio y le deslizó la carpeta al hombre por encima de la mesa. Miró a las mujeres, luego continuó mirando al tipo de manera resuelta. La ira creció en su interior y estaba seguro de que podía verse en sus ojos.

—Si hubiera querido matar a ese hijo de puta, ahora estaría

muerto. Yo no cometo ese tipo de errores. Un disparo. Un muerto. Yo vivo y muero por mi código de francotirador.

—Es por eso que te queremos, señor Steele —dijo con calma la mujer que estaba sentada.

El hombre lo miró fijamente sin pestañear.

—Entonces, ¿cuál es tu respuesta?

—Sacadme de este jodido lugar.

El hombre y la mujer se pusieron de pie a la vez. La mujer vietnamita-americana levantó un pequeño bolso de compras del suelo, luego se lo ofreció mientras la otra mujer y el hombre se movían hacia la puerta.

—Bienvenido de vuelta al mundo, señor Steele —dijo con una sonrisa que era una extraña combinación de coquetería y maldad—. Vístase, Joe lo estará esperando fuera para sacarlo de aquí.

Steele estaba sorprendido por sus palabras. No era posible que fuera tan fácil.

Cogió el bolso de plástico y lo abrió para encontrar unos pantalones tejanos, una camisa tejana y un par de zapatillas Nike para correr. Todo era de su talla.

Sí, esa gente eran definitivamente agentes secretos.

—Yo soy Joe —dijo finalmente el hombre—. Simplemente, golpea la puerta cuando estés listo para salir.

Steele permaneció en silencio mientras lo dejaban a solas. Aquél era el momento más surrealista de su vida. Incluso más extraño que su primer día en prisión.

«Oh, por Dios, no pienses en eso.»

Debería existir alguna manera de borrar algunos recuerdos de la mente humana de forma permanente. Pero pronto, si podía creer en lo que ellos le habían dicho, todo aquello quedaría atrás. Una parte de él todavía no podía creerlo. Estar de nuevo fuera sin ningún gilipollas sosteniendo un rifle detrás de él…

La felicidad lo embargó mientras se quitaba su ropa de presidiario y la sustituía por los tejanos y la camisa. Casi se sentía humano otra vez.

Casi.

—Sí, pero ¿qué van a hacer cuando se den cuenta de que no estoy dispuesto a volver a matar a nadie nunca más?

Deberían haber hurgado un poco más profundamente en su informe para ver cuál era la razón exacta de que le hubiera disparado un tiro a su comandante.

Oh, bueno. De todos modos, ¿cuánto daño podía hacerle una bala en la cabeza? Al menos, le libraría de su desgracia.

A la mierda. Si ellos intentaban dispararle, él les enseñaría por qué era el mejor francotirador de su unidad.

Capítulo cuatro

Mientras lo conducía fuera de la prisión para esperar un helicóptero, Steele rápidamente comprobó que Joe estaba lejos de ser una persona habladora. De hecho, Joe no parecía hablar en absoluto.

Esperó a que Joe abriera la puerta del helicóptero. Steele se había entrenado con helicópteros militares y no esperaba encontrarse con lo que tenía que ser el equivalente en helicópteros a un jet de ejecutivos. El interior podía albergar sólo a seis personas, pero cada uno de los asientos estaba forrado de un grueso acolchado de cuero color canela. Había portavasos, conexiones para ordenadores portátiles y mucho más. Era increíblemente lujoso.

Las mujeres, que todavía no se habían molestado en decir su nombre, ya estaban sentadas en el interior.

—Diablos —murmuró Steele—, esto es más bonito que cualquier casa que nunca haya tenido.

Joe no hizo ningún comentario mientras se sentaba cerca de la mujer vietnamita-americana.

Una vez Steele se hubo sentado, Joe inclinó la cabeza hacia los pilotos, que estaban haciendo comprobaciones previas al vuelo.

—Joshua Steele, éstos son Jake Malone y Tony Casella. Si en el futuro caes en un área de alto riesgo, ellos y Retter, a quien conocerás más tarde, son los que te sacarán del apuro. Así que sé amable con ellos. Tu vida depende de ello.

James se volvió hacia él y le ofreció la mano. Llevaba un casco de piloto que oscurecía completamente su rostro.

—Bienvenido a bordo.

—Gracias —dijo Steele dándole la mano.

—¿Te llaman Josh? —preguntó Jake.

—Steele, simplemente Steele.

—No hay problema.

Tony fue el siguiente en darle la mano.

—No te preocupes si echo la cabeza hacia atrás y empiezo a roncar cuando estemos volando. Es normal. Estoy aquí sólo por si Jake tiene un derrame cerebral y se muere.

Steele se puso tenso.

—Eso no es muy reconfortante.

—Ya, pero es cierto. No te preocupes. Jake sólo se ha desmayado una vez, y Joe me despertó realmente rápido. Tiene muy buenos reflejos.

—No me desmayé —dijo Jake, apretando los dientes.

—Sí lo hiciste. —Se volvió para mirar a Steele—. Claro que fue porque se había bebido cinco tequilas. Yo le dije que no volara, pero él no me escuchó. «Sólo yo puedo tocar a mi bebé», dijo Tony con voz burlona. Fue asqueroso. Vomitó por todas partes… incluso provocó un cortocircuito en el engranaje de aterrizaje, lo cual nos cabreó mucho a todos los que estábamos sobrios y éramos conscientes de lo que estaba pasando. Pero ya está bien. Una vez Joe comprendió que no puede eliminarse del cuero el olor de vómito, nos compró un nuevo juguete.

Jake le dio un empujón amistoso a su copiloto.

—Calla y vuélvete a dormir, Tone. Estás empezando a molestarme otra vez.

Steele miró a Joe.

—¿Hay algún modo de poner algún tipo de división entre ellos y nosotros?

Joe se rio.

—De hecho lo hay, pero no tienes que preocuparte. Tony no habla mucho en cuanto la hélice empieza a dar vueltas. El sonido del motor le hace conciliar el sueño.

—Estupendo —dijo Steele, con el estómago encogido ante aquella idea—. Siempre he querido volar con un piloto narcoléptico.

La mujer que estaba a su lado sonrió.

—No te preocupes, Steele. Jake tiene una cita con una mujer esta noche. No nos estrellará hasta que ella lo despedace.

—¡Jeez! —refunfuñó Jake—. Fue sólo una vez, gente. Juro que sois unos auténticos elefantes. No podéis permitir que un tipo se olvide de un único pequeño error.

Tony resopló.

—Ese pequeño error me hizo estar hospitalizado durante tres semanas, y casi me cuesta una pierna.

Steele frunció el ceño ante aquellas palabras. ¿Qué demonios estaba haciendo con esa gente?

Jake lanzó una mirada a Joe.

—¿Estamos listos, jefe?

—A casa, Jake.

Jake gruñó como si se tratara de un viejo chiste malo entre ellos. Se dio la vuelta y encendió los motores, que comenzaron a hacer un zumbido apagado a través del material aislante.

Joe le entregó un par de auriculares para tapar el ruido mientras Jake los elevaba por encima de la plataforma del helicóptero.

—Por si el zumbido te llega.

Mientras ascendían, advirtió que Joe se frotaba el ojo derecho y fruncía el ceño. La mujer vietnamita-americana le dirigió una mirada de preocupación y se dio unos golpecitos en la ceja derecha.

Joe asintió.

Ella le respondió con una mueca y señaló el bolsillo de sus pantalones. Joe levantó las manos e hizo una expresión que esencialmente quería decir «ya sé que estoy jodido».

Poniendo los ojos en blanco, la mujer agarró su maletín y rebuscó en su interior, hasta sacar una pequeña caja de plástico gris. La abrió para extraer una pequeña bolsita de aluminio que le entregó a Joe. La expresión de él mostraba que se sentía realmente agradecido al coger el pequeño paquete y abrirlo.

Se metió en la boca el pequeño comprimido mientras la mujer abría una coca-cola y se la entregaba.

Joe bebió un trago y se la devolvió.

Steele frunció el ceño ante sus acciones. Había una familiaridad entre ellos que mostraba que estaban íntimamente relacionados.

Miró sus manos izquierdas. No llevaban anillos de boda ni de compromiso.

Mmm…

Joe echó la cabeza hacia atrás y cerró los ojos mientras la mujer sacaba una novela romántica y se ponía a leer. Jake estaba ocupado volando y Tony tenía la cabeza hacia atrás y los ojos cerrados. Eso sólo añadía más confianza.

Steele miró a su lado, donde la otra mujer estaba leyendo *Parpadeo: el poder de pensar sin pensar.*

De acuerdo… aquél era un grupo interesante. Una vez más se preguntó qué demonios estaba haciendo allí.

«Leavenworth. No dejes de recordar que es mejor que la prisión, y estarás bien.»

Quizás. Volvió a mirar el título del libro e hizo una mueca. El concepto de «pensar sin pensar» lo estaba incomodando seriamente. Si tenía que poner su vida en manos de otra gente, preferiría que esa gente «pensara pensando».

«No hay nada que puedas hacer ahora respecto a eso.»

Ya había hecho el pacto con el diablo, por decirlo así. Ahora no tenía más remedio que continuar.

Steele cruzó las manos sobre su pecho y se echó hacia atrás mientras se preguntaba hacia dónde se dirigían. Probablemente debía de habérselo preguntado a ellos antes de subirse al helicóptero. Pero qué diablos importaba. Por fuerza tenía que ser mejor que el lugar de donde venía.

Por otra parte, estar en un helicóptero con un piloto narcoléptico, otro que tenía inclinación a los accidentes y unas personas que, según le habían dicho, no tenían ningún escrúpulo en matarlo podía ser interpretado como un acto de estupidez total.

Pero él había sido entrenado por el Ejército para poner su confianza en manos de extraños y obedecer órdenes ciegamente… Algunos entrenamientos, por entusiastas que fueran, nunca parecían estar completamente asumidos.

No es que eso importara. Aquella gente había acudido a él, y habían sido capaces de ponerlo en libertad. Era evidente que tenían legitimidad y muchas influencias.

No conocía todos los detalles acerca de la misión que iban a asignarle pero, cualquiera que fuese, tenía que ser mejor que pelar zanahorias con una cuchara, y luego meterlas en un procesador de comidas, para sus compañeros presidiarios porque nadie se atrevía a confiar en él y darle un cuchillo o un pelador de patatas.

Cerró los ojos y trató de concentrarse, pero antes de darse cuenta cayó dormido.

Syd alzó la vista para ver a Joe con la cabeza echada hacia atrás y los ojos cerrados, mientras Tee estaba completamente sumergida en la última novela de Rachel Fire. Encantada de que no le estuvieran prestando ninguna atención, deslizó la mirada hacia un lado para ver a Steele descansando en una postura muy similar a la de Joe.

Tenía la cabeza echada hacia atrás y apoyada contra la pared del helicóptero, las piernas abiertas y las manos descansando sobre sus muslos. Ella ya sabía por las fotos del archivo que era un hombre guapo, pero nunca hubiera esperado aquel abrumador atractivo sexual.

Incluso ahora que descansaba, ella podía sentir su poder. Estaba lleno de atractivo sexual masculino. Su voz era increíblemente profunda, y tenía apenas un leve acento del sur. Su pelo oscuro parecía suave. Atrayente.

Y sus ojos color castaño oscuro…

Éstos no eran tan sólo inteligentes, eran también inquietantes. Incluso esposado había entrado en la habitación como si ésta le perteneciera. La había recorrido con aquella mirada profunda y misteriosa y los había calibrado a todos, sin duda con una precisión infalible.

Él estaba lleno de confianza en sí mismo.

Y, sobre todo, era delicioso.

«Déjalo ya, Syd.» El trabajo y el juego era una mezcla letal, especialmente cuando ésta involucraba a dos agentes.

«Puedes mirar, pero nunca tocar.»

Suspiró irritada ante aquel pensamiento. Resulta que el único hombre por el que se había sentido atraída en más meses de los que quería contar era uno al que ni siquiera podía tener en cuenta como hombre.

Él se movió ligeramente, haciendo que la camisa le quedara más tirante sobre el pecho.

Oh, qué hombre…

Si ella pudiera darse una ducha fría en aquel mismo instante. Incómoda ante el efecto que él provocaba en ella, volvió a poner rápidamente la mirada sobre el libro.

Pero incluso mientras intentaba leer, se preguntaba qué es lo que había hecho que Steele actuara como lo hizo. Si era verdad, como le había dicho a Joe, que no quería matar a su comandante cuando le disparó, ¿por qué lo había hecho? Él tenía que saber las repercusiones de disparar ese tiro. Por lo que ella había leído, él ni siquiera había intentado argumentar que se trataba de un accidente. Se limitó a declarar *nolo contendere*[6] y aceptó la condena.

¿Qué podría llevar a un hombre a echar a perder su vida de esa manera?

Y aún más importante, ¿sería capaz de controlarse bajo la presión de esta nueva misión?

Quizás las prisas la habían llevado a cometer un error fatal en su juicio.

Se frotó la barbilla mientras aquella idea daba vueltas en su mente. ¿Podía confiar en que Steele permaneciera tranquilo y controlado bajo condiciones de severa presión? Ésa era la pregunta que habría que responder.

La última cosa que podían permitirse era un agente incapaz de apretar el gatillo.

Steele estaba soñando con una comida de domingo en casa de sus padres. Podía ver a su madre dándole la bienvenida al hogar y a su padre acercándose para estrecharle la mano. Su hermana estaba allí, de permiso en la universidad.

Todo era justo como había sido antes de su arresto…

Y entonces notó que alguien le tocaba el brazo.

Reaccionando como le había enseñado el instinto tras pasar

6. Expresión en latín que se usa en Estados Unidos cuando el culpable no desea hacer ningún alegato contra la acusación. (*N. de la T.*)

demasiados días en prisión, se despertó preparado para luchar con quien quiera que fuese a molestarlo.

Joe le cogió la mano antes de que arremetiera contra su mandíbula y se la apretó con una fuerza que realmente lo sorprendió. El hombre era mucho más rápido y fuerte de lo que parecía.

—Estamos aquí —dijo Joe, soltándole el brazo.

Frunciendo el ceño, Steele se enderezó para descubrir que habían aterrizado en lo que parecía ser el aparcamiento de algún estadio. Se sacó los auriculares.

—¿Dónde estamos?

—En Nashville —dijo Joe mientras bajaba del helicóptero.

Completamente perplejo al saber dónde se hallaban, Steele lo siguió fuera del vehículo.

—¿En Tennessee?

Joe resopló mientras se ponía unas gafas de sol.

—Sólo hay un Nashville.

Steele miró alrededor del atractivo y poco corriente paisaje urbano, pero no podía imaginarse ni por asomo por qué estaban allí.

—¿Qué diablos estoy haciendo yo en Nashville? ¿Acaso queréis que le dispare a Minnie Pearl?[7]

Joe le lanzó una mirada divertida.

—No. Ella no es el blanco. Por no mencionar que ya está muerta.

Steele devolvió a Joe esa mirada de «pobre imbécil».

—Entonces, ¿qué?, ¿Garth Brooks[8] es un espía, o es que acaba de joderos? ¿Tengo que dispararle a él?

La mujer vietnamita-americana le lanzó una mirada seca.

—No, pero si se te ocurre dispararle a Big & Rich,[9] no me quejaré. Si tengo que oír esa estúpida canción *Salva a un caballo y cabalga a un vaquero* una vez más, yo misma podría dispararle a alguien. —Y dirigió a Joe una mirada significativa.

7. Una de las grandes estrellas de la música *country*. (N. de la T.)

8. Se trata de otro gran artista de la música *country*. Nashville es conocido por ser el centro de la música *country*. (N. de la T.)

9. Se trata de otro cantante de música *country*. (N. de la T.)

—Me gusta esa canción —se defendió Joe.

—Sí, ya he visto la camisa —dijo ella, su voz aún más seca que su expresión mientras los conducía a través del aparcamiento—. Créeme, Joe. Tú no eres un cowboy. Las únicas vacas que viste de niño venían en un envoltorio de plástico en la tienda de comestibles o envueltas en papel del McDonald's.

Joe le hizo una mueca mientras caminaba detrás de ella.

—¿Siempre se comportan así? —le preguntó Steele a la otra mujer, quien le recordaba extrañamente a Angelina Jolie. No estaba seguro de qué era exactamente, pero había algo en su aspecto oscuro y confiado que recordaba a la actriz. A pesar de que esta mujer parecía disfrutar de la comida y tomar algo más que una hoja de lechuga cada tres semanas.

Ella se sacó las gafas y se las metió en el bolsillo antes de mover su libro para colocárselo debajo del brazo.

—Siempre. Te acostumbrarás.

Bostezando, Steele se volvió para mirar por encima de su hombro mientras Jake y Tony despegaban con el helicóptero. Inconscientes de su partida, Joe y la mujer de mirada oscura los condujeron hacia un pequeño Mercedes negro.

—Las llaves —dijo Joe, extendiendo la mano hacia ella mientras él y la mini-Angelina esperaban junto a las puertas traseras.

La mujer vietnamita lo miró.

—Tienes migraña.

Él le dedicó una sonrisa encantadora y casi infantil.

—Gracias a ti y a las pastillas Maxalt se me ha pasado, pero si te dejo conducir, sé que me volverá.

Ella entrecerró los ojos.

—Acabo de pintarlo debido a la última vez que condujiste.

Joe frunció los labios e hizo un puchero.

Ella hizo un ruido de disgusto.

—Sólo con que te acerques demasiado al bordillo te la cortaré. —Dirigió una mirada significativa a su entrepierna.

Él soltó un bufido mientras cogía las llaves.

—No he chocado contra un bordillo en mi vida.

—¿Beirut? ¿París? Oh, y no me hagas empezar por Madrid.

Joe le hizo una mueca mientras abría las puertas con el control remoto.

—Eres tan gruñona como tu madre.

—No te atrevas a empezar a hablar de mi madre. La invitaré para que me visite si lo haces.

—Lo siento —dijo Joe instantáneamente—. No volveré a mencionarla… ni tampoco a tu hermana.

Steele los miró frunciendo el ceño.

—¿Estáis casados o algo por el estilo?

—No —dijo la mujer—. Lo conozco demasiado como para ser tan estúpida.

—Gracias, Tigre. —Joe entró en el coche.

—De nada, Joseph —dijo ella mientras se reunía con él.

Siguiendo su ejemplo, Steele se subió a la parte trasera al mismo tiempo que la mini-Angelina. Tan pronto como tuvo puesto el cinturón comprendió la inquietud de Tigre respecto a su coche. Joe conducía como un hombre con ganas de morir.

—¿Dónde aprendiste a conducir? —preguntó Steele mientras giraban por una esquina tan rápido que hubiese jurado que el coche tenía dos ruedas.

—En la escuela de conducir de Richard Petty.[10] Tuve un gran instructor llamado Steven Norbert que me enseñó cómo sacarle todo el jugo posible a un motor. ¿Por qué?

Steele sacudió la cabeza, preguntándose si era sarcasmo o sería cierto.

—Está bromeando —dijo Tigre—. Aprendió a conducir con un capo de la mafia.

Joe se aclaró la garganta.

—Te lo he dicho un millón de veces, Tigre, nosotros no usamos ese término. Eso es sólo en la ficción. —Hizo una pausa—. Mi tío Fish simplemente estaba conectado.

Tigre puso los ojos en blanco mientras Joe pasaba demasiado cerca de un coche que iba despacio.

—¡Cuidado con el parachoques!

Steele se encogió, esperando oír un choque, pero adelantaron al otro coche rozándolo por los pelos.

Afortunadamente sólo estaban a unas pocas manzanas de su destino. Joe se precipitó dentro de un garaje y subió por una

10. Gran corredor de coches estadounidense. *(N. de la T.)*

rampa a tanta velocidad que Steele juraría haber oído el estampido sónico desde la parte de atrás.

—Ni un sólo rasguño —le dijo Joe a Tigre triunfante mientras aparcaba el coche.

—Sí… ya. ¿Quieres comprobar la parte trasera, donde está sentado Steele? Apostaría a que hay un buen rasguño ahí.

—Hey, eso me ofende —dijo Steele—. Os aseguro que mis nervios son más que suficientes para aguantar todo lo que me queráis echar.

Mini-Angelina se echó a reír.

—No seas tan creído. No tienes ni idea de lo malos que pueden llegar a ser.

—Sí —dijo Tigre—. Además, estoy segura de que te molestarán muchos otros comentarios de los que hagamos en un futuro cercano.

—Podrás ir acumulándolos —añadió mientras le devolvía las llaves a Tigre.

Joe y Tigre constituían una extraña pareja, pero en un sentido peculiar a él le gustaban. Se bajó del coche y se encaminó hacia el ascensor que los sacaría del garaje.

—Entonces, ¿cuándo sabré algo más acerca de mi trabajo?

Joe apretó el botón.

—En las oficinas, donde no puedan oírnos.

Las mujeres tenían una pequeña charla, mientras que él y Joe permanecían en silencio.

En cuanto llegaron a la tranquila y sombreada calle, Steele se detuvo al ver el edificio que había junto a ellos. Era… diferente. Hecho de vidrio azul y hormigón blanco, probablemente se elevaba unos doscientos metros del suelo. En la elevada cumbre había dos delgadas torres que parecían salidas de una película de ciencia ficción. Una especie de puente conectaba las torres y éste estaba adornado con la palabra BELLSOUTH y un círculo azul con estrellas blancas justo debajo.

Él nunca había visto nada parecido… y Joe y las mujeres se dirigían directamente hacia allí.

Steele anotó mentalmente la dirección: calle Comercio, 333. Se apresuró para unirse a los demás.

—¿Trabajáis para la compañía de teléfono?

—No —dijo Tigre mientras caminaban en torno al edificio de arte moderno al norte de la plaza—. Mamá Bell es dueña del edificio, que recibe el cariñoso nombre de La Torre Murciélago.

Le sentaba estupendamente. Parecía salida de un cómic de Batman.

Joe le echó una mirada por encima del hombro.

—Alquilamos aquí un espacio para nuestras oficinas.

Steele asintió mientras entraban al elegante vestíbulo a través de unas puertas giratorias de cristal. Estaba bastante oscuro dentro; el espacio era abrumadoramente marrón, con muchas plantas verdes que sobresalían de sus recipientes. Había una cabina de seguridad, donde un guardia de uniforme y una mujer estaban hablando.

Joe se dirigió hacia la izquierda donde estaban los botones del ascensor, casi cubiertos por el follaje del vestíbulo.

—Somos una agencia de seguros —dijo Joe mientras entraban al ascensor.

Steele se rio ante la ironía.

—Eso es inteligente.

—Sí, pero es cierto —dijo Tigre.

Steele abrió la boca para responder, pero antes de que alcanzara a hacerlo, mini-Angelina le dio un codazo.

—Espera a llegar a la oficina. —Le señaló un rincón del techo donde probablemente había escondida una cámara de seguridad—. Recuerda, las paredes tienen oídos.

Y él que creía que el Ejército era una mala cosa.

—¿No estáis un poco paranoicos? ¿Creéis que hay asesinos profesionales en el ascensor?

Joe y la mujer se rieron maliciosamente mientras las puertas se abrían en una pequeña área del vestíbulo.

Tan pronto como las puertas se cerraron tras ellos, Tigre se volvió para sonreírle.

—Hemos subido nosotros en él, ¿no es cierto?

Tenía razón.

Si no fuera por el hecho de que se comportaban como profesionales, él hubiera pensado que ella estaba bromeando… pero sabía que no era así.

El pequeño vestíbulo de la planta superior en el que entraron le recordó un poco a la zona de recepción del ejército. Una recepcionista bonita y menuda permanecía casi eclipsada en el área de trabajo de tonos marrones.

Aun así, él tuvo una vista clara de ella sentada allí, trabajando en su ordenador. Llevaba su melena rubia recogida en un moño tirante e iba vestida con un delgado suéter azul claro y unos pantalones color caqui.

—¿Qué tal, chicos? —dijo cuando los vio acercarse—. ¿Él es el nuevo?

Joe asintió.

—Steele, te presento a Kristen Delinsky.

Kristen, que parecía dulce y sencilla, extendió hacia él su pequeña mano.

—Encantada de conocerlo, Steele.

Él le dio la mano y advirtió que, al igual que Joe, ella era sorprendentemente fuerte.

—Lo mismo digo.

Ella le soltó la mano y alcanzó un pequeño paquete de su escritorio. Se lo entregó a Joe.

—Aquí están sus distintivos, la pegatina para aparcar y todo eso. Decker tiene todo lo demás esperando tu aprobación.

—Gracias —dijo Joe al tiempo que cogía el paquete.

Cuando ella se dio la vuelta para volver a su sitio, Steele vislumbró la funda negra de cuero de la pistola que Kristen llevaba bajo su suéter.

—¿Así que hasta los recepcionistas están en el ajo? —le preguntó a Joe mientras éste lo guiaba hacia la gran puerta que había detrás del escritorio de Kristen.

—Verás cómo se van alternando a menudo —dijo Tigre—. Te pegan tiros y luego pasan una temporada detrás del escritorio. Aquí abusamos de la igualdad de oportunidades. —Le dirigió una mirada de admiración—. Tienes buenas dotes de percepción.

—¿Es por eso que me queréis, no?

Ella no hizo ningún comentario.

Steele se detuvo cuando entraron a la oficina. Aparentemente parecía bastante típica. Había una sección en forma de cubículo que contenía escritorios detrás de paredes de tela color canela. A la izquierda, había un área de oficina revestida en vidrio, con pequeñas persianas, también de color canela, que en ese momento estaban abiertas.

Esa oficina estaba vacía. No había duda de que pertenecía a Joe y a Tigre, que parecían ser los encargados.

La gente comenzó a salir de los cubos para echarle un vistazo a él. La mayor parte de ellos le parecieron agentes del gobierno. Tenían el comportamiento inconfundible de la mayoría de agentes que habían sido entrenados. Pero un par de ellos podían haber sido tomados por criminales... tiburones, estafadores y otras cosas que es mejor no nombrar.

—¿Estás seguro de que hemos dejado Kansas? —le preguntó a Joe.

—¿Por qué lo dices?

Señaló las cabezas que se asomaban.

—Parece una granja de ardillas.

La mujer se rio.

De pronto, él oyó ladrar a un perro. Tres segundos más tarde, un pequeño perro de raza golden pomeranian de cara negra salió corriendo de la oficina de cristal para lanzarse sobre los brazos de Tigre.

—¡*Petey*! —dijo ella feliz mientras arrimaba la cara a la del animal.

Steele comenzó a acariciar al animal, pero éste intentó morderle y le gruñó con malicia.

—No te lo tomes como algo personal —dijo Joe—. *Petey* odia a todo el mundo a excepción de Tigre y de Retter.

—Eso es porque *Petey* tiene buen gusto —dijo Tigre en voz alta y peleona mientras jugaba con su mascota.

Manteniendo al perro cerca, ella y Joe lo condujeron a través de la oficina sin presentarle a nadie. Steele no estaba seguro de si eso era una buena señal o no. Pero advirtió que muchos de los agentes los estaban siguiendo.

Uno de ellos, un hombre alto y rubio de tan buena pinta que parecía más un modelo de moda que un agente, se aclaró la garganta antes de dirigirse a él.

—Entonces, ¿qué piensas de nuestro asistente de dirección?

Steele frunció el ceño mientras el tipo señalaba los nombres que había en la puerta. En grandes letras mayúsculas se leía: Joe Q. Public, Director, y debajo: Thi Ho, Asistente de Dirección».

Pero lo que resultaba verdaderamente extraño era el rótulo escrito a mano pegado debajo de los nombres. La verdad está aquí, así que no vengas a fastidiarme con tus chorradas.

Sin embargo, el desconocido señalaba el nombre de la mujer.

Steel supo instantáneamente que el tipo estaba intentando tenderle una trampa. Él miró a Tigre y parafraseó sus anteriores palabras.

—Ya me gusta Tee. Es arrogante.

Tee/ Tigre se echó a reír en voz alta antes de darle a *Petey* un beso en la cabeza.

El tipo la contempló con irritación.

—No es justo, Tee, se lo habías dicho.

—No, no lo hice —dijo ella mientras soltaba a su perro para que pudiera entrar corriendo a la oficina, donde Steele vio una pequeña cama de perro esperándolo—. Simplemente es más inteligente que tú, Hunter. Por otra parte, la mayoría de la gente lo es.

Hunter arrugó el entrecejo disgustado antes de volver a mirar a Steele.

—¿Ella te dijo su nombre?

—No —respondió Steele honestamente—. Tengo una tía vietnamita.

Hunter soltó un bufido, luego sacó su billetera y le entregó dos de veinte a Joe.

—La verdad es que os odio a los dos.

Joe soltó una risa que a Steele le hizo acordarse de Snidely Whiplash.[11]

—Sí, ya lo sé. Ahora mueve tu culo y vuelve al trabajo.

Gruñendo, Hunter hizo su camino de vuelta hacia la granja de ardillas junto con mini-Angelina.

Steele sintió la extraña urgencia de llamarla para que regresara, aunque no sabía por qué.

11. Es el nombre de un bandido de una historieta de dibujos animados. *(N. de la T.)*

A pesar de que casi no habían hablado, de alguna manera sentía que ella estaba de su lado.

Sí… estaba perdiendo el juicio.

Con su mano extendida sobre el cristal, Joe sostuvo la puerta abierta con un brazo para que entraran. Tee condujo a Steele hacia un par de sillas frente al escritorio de Joe mientras éste cerraba la puerta y luego las persianas.

—Te presentaremos a los demás más tarde. Por ahora vayamos al trabajo.

Steele asintió.

—Tengo una pregunta.

Joe se sentó tras su escritorio gris de metal mientras Tee se sentaba al lado de Steele.

—Sí, claro.

—¿Son ésos vuestros nombres verdaderos?

Joe no parecía divertido.

—Sí —respondió Tee en un tono seco mientras su perro saltaba encima de su regazo—. Él es de verdad Joseph Quincy Public, y yo soy Ho Thi The, o dicho a la americana The Thi Ho.

Nombres interesantes. Él se preguntó vagamente si sus padres habrían tenido algo contra ellos.

Pero ésa no era la cuestión más importante que tenía en mente.

—Entonces, ¿ahora me daréis información más precisa sobre mi futuro?

Tee acarició las orejas de su perro.

—Básicamente somos una agencia secreta, algo muy parecido al grupo del cual formabas parte en el Ejército. Nadie sabe quiénes somos y nos gusta que sea así. Figurarás en una nómina como un trabajador contratado con pensión y todos tus derechos. Tenemos jurisdicción internacional, y si te cogen, nadie te ayudará. Negaremos cualquier relación contigo y tus misiones. En cualquier caso.

Sí, eso sonaba como los Cuerpos Secretos.

—Así que básicamente me estáis diciendo que para el Tío Sam no existo.

Ella asintió.

—Estamos establecidos en Nashville, pero tenemos varias

oficinas de campo esparcidas alrededor del mundo. Tu primera misión la llevarás a cabo junto con otro agente en el distrito de Columbia.

Steele pensó sobre aquello durante un minuto.

—Sólo para satisfacer mi curiosidad, ¿por qué estáis establecidos en Nashville, cuando todos los otros grupos federales se hallan en el distrito de Columbia? ¿Tus chicos deben saber que ése es el eje de la actividad del gobierno, no?

Fue Joe quien respondió.

—Nos hallamos aproximadamente en el centro de Estados Unidos. Eso nos facilita el acceso al resto del país en caso de que debamos acudir a cualquier sitio rápidamente. Por no mencionar que cuando lanzan una bomba sobre el distrito de Columbia nuestra agencia permanece intacta.

—Sí —dijo Tee—. ¿Acaso no has visto las películas? El distrito de Columbia y Nueva York siempre acaban recibiendo. En cuanto se vayan los burócratas, Joe será presidente.

Joe soltó un bufido.

—Preferiría ver a *Petey* como presidente. Dejemos que le disparen al perro.

Ella dejó caer la mandíbula como si la mera idea le resultara ofensiva.

—¡Eh! Insulta a mi perro y te mataré.

Steele sacudió al cabeza.

—Es una cosita encantadora, ¿verdad?

—No tienes ni idea. —Joe puso encima del escritorio la caja que Kristen le había dado y la empujó hacia Steele.

Éste la abrió. Se le aflojó la mandíbula al ver los contenidos. Había un distintivo verdadero de cada una de las agencias federales conocidas y ni siquiera eran todas americanas. La CIA, ATF, DEA, FBI, NSA, incluso Interpol y Europol. Sorprendentemente, todas tenían su fotografía y parecían completamente legales.

—Complacedme por un momento. Exactamente, ¿para quién trabajo?

—Trabajas para mí —dijo Joe, mirándolo con total honestidad—. Somos la BAD, la Oficina de Defensa Americana.[12] Pero

12. The Bureau of American Defense. *(N. de la T.)*

nadie fuera de esta organización, a excepción del presidente, quien nunca admitirá nuestra existencia, ha oído hablar de nosotros, e intentamos que siga siendo así. Nos ocupamos de múltiple jurisdicciones y trabajamos con una gran variedad de gobiernos internacionales que piensan que pertenecemos a otras agencias, de ahí las insignias. Si necesitas cualquiera de ellas para ser admitido dentro de un área, úsala. Se te darán una serie de números de teléfono que parecerán legales si cualquier agencia llama para verificar tu trabajo.

Antes de que pudiera preguntar nada más, Tee tomó la palabra.

—Tu compañera es Sydney Westbrook. Ella te mostrará cómo funciona todo y te explicará cualquier detalle.

Steele frunció los labios al oír un nombre tan de la élite. Sydney Westbrook. Sí. Justo lo que necesitaba. Podía imaginar a la rubia diosa blanca, que estaría más preocupada por la manicura que por su misión.

—No trabajo con famosillas ricas.

—Sydney sabe hacer su trabajo —le aseguró Tee—. Está completamente capacitada.

Steele intentó no poner los ojos en blanco.

—¿De dónde viene? ¿De Connecticut?

—De Boston. Se graduó en la Universidad de Harvard.

Esta vez no pudo contenerse. Puso los ojos en blanco.

—Déjame adivinar. Su padre es un banquero.

—Corredor de bolsa.

Steele se volvió al oír la voz profunda e increíblemente sexy de la mujer que se acercó a ellos. Aquella misión realmente empezaba a absorberlo.

Tee inclinó la cabeza hacia Sydney. Ella es tu observadora. Maldita sea.

Cada pedazo de su persona se rebeló al oír aquellas palabras.

—No trabajo con un observador, y menos tratándose de una mujer.

Sydney le dirigió una mirada divertida.

—Todos los francotiradores trabajan con un observador, y el hecho de que yo sea una mujer no tiene ningún tipo de relevancia.

—No, no lo hacemos y definitivamente yo no lo haré. —Se

volvió para encararse a Joe—. Y puedes volver a pegar mi culo en Leavenworth antes de pretender que trabaje con ella.

El rostro de Joe se endureció.

—Harás lo que se te diga.

—Jódete.

—¿Besas a tu madre con esa boca? —preguntó Sydney horrorizada.

Él se volvió hacia ella con un gruñido.

—No, ella me repudió.

Syd advirtió el dolor que él trataba de ocultar. Quería preguntarle si hablaba en serio, pero la expresión de su rostro y la furia de su comportamiento le decían que no estaba bromeando ni lo más mínimo.

—¿Por qué disparaste a tu comandante?

Sus ojos oscuros la quemaron con su fuego.

—Él me hizo cabrear.

—Me siento identificada —dijo Syd calmadamente—. Joe me hace cabrear constantemente, pero nunca le he pegado un tiro.

—Yo sí lo he hecho —murmuró Tee.

Syd frunció el ceño a Tee, que tenía su atención puesta en *Petey*. Volvió a mirar a Steele, que todavía estaba tenso y enfadado.

—Mirad, estamos a punto de un posible desastre internacional que puede ocurrir en cualquier momento. ¿Recordáis cómo empezó la Primera Guerra Mundial?

—El archiduque Fernando y su mujer, Sofía, fueron asesinados de un disparo mientras visitaban Sarajevo.

Gracias a Dios aquel hombre tenía un cerebro y conocía su historia.

—Correcto. Y dentro de unos pocos días un dignatario extranjero de un antiguo bloque de un país soviético estará aquí para una importante reunión con el presidente en el distrito de Columbia. Igual que Fernando y Sofía, él es el blanco de un asesinato planeado por un grupo de rebeldes. Nuestra misión es salvar su vida. Si fallamos, no sólo América, sino también su propio país y otros países estarán completamente jodidos. No podemos permitir que muera en suelo americano. ¿Lo entiendes? Necesitamos que des con el asesino antes de que el asesino dé con él.

—¿Por qué no le decís simplemente que se quede en casa?

Fue Joe quien respondió.

—En primer lugar, no puedes decirle a otro presidente que no es bienvenido aquí. Daría una mala imagen en la prensa. Y en segundo lugar, muera aquí o en su casa estamos jodidos desde el punto de vista político. Aquí es el mejor sitio para protegerlo, donde podemos dar con su verdugo antes de que el atentado tenga lugar.

—Haces que suene fácil —dijo Steele con sarcasmo—. ¿Y dónde y cuándo va a tener lugar exactamente?

Syd se encogió ante aquella pregunta.

—No lo sabemos exactamente. Básicamente tenemos una manera de proceder en este asunto. En primer lugar, revisaré contigo su itinerario conocido y tu trabajo será decidir cuál es la posición más probable para el disparo. Luego nos colocaremos en un punto de observación y eliminaremos al asesino cuando avance hacia el presidente.

Él entrecerró los ojos.

—¿Presidente de dónde?

—De Uhbukistan.

Él sacudió la cabeza.

—¿Los kabukis vienen por nosotros? Oh sí, es una gran amenaza.

Syd apretó los dientes ante su actitud frívola mientras la ira crecía en su interior.

—No son los kabukis, sino los uhbukistanis, y no deben ser tomados a la ligera, señor Steele. Formaban parte de la antigua Unión Soviética y están estratégicamente colocados justo al norte de Georgia y entre el mar Caspio y el mar Negro. Sus tierras son ricas en reservas de petróleo y son altamente codiciadas en la región. Dado que se trata de un país fronterizo, la Unión Soviética les proporcionó armas nucleares durante la Guerra Fría, y después del colapso nadie ha reclamado esas armas. El presidente Kaskamanov es aliado nuestro y quiere desarmar su país y unirse a la Comunidad Europea. Su hijo, por otra parte, no es amigo nuestro. Es un cabrón mercenario que quiere vender las armas al mejor postor.

—Déjame adivinar. Estados Unidos no lo es.

Ella asintió.

—Así que el hijo cree que si su padre muere, aquí él podrá echarnos la culpa, hacerse con el control del país y pactar con quien mejor le pague. Y no creo que tenga que explicarte lo que pasará si esas armas caen en manos equivocadas. No hay forma de saber cuánta gente podría morir.

Steele cruzó las manos sobre su pecho y le dedicó una mirada de aburrimiento.

—Mira, no me importa lo que hagan los *ooga-boogas*. Suena como si necesitaran un abogado familiar, no un francotirador.

Ella tenía ganas de matarlo. ¿Por qué era tan testarudo? ¿No le importaba?

—No son *ooga-boogas*, son uhbukistanis.

Él continuaba con esa mirada fría y desapasionada.

—Lo que sean. Mi opinión personal es que deberíamos dejar la tierra de los *ooga-booga* a los *oompa-loompas*. Dejemos que se peleen con los *snozzwangers*, los *wangdoodles* y los terribles *knids vermiciosos*.[13] Yo preferiría pelar zanahorias con una cuchara.

Él comenzaba a sacarla de quicio.

Syd lo agarró del brazo para detenerlo.

—¿Qué clase de soldado eres tú que prefieres estar sentado en una celda mientras el mundo estalla en el caos? ¿Acaso no entiendes lo que ocurriría si esas armas van a parar a las manos equivocadas? ¿Cómo puedes ser tan egoísta?

—¿Egoísta? —preguntó él enfurecido. Sus ojos se oscurecieron incluso más—. ¿Yo soy el egoísta? Mira, agente Westbrook, tu padre es un corredor de bolsa de Boston. Yo soy agente de la muerte. Estoy seguro de que no le das a tu padre lecciones de finanzas, así que no pretendas darme a mí lecciones sobre asesinatos políticos. Lo sé todo sobre eso. Algún burócrata imbécil sentado en una oficina impoluta totalmente aislada del resto del mundo decide que el hijo del rey *oompa-loompa* es un traidor. Entonces da a gente como yo la orden de que lo quiten de en medio. Como un idiota, yo hago lo que se me dice sin cuestionar

13. Todas éstas son palabras inventadas. *(N. de la T.)*

nada. Yo doy con mi presa, usando información que es en la mayor parte estúpida y poco fiable, reunida por gente como tú que me aseguraba que era correcta en algún momento. Pero resulta que ésta cambia minuto a minuto, y Dios nos libre de atrevernos a decirlo.

La apoyó contra la pared y sus ojos continuaban ardiendo. Ella no le tenía miedo, pero su ira era tan fiera que resultaba tangible y ella era completamente consciente de que él podía herirla antes de que ella alcanzara a desenfundar su arma.

—Así que yo y mi observador nos tendemos en la hierba, la arena o la nieve día tras día, incómodos y hambrientos, incapaces de movernos más de un milímetro por hora hasta que yo tenga ese tiro perfecto que tanto hemos estado esperando. Disparo, y luego permanecemos tendidos como trapos sucios hasta que podamos avanzar centímetro a centímetro para ponernos a salvo, con la esperanza de que los miembros del helicóptero recuerden que se supone que deben rescatarnos.

Ella tragó saliva ante lo que él describía.

—¿Tienes una remota idea de los nervios que supone hacer lo que hago? ¿Sabes lo que es permanecer tendido en el suelo mientras otros hombres armados te buscan? ¿Tenerlos de pie junto a ti y ser incapaz de respirar o estremecerte porque si lo haces, no sólo pones en juego tu vida sino también la de tu observador?

A ella se le encogió el corazón al oír eso y sentía que le costaba respirar mientras él decía sus siguientes palabras.

—¿Sabes lo que es tener los sesos de tu mejor amigo desparramados por tu cara y no ser capaz de ayudarlo porque sabes que está muerto y que si tú te mueves, te matarán también? —Su voz, grave y profunda, ahora le temblaba—. He estado en las entrañas del infierno y he regresado, señorita Westbrook. He mirado fijamente al demonio y lo he hecho sudar. Así que no me digas que no me lo tomo en serio. Créeme, no hay nada en la vida que sepa hacer mejor que aquello para lo que he sido entrenado.

Syd asintió ante sus palabras mientras por fin lo entendía del todo.

—Tu observador fue asesinado.

Un tic nervioso apareció en su mandíbula mientras el peor de los dolores se reflejaba en lo profundo de sus ojos color chocolate.

—No era sólo mi observador, agente. Era mi mejor amigo. Juré a su esposa que lo traería sano y salvo a casa. Y lo dejé morir.

—Él sabía los riesgos.

Él la miró con desprecio.

—Ahórratelo. Ya he oído ese discurso de los psicólogos del Ejército y de todo el mundo. Si me hubiera escuchado a mí mismo y no hubiera continuado en la posición, aunque ellos me dijeron que lo hiciera porque estaban mejor informados que yo, Brian estaría vivo ahora. No voy a participar en otro montaje creado por un federal entrenado como agente secreto para conseguir que muera alguien más. Nunca. He acabado con esto.

Syd se compadecía de él. No podía imaginar el horror de estar tumbada junto a un amigo a quien hubieran matado delante de ella. Era sorprendente que él aún conservara la cordura.

Pero eso no cambiaba las cosas. Lo necesitaban.

—¿Cómo te escapaste? —le preguntó.

La mirada de él se enturbió, como si la escena reapareciera en su mente.

—Luché por abrirme camino de una forma que hubiera enorgullecido al propio Rambo. Y cuando llegué a casa sin su cuerpo, porque no podía cargar con él sin impedir que me mataran, fui abofeteado por todos los que había a mi alrededor. Así que no me hables sobre la muerte, pequeña muchacha. Podría escribir un libro sobre ella.

—Y es por eso que te necesitamos —dijo ella calmadamente, con ganas de acercarse a él y tocarlo, pero sabiendo que no estaba en un estado adecuado para que lo mimaran. No había palabras o acciones que pudieran borrar el infierno en el que había estado pensando.

Él negó con la cabeza.

—Hay otros francotiradores fuera. Seguramente no serán tan buenos como yo, pero sí lo bastante buenos como para llevarte a la muerte.

—No —dijo ella seriamente—. No tienen tu entrenamiento. A ti te enseñó a disparar el mejor francotirador de la historia militar. Doy por sentado que tu padre te trasmitió todo lo que sabía.

Aquello cayó sobre él como un residuo tóxico. Su cuerpo entero se tensó, y ella casi pudo sentir el sabor de su ira.

—Entonces, contrata a mi padre. Yo estoy fuera de esto y fuera de aquí.

Comenzó a avanzar hacia la puerta y Joe intervino.

—¿Dónde vas, Steele?

Steele se quedó helado ante aquella simple e inofensiva pregunta que lo atravesó como un cuchillo. Por segunda vez desde que había entrado en aquella oficina se sentía salvajemente atacado por sus emociones.

No tenía coche. Ni dinero. Ni hogar. Ni familia. Ni amigos.

Nada. Durante más de dos años nada le había pertenecido.

Y jamás en su vida se había sentido tan indefenso. Tan inútil. Se volvió para encararse con Joe, que lo observaba cuidadosamente. Algo en los ojos del hombre le indicaba que entendía completamente lo que él sentía en ese momento, aunque para ser honesto, no tenía ni idea de cómo era eso posible.

Steele se tragó el dolor que se le había acumulado en la garganta, asfixiándolo. Lo primero que su padre le había enseñado cuando era un muchacho era no delatar sus emociones. Fue esa persona fría y muerta lo que mostró a Joe y a la mujer en aquel momento.

—Me niego a permanecer tendido junto a otro observador y verle morir sin que haya nada que pueda hacer para evitarlo. He acabado con esto.

Joe asintió.

—Lo entiendo. Pero has de saber que hemos estado buscando a un francotirador de apoyo durante los últimos tres años y tú eres el único al que hemos traído hasta Nashville para una entrevista. Tú eres el único que ha visto esta oficina y que ha visto a *Petey*.

El humor de Joe no le afectó.

—¿Por qué yo?

Aquellos ojos azules eran tan fríos como los nervios de Steele.

—Porque tú sabes la tragedia que puede pasar cuando no puedes ejercer la libertad. No queremos aquí nadie que se deje guiar por un manual de instrucciones. Nadie a quien se le tenga que decir qué hacer, cuándo hacerlo y cómo hacerlo. Necesitamos agentes capaces de pensar por sí mismos y de ejecutar sus misiones sin nadie que les programe cada uno de los detalles.

Steele cruzó los brazos sobre su pecho.

—Hay muchos francotiradores capaces de hacer eso.

—Y necesitamos a alguien a quien nadie vaya a echar de menos —dijo Tee fríamente—. Alguien sin una familia ni líos amorosos. En los cuatro años que han transcurrido desde que la agencia fue fundada tú eres apenas el segundo francotirador que hemos encontrado que se adapta a nuestras necesidades.

Aquello lo hizo sentirse aturdido y confuso. Lo querían a él porque, a diferencia de Brian, si alguien le reventaba los sesos, nadie derramaría ni una sola lágrima.

Vaya vida la suya…

—Sabes qué —dijo Joe, con sus facciones algo más suaves—. ¿Por qué no te tomas unas pocas horas de descanso? Disfruta un rato de tu libertad. Duerme bien durante una noche en la que no tendrás que preocuparte por ser vulnerable. Si te sigues sintiendo así mañana, te llevaremos de vuelta a donde estabas. Sin heridas y sin nada sucio. ¿Trato hecho?

Steele no estaba seguro de eso. Tenía la sensación de que la herida ya se había producido.

—No tengo ningún sitio donde quedarme.

Joe pulsó el botón de un interfono de su escritorio.

—Kristen, haz que entre Carlos.

Unos pocos segundos más tarde la puerta de la oficina se abrió para mostrar a un alto ejemplar de macho hispánico.

—¿Sí, jefe? ¿Has llamado?

Joe señaló a Steele con una inclinación de la cabeza.

—Carlos, te presento a Steele.

Carlos le ofreció la mano.

—*Hola*.[14]

---

14. Los saludos y otras expresiones de cortesía que en este diálogo se señalan en cursiva aparecen en español en el original. *(N. de la T.)*

Steele dudó antes de dársela.

—¿Qué hay?

—Steele es un recluta especial que no tiene dónde quedarse. Necesita descansar un rato, así que me preguntaba si puede pasar la noche contigo.

—Claro, jefe.

—*Gracias.*

—*De nada.* —Carlos abrió la puerta otra vez—. ¿Estás listo para salir ya o necesitas algunos minutos?

Steele miró a Joe.

—Hemos acabado… por ahora.

Miró a Sydney, que lo observaba con un tic de enfado en la mandíbula. Una parte de él odiaba arruinar sus planes. Pero ella encontraría algún otro tonto que aceptara su oferta. Todo lo que él quería era que lo dejaran solo.

Cuando ella se encontró con su mirada, el calor ardía en lo profundo de sus ojos verdes. Hubo un tiempo en que aquella mirada acusatoria lo hubiera instigado a hacerse cargo de su misión tan sólo para demostrarle que ella estaba equivocada. Pero había cambiado mucho durante los últimos dos años. Los desafíos ya no lo motivaban.

Nada lo motivaba.

—*Hasta la vista* —le dijo mientras se disponía a salir por la puerta.

Su respuesta en español lo pilló completamente desprevenido.

—Ten cuidado de que la puerta no te dé en el culo.

Sacudiendo la cabeza, él siguió a Carlos fuera de la oficina.

Syd no se movió hasta que estuvo a solas con Tee y Joe.

—¿Vais a dejar que se vaya?

Joe se echó hacia atrás en la silla para observarla con esa expresión neutra por la que era famoso.

—No podemos hacer que dispare a alguien, Syd. Va en contra de la Constitución.

La frustración la consumía. Había estado tan cerca de conseguir lo que necesitaba.

—Entonces, ¿qué se supone que tengo que hacer ahora? Tenemos menos de tres semanas para preparar esto.

Joe miró a Tee, que le estaba dando a *Petey* una galleta de perros, antes de responder.

—Ten fe.

—Sin ánimo de ofender, mi fe murió hace diez años.

Joe se volvió para mirarla.

—Lo sé, pero a veces tienes que creer en otra gente, Syd. Muchas veces te sorprenderán.

—Sí, cierto. Llevo bien eso de las sorpresas cuando se trata de una buena. En mi experiencia, sin embargo, no suele ser así.

Y algo en su interior le decía que Steele no era el tipo de hombre que cambiaba alegremente de opinión. Él se había ido y ahora ella no tenía ningún lugar hacia el cual volverse.

Odiaba sentirse así. Podía ver el futuro delante de ellos, y éste la aterrorizaba.

Capítulo cinco

Steele siguió a Carlos fuera de la oficina, pasó por delante de Kristen, que estaba al teléfono, hablando con alguien en perfecto alemán. Se detuvo para saludarlos con la mano. Había algo extrañamente surrealista en todo aquello. Como si él se hallara dentro de una película o un sueño y en cualquier momento pudiera ser arrojado de vuelta a la celda de su cárcel. Simplemente no parecía posible que estuviera allí, lejos de la prisión, rodeado por aquel grupo de gente tan extraña.

Sin decir ni una palabra, Carlos se dirigió hacia el ascensor y apretó el botón. Inmediatamente después de que la luz se encendiese, Carlos se situó a un lado de las puertas con la espalda apoyada contra la pared como si esperara que cuando las puertas se abrieran alguien saliera de un salto y le disparara. Incluso puso su mano debajo de su chaqueta, sin duda sobre su arma.

—¿Hace mucho tiempo que eres un agente? —le preguntó Steele.

Carlos dejó escapar una risa maliciosa.

—Eso es una manera de llamarlo.

Había algo en aquel hombre que no lo hacía parecer exactamente un agente. A Steele le recordaba bastante a los criminales con los que había estado encerrado. La manera en que se movía, como un depredador hambriento que se sabe condenado a matar o ser matado. No tenía la arrogancia de la mayoría de federales. Había algo más.

Algo casi diabólico.

—No me pareces el típico federal.

Las puertas se abrieron. Carlos apartó la cabeza de la pared para escudriñar el interior del ascensor.

—No soy el típico federal. —Literalmente avanzó sigilosamente hacia el interior del ascensor y examinó todo el techo antes de relajarse.

—Desde luego no quiero ser así de paranoico —murmuró Steele mientras entraba en el ascensor.

Carlos se rio.

—Mi paranoia no tiene nada que ver con mi actual trabajo. Es algo que debo a mi pasado y a todos aquellos que querían asegurarse de que no tuviera futuro. —Apretó el botón que los conduciría al vestíbulo.

—¿Y cuál era tu anterior empleo?

Carlos le sonrió satisfecho.

—No te conozco lo bastante como para responderte a eso… todavía.

Steele no podía culparle por eso. Su propio pasado tampoco era algo de lo que le gustaría hablar. Y eran dos extraños, así que resultaba lógico que Carlos estuviera a la defensiva.

—Entonces, ¿hablas español? —le preguntó Carlos.

De hecho así era, pero Steele había aprendido muy pronto el valor de la discreción.

—Sólo lo que he sacado de las películas de *Terminator*, *Barrio Sésamo* y *Speedy González*.

Carlos sacudió la cabeza.

—Está bien. Lo entiendo. Yo por mi parte aprendí a hablar inglés con los dibujos animados de Hanna-Barbera.[15]

Steele le dedicó una mirada divertida.

—Es cierto. —Hizo la señal de la cruz sobre su corazón—. Pasé años intentando encontrar el aullido de Scooby Doo en los diccionarios. Cuando mi hermano pequeño empezó a ir al colegio en Miami me explicó que no se trataba de una palabra real. Hablar de esto me hace sentirme estúpido. Gracias, Scooby. Mi maldito hermano se pegó un buen hartón de reír por este asunto.

Steele se contuvo para no reírse. Dudaba de que aquel hombre pudiera comprenderlo.

---

15. Compañía que nace tras la unión de William Hanna y Joseph Barbera y se ha convertido en un verdadero icono de las animaciones a nivel mundial. *(N. de la T.)*.

Las puertas se abrieron y se hallaron en el vestíbulo.

—Hola, Tracy —saludó Carlos a una pequeña y preciosa rubia que estaba esperando para entrar en el ascensor del que ellos salían.

Ella les dedicó a ambos una sonrisa espectacular.

—¿Qué tal, Carlos? ¿Cómo te va?

—Me irá mejor el día que dejes a tu novio y me des una cita. —Le guiñó el ojo.

Toda ella sonrió radiante de orgullo.

—El día que lo deje tú serás el primero al que llame —le dijo riendo mientras entraba a la cabina.

Carlos se llevó la mano al corazón como si éste le doliera.

—Me has roto el corazón, pequeña paloma. —Le lanzó un beso mientras las puertas se cerraban.

Una vez se hallaron a solas, Carlos soltó un profundo gruñido mientras se dirigían a través del vestíbulo hacia las puertas que daban a la calle.

—Deberías ver a su novio. Es un completo imbécil. No se merece en absoluto algo tan bello y apetitoso.

Hacía más de dos años que Steele no veía a nadie tan guapa como Tracy. Pero lo que realmente le sorprendió era que no sentía por ella ni de lejos la atracción que había sentido por Syd.

«He estado demasiado tiempo en la cárcel.»

Y si tenía que estar de vuelta mañana, nada le gustaría más que encontrar algo de acción para esa noche. Veintitrés años más eran demasiado tiempo como para estar sin una mujer, y eso era lo que le esperaba si Joe lo enviaba de vuelta a Kansas.

El simple pensamiento le hizo sentir una sacudida en su sexo.

Dejaron el edificio y se dirigieron hacia el garaje que había al otro lado de la calle. Sintió un nudo en el estómago al ver lo cerca que se hallaba de perder otra vez su libertad. Observó a su alrededor a la gente que había en la calle sombreada. Dos mujeres entraban a un restaurante mientras hablaban de trabajo. Había una familia cruzando la calle que claramente estaba visitando las tiendas y la ciudad. El padre parecía nervioso mientras los dos críos se peleaban y la madre los regañaba.

Había un tipo en una esquina, gritándole a alguien a través de un teléfono móvil...

Ninguno de ellos tenía ni la más remota idea de lo afortunado que era por el hecho de poder vivir sus vidas de una manera normal. No había nadie que les dijera a qué hora levantarse, a qué hora irse a dormir. No tenían que estar cuando se pasara lista. No eran nombrados por su número de presidiarios.

Eran personas que no tenían ni idea de lo rápido que la vida entera podía cambiar.

Un movimiento estúpido…

La mañana en que él había sido arrestado el día había amanecido como cualquier otro. Se había levantado sin haber dormido lo suficiente, se había afeitado, vestido y había ido a trabajar, esperando que aquél fuera un día como cualquier otro.

Y en una fracción de segundo, por culpa de una decisión estúpida, lo había echado todo a perder.

«No seas estúpido otra vez…»

Podía volver a este mundo con nada más que unas pocas palabras de obligación. Al día siguiente podría estar aquí o podría ser enviado de vuelta al infierno.

Todo estaba en sus manos.

—Maldito seas, Joe —murmuró mientras cruzaban la calle. Aquel cabrón sabía muy bien lo que estaba haciendo al enviarlo allí fuera para que se mezclara con la gente normal.

—Llegarán al distrito de Columbia esta semana, Joe.

Joe levantó la vista de su archivo sobre un caso europeo en el que estaba trabajando para mirar a Syd, de pie en la entrada de su oficina.

—¿Estás segura?

Ella asintió.

—Acabo de obtener la confirmación de Retter y han hecho seis llamadas telefónicas a APS sólo en esta semana para confirmar su «protección».

Sistema de Protección Activo o APS era la fachada de una conocida compañía de mercenarios autónomos y asesinos contratados. El BAD había tratado de controlarlo durante mucho tiempo, pero era casi imposible. Sólo podían localizar las llamadas entrantes, e incluso eso no era frecuente.

Joe podía notar el pánico en la voz ella. Pero a diferencia de Syd, él sabía que Steele no iba a dejarlos. La cárcel no era un lugar agradable, y por mucho que Steele detestara su trabajo, era infinitamente mejor a todo lo que había vivido como preso.

—No te preocupes, todavía no lo hemos perdido.

Ella se quitó las gafas con preocupación.

—Sí, pero ¿y qué pasa si lo perdemos?

—Confía en mí, Syd. Las mejores personas para luchar por la libertad son aquellas que han perdido la suya. Son capaces de entender la importancia que ésta tiene mucho mejor que aquellos a quienes nunca les ha faltado.

Syd deseaba poder creer eso. Pero en aquel momento todo le parecía perdido.

—Quizás debería adelantarme al distrito de Columbia y empezar a buscar una manera…

—Dame veinticuatro horas, Syd. Es todo lo que necesitamos.

Ella no estaba del todo segura de eso.

—Pero podrían resultar veinticuatro horas malgastadas que hubiese podido pasar tratando de entrar en el APS.

Joe se levantó de su escritorio. Cogió algo y se movió para ponerse frente a ella.

—¿Has estado alguna vez en el Ryman?[16]

Ella frunció el ceño ante aquella pregunta.

—¿Qué tiene que ver eso con nada de esto?

—Hay un espectáculo especial esta noche. De hecho están filmando en directo «El Grand Ole Opry»[17] desde el escenario como solían hacer en los viejos tiempos.

Muy bien… ella estaba preocupada por la defensa nacional y Joe tenía un ataque de nostalgia. El único problema es que ella

16. Auditorio que se halla en el centro de Nashville. Desde 1973 hasta 1977 se retransmitía desde allí cada sábado por la noche el programa de música y humor *country* titulado «The Grand Ole Opry». *(N. de la T.)*

17. El programa de música *country* más famoso retransmitido por la radio WSM comenzó a llamarse «The Grand Ole Opry» porque venía a continuación de un programa de música clásica llamado «The Grand Old Opera». *(N. de la T.)*

realmente tenía que recuperar su autocontrol y ocuparse del mundo real.

Le entregó un billete de entrada.

—Deberías ir.

Ella miró fijamente la entrada que tenía en la mano como si fuera un objeto de otro planeta.

—¿Has perdido completamente el juicio?

Él le dedicó una sonrisa amable.

—Ve allí, Syd. Es una orden.

Ella arrugó la nariz con repugnancia.

—Detesto la música *country*.

El rostro de él se puso peligrosamente serio.

—Mira, hay un montón de cosas en esta vida que odio y tengo que aguantar. El tráfico. Las arrugas. Tee conduciendo. El hilo musical de las discotecas. Pero uno se acostumbra a todo. —Se interrumpió para dirigirle esa mirada de «no discutas»—. Ve allí, Syd. Será bueno para ti.

Pasó delante de ella, fuera de la oficina.

Syd suspiró profundamente mientras miraba la entrada.

—Por favor, que alguien me pegue un tiro.

—¿Lo prefieres en algún sitio en particular?

Se volvió para ver a Tee entrando en la oficina.

—En la cabeza. Justo entre los dos ojos.

Tee frunció el ceño.

—De acuerdo. ¿Por qué estás tan disgustada?

Ella levantó la entrada.

Tee se rio antes de sacudir la cabeza.

—Ese hombre y su Opry. Realmente da miedo.

—¿De verdad tengo que ir?

—No es tan malo.

Ella se sorprendió ante la defensa de Tee. Sabía muy bien que los grupos favoritos de Tee eran los Black-eyed Peas y los Godsmack.

—¿Has estado allí?

Tee se encogió de hombros mientras se dirigía a su escritorio y abría un cajón.

—A Joe le gusta. —*Petey* alzó la cabeza desde su cama, luego volvió a acostarse para dormir. Ignorando a su apreciado perro, Tee sacó un pequeño iPod color verde lima—. Y esto es una inmensa ayuda.

Syd miró el objeto como si se tratara del Santo Grial.

—¿Por favor, puedes prestármelo?

Tee se lo lanzó en el aire.

Ella lo cogió y lo sostuvo como si fuera una cuerda de salvación, que era exactamente lo que sería.

—Gracias, Tee.

—No es nada. Sólo prométeme que no le dispararás a Joe.

—Lo intentaré, pero no puedo prometerte lo imposible. —Syd salió de la oficina y se dirigió de vuelta a su escritorio. Pero al sentarse no era su caso lo que tenía en la cabeza.

Era Steele.

Una y otra vez veía el dolor en sus ojos. Oía el dolor en su voz. Ella era afortunada. Todavía conservaba a su familia. Naturalmente que ellos no tenían ni idea de lo que hacía para ganarse la vida. Sólo sabían que era una empleada federal. Si les hubiera dicho la verdad, estarían permanentemente preocupados.

Joe no tenía muchos agentes que mantuvieran tales lazos. Tee le había contado que toda la familia de Joe había muerto antes de que él cumpliera veinte años. Habiendo sufrido en carne propia la experiencia de esta pérdida, no quería crear una oficina de viudas y huérfanos.

Además creía que tener familia hacía a un agente débil y vulnerable. Proporcionaba un blanco a los enemigos.

Syd no estaba demasiado segura acerca de eso. Su madre podía manejar un formidable azadón de jardín cuando quería. Había un considerable número de serpientes que pasaban a mejor vida porque osaban aventurarse en su patio. Y su padre… sólo había que dejarlo hablar de cepos y cadenas para que aburriera a cualquiera hasta la muerte, incluso al más importante de los terroristas.

En cuanto a su hermana, Martha, era capaz disparar incluso mejor que Syd. Al hacerse mayor, Martha había querido unirse al Wild West Show, cortesía de las películas de Clint Eastwood. Se le había roto el corazón al descubrir que esas cosas ya no existían. Pero eso le dejó un legado que Smith y Wesson hubieran envidiado.

Sí, su familia estaba bastante loca, pero al menos estaban allí para ella. Todo lo que tenía que hacer era coger el teléfono y podía hablar con cualquiera de ellos el tiempo que necesitase.

Pobre Steele. Nadie debería vivir su vida abandonado por aquellos que amaba.

Suspirando, se esforzó por concentrarse en su trabajo. Sin embargo, todo volvía a girar en torno a una cuestión básica.

Necesitaba a un hombre que no quería nada de ella ni de esta misión. ¿Cómo podría convencerlo de que la ayudara a proteger al presidente uhbukistani?

Suspirando, guardó el iPod en su cartera, luego volvió a colocarlo en su cajón.

—Vamos, Steele. No me decepciones. Necesito en mi vida un hombre del que pueda fiarme.

—¿Qué hay, Syd?

Levantó la vista para descubrir a Andre Moore en la abertura de su cubo. Con sus casi dos metros de altura, Andre era un guapo afroamericano que trabajaba como uno de los expertos de inteligencia. Además de eso era aficionado a los inventos. Y como siempre, iba impecablemente vestido con una camisa de cuello abotonado de algodón blanco, una corbata azul oscuro y unos pantalones de pinzas.

Desde que ella estaba en Nashville, él la había estado ayudando a prepararse para el asunto uhbukistani.

—¿Qué pasa, Andre?

—Tengo noticias realmente malas. El agente que tenemos encargándose de esto en Europa ha sido encontrado en Georgia. Le han cortado la garganta.

—¿Yuri?

Él asintió.

Ella sintió una sacudida de dolor. Siempre odiaba oír hablar de la muerte de un agente, pero la de aquel hombre en particular la golpeó fuerte.

Reclutado de la CIA, Yuri Korjev había sido un entregado agente que nunca les había fallado. Dado que era el hijo mayor de unos inmigrantes rusos, estaba convencido de que podría infiltrarse en el círculo íntimo uhbukistani y vigilar al hijo del presidente.

Obviamente, su fracaso había resultado fatal.

Ella se estremeció cuando la imagen de una de sus características sonrisas cruzó por su mente.

«No te preocupes, Yuri —pensó convencida—. Podremos con ellos.» Pero aquello era poco reconfortante para un hombre que ahora estaba muerto.

—Y la cosa se pone aún mejor.

—Por supuesto que sí —dijo ella con calma—. ¿No es lo que pasa siempre? ¿Qué?

—He investigado las oportunidades de entrar en el APS. El único modo es por invitación. Tienes que ser sometido a un reconocimiento. Son tan paranoicos que hacen que Howard Hughes parezca normal. Ni siquiera puedo colar un micrófono allí.

—Estupendo. Entonces es Steele o nada.

Él asintió.

—Si él nos falla, no hay nada más que podamos hacer. Él es nuestra única manera de entrar por esa puerta. El juego está acabado antes de empezar.

Y Yuri habría muerto para nada…

Ella no estaba dispuesta a ver cómo todo se echaba a perder.

—Muy bien entonces. Vamos a presionar más a nuestro hombre.

—¿Cómo?

—Dejemos correr la voz de que se ha escapado de la cárcel. Si es señalado como un preso en fuga, alargarán su sentencia y no tendrá ningún lugar dónde escapar de nosotros.

Andre aspiró fuertemente apretando los dientes.

—Eso es horriblemente duro, Syd.

—Es la vida, Andre. Y hasta que acceda a ayudarnos todo va a volverse todavía mucho más duro para Steele.

Capítulo seis

*S*teele entró en el apartamento de Carlos Delgado con mucha inquietud por lo que le estaría aguardando. Especialmente después de haber tenido que luchar contra montones incalculables de envoltorios del McDonald's, carpetas, revistas de revólveres y de coches y recibos esparcidos en el asiento de la Corvette de Carlos.

Había estado en bastantes hogares de sus compañeros del Ejército como para saber que era razonable estar asustado respecto a las habilidades domésticas de otro hombre. Muy asustado. Por supuesto que tenía un grado alto de tolerancia respecto al desorden y la ropa interior sucia, pero los restos de comida abandonados, los platos sucios y la mugre lo superaban.

Pero tuvo que darle crédito a aquel hombre. El apartamento de Carlos, a diferencia de su coche, estaba inmaculado.

—¿Vives solo? —le preguntó a Carlos.

Carlos soltó un bufido como si entendiera por qué Steele le hacía esa pregunta.

—Tengo una mujer de la limpieza que viene una vez a la semana, aunque Joe me ha advertido que algún día podría convertirse en una especie de Nikita y dispararme. Pero creo que merece la pena correr el riesgo. Prefiero pasar por la experiencia de que alguien trate de matarme antes que fregar mi propio lavabo o… Dios no lo permita… hacer la colada. —Tuvo un escalofrío.

Steele podía respetar eso.

—Además, si tiene la pinta de Peta Wilson o Bridget Fonda, una bala o dos pueden valer la pena. —Le guiñó el ojo e hizo un ruidito nasal apretando los dientes.

Steele sacudió la cabeza.

—Me parece que tienes algo con las rubias.

—Definitivamente. Y cuanto más largas tengan las piernas, mejor. ¿Sabes a qué me refiero?

Sí, lo sabía. Pero en aquel momento parecía estar preocupado por una mujer que tenía las piernas de un tamaño medio, el cabello largo y oscuro y unos acusadores ojos verdes.

Carlos lo guió a través del gran salón hasta la barra del desayuno que separaba éste de la cocina.

—Hay cerveza, coca-cola y comida en la nevera, así que sírvete tú mismo.

—Gracias.

No había muchos muebles en el apartamento... un sofá de cuero marrón con mesitas en los extremos, una mesa de café y dos sillones reclinables. El lugar estaba pensado más para el confort personal que para acoger a las visitas.

Carlos tenía la gama más alta de aparatos de música y televisión. Había revistas sobre la Corvette y coches de los años veinte apiladas encima de la mesita de café, bajo cuatro mandos diferentes de control remoto

—El cuarto de baño está saliendo por el pasillo. La primera puerta que encuentres. Mi habitación es la siguiente, podrás entender por qué no voy a mostrártela.

—No te preocupes. No tengo interés en ella.

—Bien.

Carlos caminó hasta la cocina y abrió un cajón donde guardaba un juego de llaves de reserva.

—El sofá se convierte en una cama que ya tiene sábanas y una manta. Hay una almohada y más mantas en el armario para ropa del pasillo, que está frente al cuarto de baño. También hay allí toallas y esponjas. La única regla aquí es que si ensucias algo, luego lo limpias o te doy una patada en el culo.

Aquéllas eran reglas que podía aceptar.

—Me parece bastante justo.

Carlos le entregó el juego de llaves.

—Necesito volver y trabajar en mi caso. —Sacó su billetera y le dio a Steele una tarjeta de visita donde Carlos figuraba como agente de seguros. Joe había pensado en todo—. Si necesitas cualquier cosa, llámame y estaré aquí en menos de quince minutos.

—Gracias. —Steele se guardó la tarjeta en el bolsillo trasero del pantalón.

Carlos asintió y luego lo dejó solo en su hogar… algo que de nuevo resultaba una increíble muestra de confianza. Para ser agentes parecían notablemente confiados. A veces hasta demasiado. Eso no encajaba con lo que él sabía acerca de tales bestias, sino que a aquellos tipos parecía gustarles desbaratar la tradición. Lo cual le llevaba a preguntarse cómo serían en el terreno de juego. Tal vez eran completamente efectivos o, por el contrario, totalmente desastrosos. Él esperaba, por el bien del presidente, que fueran lo primero y no lo segundo.

Steele caminó sin propósito por el pequeño apartamento. La mayor parte de los muebles que lo rodeaban eran negros y marrones, de un diseño muy contemporáneo. Había una colección de fotografías en blanco y negro en la pared, detrás del televisor de pantalla plana. Por el aspecto de las personas que aparecían en ellas supuso que se trataba de la familia de Carlos. La mayoría de ellos mostraban un parecido sorprendente con él. Y en el centro de las fotografías estaba el propio Carlos, mucho más joven, junto a un muchacho de unos trece años. Tenían los brazos entrelazados y parecían estar celebrando algo.

Debía de ser el hermano que había mencionado antes, el que había ido a la escuela en Miami.

Steele sintió una punzada de dolor en el pecho al pensar en su hermana pequeña, Tina. Cuando era un chiquillo había sido un hermano sobreprotector hasta el punto de volverla loca. Había habido siempre algo muy frágil en ella, y esa fragilidad había hecho que su padre la presionara constantemente, tratando de fortalecerla. Eran esas dos cosas las que le habían hecho querer ser una especie de parachoques entre ella y el mundo. Mantenerla a salvo sin importar lo leve o lo grave que fuese el peligro. Aun así, ella lo adoraba de aquel modo en que una hermana pequeña adora a su hermano mayor.

Ella había sido la única de la familia que se había preocupado de contactar con él después de su arresto. Había recibido de ella una postal de Navidad que contenía tres simples frases.

Espero que estés bien. Por favor, no le digas a mamá y papá que te he enviado esto. Te quiero,

Tina

Incluso ahora aquellas palabras le producían dolor. Pero al menos ella lo recordaba.

Al menos había hecho algún tipo de esfuerzo para contactar con él, incluso aunque ambos sabían que su padre pondría el grito en el cielo si se enteraba. Aquel hombre era increíblemente incapaz de perdonar ni el menor desaire, fuese real o imaginario. Dios, la patria y el honor eran lo único que le importaban. La familia salía perjudicada si interfería de algún modo con esas cosas.

Steele se estremeció ante aquella realidad. No habría nunca una manera de reconciliarse con su padre. Había avergonzado a un hombre que no sabía nada de perdón.

Buscando algún refugio ante el dolor por todo lo que había perdido salió a una terraza desde la cual se veía toda la ciudad. Había una mesa de plástico blanca y dos sillas a juego. Una estaba tan arrimada a la mesa que resultaba evidente que no se usaba mucho. La otra estaba colocada de modo que Carlos pudiese sentarse allí y disfrutar de la vista. Curiosamente había una botella de la marca Jack Daniel's debajo.

Steele frunció el ceño al verla mientras se imaginaba lo solo que debía encontrarse Carlos como para sentarse allí a beber a solas.

No quería pensar en eso, y continuó observando el paisaje. Carlos tenía una estupenda vista del horizonte y del centro de la ciudad. Nashville era un lugar interesante. Era una ciudad reconfortante… ni demasiado grande ni demasiado pequeña. Había en ella algo familiar y atractivo. Podía ser cualquier parte, Estados Unidos de América.

Y antes de saber lo que estaba haciendo, Steele dejó el apartamento para pasearse por las calles de la ciudad.

Dios, llevaba mucho tiempo sin poder hacer eso. No tenía deberes ni obligaciones.

Nadie sabía su pasado. Era, simplemente, un tipo en la calle.

No un francotirador entrenado. Ni un convicto.

Era de nuevo tan sólo un hombre normal. Y le sentaba bien.

Sonriendo para sí mismo, caminó varias manzanas, sin hacer otra cosa más que disfrutar de la luz del sol en su piel. Había numerosas tiendas llenas de actividad. También había una amplia variedad de restaurantes y negocios, la mayoría de ellos rindiendo homenaje a la música *country*.

Perdió la noción del tiempo mientras iba a la deriva dentro y fuera de las tiendas, hablando con gente por primera vez en meses. Nadie allí sabía quién era él ni lo que había hecho. Le hablaban como a un ser humano. Como a un amigo.

Se hallaba en la cima del mundo.

Hasta que pasó por delante de un pequeño café. Steele se quedó helado cuando vio en la televisión, de un fogonazo, la imagen de la prisión de Leavenworth, junto con las palabras «noticias de fuga».

Con el corazón latiéndole agitadamente, abrió la puerta para escuchar.

«Se trata de un presidiario culpable de intento de asesinato contra su oficial superior en rango, Joshua Daniel Steele. Se cree que va armado y que es peligroso. Se dice que se dirige hacia el oeste, pero los detalles son incompletos por el momento. La fuerzas de seguridad locales tienen su fotografía y están preparando una persecución masiva para detener al fugitivo…»

Y entonces mostraron la fotografía de su ficha. Oh, qué estupenda foto era aquélla. Su cabeza estaba calva y tenía una sonrisa de satisfacción que le daba el aspecto de un asesino en serie. Sin duda, su madre se sentiría orgullosa de la celebridad recién adquirida por su hijo. Podía imaginarse a su padre derramándose el café encima justo en aquel mismo momento y soltando violentas maldiciones desde su hogar en Manassas, Virginia.

Steele se sintió como si lo hubieran perforado y exprimido. Aquello no podía estar ocurriendo…

¡Malditos sean! ¿Por qué demonios le harían esto?

Con la rabia nublándole la vista, miró lentamente alrededor de la sala bastante llena. Había que agradecer que nadie, a excepción de una camarera, parecía prestar atención a la televisión y, afortunadamente, esa mujer todavía no lo había visto. Tratando de no parecer nervioso o sospechoso, salió del café antes de que alguien lo reconociera.

—Demasiado tarde para volver a la cárcel —gruñó por lo bajo. Ahora era un criminal en fuga que vería tiempo añadido a su sentencia… justo lo que necesitaba.

Al parecer el BAD lo estaba apretando. Pero aunque ellos no lo supieran, él no era el tipo de hombre al que podían doblegar. Oh, no. Esta vez habían dado con la persona equivocada, y estaba decidido a que pagaran por ello.

—Syd, no tienes habilidad para tratar con la gente.

Syd dejó escapar un suspiro de disgusto mientras Joe continuaba recriminándola. Enfadada por su sermón, se aferraba a los brazos de su silla mientras él permanecía sentado al otro lado del escritorio, observándola.

—Lo necesitamos. Ahora él no tiene otra elección más que unirse al BAD.

Los ojos de Joe se volvieron aún más fríos.

—Deberías haberme consultado antes de alertar a los medios de comunicación. Maldita sea, ésta no es forma de empezar con esta misión. ¿Tienes idea del esfuerzo que pondrá en esconderse? Por no mencionar lo cabreado que estará… ¿Y ahora esperas que yo le entregue un rifle cargado a un hombre que, sin duda, quiere ver todas nuestras cabezas en una fuente? Sí… un plan brillante, agente Westbrook. ¿Tienes otro igual de brillantes? ¿Sabes qué te digo? ¿Por qué no llamamos a los uhbukistanis y les contamos nuestros planes y nuestra identidad a ellos también? ¿Suena bien, no?

Ella realmente no necesitaba su sarcasmo.

—No tenía tiempo para esperar.

Joe se puso de pie. Un tic de enfado en la parte izquierda de su mandíbula iba al compás del rápido ritmo de sus latidos.

—Mira, no doy órdenes a menudo, pero maldita sea, cuando lo hago espero que éstas sean obedecidas. No vuelvas a hacerme una cosa así otra vez, ¿entendido?

Ella no respondió.

—Contesta —insistió él.

Ella se puso en pie despacio.

—Lo entiendo. Pero también entiendo que el tiempo es crítico y que mi obligación es usar todos los medios necesarios para conseguir mi propósito.

La expresión de Joe le hizo sentir un escalofrío. Por un instante, realmente temió por su vida. Joe era la mayor parte de los días tan fácil de trato que resultaba demasiado fácil olvidar lo peligroso que podía llegar a ser.

—No vuelvas a…

Sus desesperadas palabras fueron interrumpidas por el timbre del interfono. Él continuó mirándola mientras respondía.

—Joe, Steele acaba de… —Antes de que Kristen pudiera terminar su frase, la puerta de la oficina de Joe se abrió con tanta fuerza que la bisagras resonaron. Steele se hallaba de pie en el umbral y una furia infernal se reflejaba en su rostro. Su pelo marrón oscuro estaba cepillado hacia atrás y un mechón le caía delante de los ojos. Todos los músculos de su cuerpo estaban tensos, como si estuviera luchando consigo mismo para no atacarlos.

Syd dio un paso atrás al ver la rabia que reflejaba el rostro de Steele. Hacía que Joe pareciera inofensivo en comparación con él.

—¿Qué demonios se os ha ocurrido hacer? —preguntó Steele, apretando los dientes.

Syd tragó saliva, esperando que Joe declarara que era ella quien lo había hecho.

No lo hizo. En lugar de eso, el rostro de Joe se volvió tan inexpresivo que costaba creer que tres minutos antes se pareciera tanto al de Steele.

—Necesitábamos cerrar la vía de escape para ti. Lo siento.

Los ojos marrón oscuro de Steele se hicieron más pequeños.

—No lo sientes ni la mitad de lo que vas a sentirlo.

Joe se tensó mientras se enfrentaba a la ira de Steele sin inmutarse.

—Necesitas calmarte.

—Mierda. —Steele avanzó un paso hacia Joe, que se preparó para defenderse o atacar.

—Joe no lo hizo. —Syd no podía creer que fuera tan estúpida de decir eso, pero no era una cobarde. No estaba dispuesta a permitir que Joe soportase la peor parte de la ira de Steele cuando ella había sido la única en causarla.

—Lo hice yo.

Aquello al menos consiguió sorprenderlo lo bastante como para que únicamente fuera capaz de fruncir el ceño y preguntarle.

—¿Por qué?

—A diferencia de Joe, yo no confío en que la gente tienda por naturaleza a hacer lo correcto. Te necesitaba, así que di los pasos que juzgué necesarios para garantizar tu cooperación.

Él levantó la mano como si quisiera alcanzar su garganta. En lugar de eso, pasó la mano tensa entre su pelo oscuro.

—¿Tienes alguna idea de lo mucho que me has jodido la vida?

—No más de lo que tú mismo te la jodiste.

Su rostro decía que en aquel momento él la odiaba, y lo cierto es que ella se sentía fatal por haberlo herido. Se acercó hacia él.

—Steele…

—No me toques —gruñó. Miró a Joe, luego le hizo una mueca a ella—. Vosotros no sois mis dueños. Y a mí nadie me presiona. —La miró a los ojos con una intensidad que la quemaba—. Si crees que me da miedo la cárcel, pequeña criatura, piensa mejor para otra vez. Lo único que has conseguido es cabrearme.

Volvió la cabeza hacia Joe.

—Estoy fuera de esto. Me entregaré al primer policía que vea.

El tic de enfado volvió a aparecer en la mandíbula de Joe.

—Lo entiendo. Pero antes de hacer algo precipitado, vete a casa de Carlos y relájate durante un rato. Creo que todos necesitamos separarnos y estar a solas para aclarar nuestras ideas.

El rostro de Steele decía que él quería discutir.

—No —dijo Joe con calma—. Una noche, Steele. Es todo lo que te pido. Si mañana todavía quieres entregarte, tengo un amigo en las fuerzas armadas que podrá recogerte. Me aseguraré personalmente de que no se añadirá tiempo a tu sentencia.

Steele asintió. Se dirigió hacia la puerta, sólo para detenerse cerca de ella.

Syd tembló ante la ferocidad de su presencia, aunque evitó demostrarlo.

—Necesitas aprender a ser un poco más agradable con la gente. La próxima vez que estés en condiciones de joderme será mejor que me mates. Porque si no lo haces, seré yo quien te mate a ti.

La severidad de aquella oscura mirada indicaba que aquello no era una vaga amenaza. Lo decía en serio.

—No hago caso a las amenazas.

—Yo no hago amenazas. —Su mirada se hizo aún más dura—. Esto es una promesa entre tú, yo y Dios.

Syd se puso rígida. Qué ganas tenía de contestarle algo rápido. Algo mordaz e inteligente. Pero nada le vino a la mente mientras él salía por la puerta.

No era justo.

Se volvió para encontrarse a Joe observándola. De repente, se sintió agotada y sin fuerzas.

—¿Y ahora qué? Acabas de echar a perder la oportunidad que nos daba mi plan. Ahora ya tiene elección.

Joe sacudió la cabeza.

—Syd, aprecio tu pasión por el trabajo. Pero necesitas tener un poco de compasión por la gente.

Cuánto desearía ella que fuese tan simple. Pero no lo era.

—Un árbol no es más importante que el bosque entero, Joe. Tú me lo enseñaste. ¿Recuerdas? Poda política.

—Sí, pero cada bosque se va talando árbol por árbol. Debes cuidar de cada árbol porque cada uno de los que cae puede acercar el bosque a la deforestación. Sólo se poda lo que está corrompido. No se corta un árbol bueno sin ninguna razón.

Syd apretó los dientes.

—¿Alguien ha ganado alguna vez una discusión contigo?

—Sólo Tee, y yo estaba bebido y además herido.

Eran casi las seis y media cuando Steele regresó al edificio de apartamentos. Tras dejar las oficinas del BAD, se encaminó por el puente peatonal que conectaba la zona del centro con el estadio.

Su lado rebelde quería encontrar a un policía para que lo detuviese y le quitase así la decisión de las manos. Tendrían lo que se merecían si lo perdían por culpa de su propia estupidez, pero por otra parte, le habían sacado una vez de la cárcel, y lo más probable era que pudieran volver a hacerlo.

Su lado más inteligente quería correr tan lejos de allí como pudiese. Pero ¿cuánto podría alejarse de alguien como Joe o Syd? No tenía dinero. Ni coche. Ni carné de identidad. Ni familia.

El único amigo que tal vez podría ayudarlo se hallaba a once horas de allí, y eso en coche, no caminando o en autobús. Los agentes de la ley lo estaban buscando y su foto llenaba las noticias.

«Afróntalo, capullo, esos tipos raros no están contigo en esto.»

Steele no tenía la menor duda de que los del BAD podían dar con él más rápido que una manada de perros de caza. Era lo que hacían como forma de vida y, antes de estar en el Ejército, Steele conocía de primera mano algunos de los juguetes más creativos que los agentes secretos tenían a su disposición.

Por mucho que odiara reconocerlo, huir no era una opción. Por no mencionar que nunca había sido el tipo de hombre que huye de nada. Él creía en coger al demonio por los cuernos y luchar con el muy hijo de perra a brazo partido hasta tumbarlo en el suelo.

Finalmente sabía que, en realidad, no tenía más elección que enfrentarse a aquello.

Así que volvió al edificio de apartamentos y se dirigió de nuevo a la cuna de Carlos.

Completamente cabreado por cómo le había ido el día, abrió la puerta para hallar a Carlos hablando por el teléfono móvil.

Tan pronto como éste vio entrar a Steele en el apartamento, colgó.

—Así que estás aquí. Estaba empezando a pensar que eras lo bastante tonto como para huir de nosotros.

—Francamente, pensé en hacerlo. Pero la única manera de

huir hubiera sido robar a un inocente. Sólo porque sea un presidiario no significa que sea un criminal. Además, me imagino que vosotros me traeríais de vuelta encadenado.

Carlos resopló.

—Yo no lo haría, pero Syd sí, y te iría dando patadas en el culo a cada paso del camino.

—Siempre que llevara tacones altos podría valer la pena.

Carlos sacudió la cabeza.

—Te gusta vivir peligrosamente, ¿verdad?

—Así es.

—Si vas a ir tras ella, te sugiero que inviertas en un tanga de acero forzado. El último tipo que soltó una insinuación sexual y la hizo cabrearse va todavía cojeando por la oficina. ¿Estás preparado?

Steele frunció el ceño.

—¿Para qué?

—Joe me dijo que te lanzara una hamburguesa y te llevara al Ryman.

¿Eso era inglés?

—¿Qué es el Ryman?

Carlos guardó su teléfono en la funda de plástico que llevaba en la cadera.

—¿Será posible? ¿Creciste en un agujero? Incluso yo, que vengo de Bolivia, sé lo que es el Ryman. ¿No conoces el Grand Ole Opry? ¿La tierra natal de la música *country*? ¿Hogar de los campesinos?

Steele le dirigió una mirada divertida.

—¿Por qué diablos iba a querer ir ahí?

—Porque Joe lo dijo. —La respuesta fue automática.

¿Qué? ¿Acaso eran críos de tres años de edad?

—¿Haces todo lo que dice Joe?

—La mayoría de las veces. Si eso me conviene… oh, diablos, sí. Confía en mí, no vale la pena desobedecerle. El último tipo que lo hizo todavía no ha sido encontrado.

Steele se burló.

—Joe no me da miedo.

—Entonces tú estás loco, amigo. —El rostro de Carlos era tremendamente sincero—. A mí me hace cagarme de miedo, y eso que solía trabajar para gente que harían a Freddie Krueger parecer Mr. Rogers.[18] —Señaló hacia la puerta con una inclinación de cabeza—. Vamos.

¿Qué demonios? Era como si no tuviera nada más urgente que hacer con su tiempo. Y necesitaba comer. Dado que no tenía dinero, hacerse con comida sin la ayuda de Carlos era imposible a menos que quisiera añadir hurtos menores a su hoja de acusación.

Carlos lo condujo hacia un restaurante al otro lado de la calle y, tan pronto como hubieron comido, lo llevó hasta el auditorio de Ryman en la Quinta Avenida. El gran edificio rojo con sus ventanas góticas de cristal blanco difícilmente podría pasar desapercibido. El Ryman era, sin duda, el más famoso edificio de Nashville.

Steele suponía que Carlos iría con él, pero no lo hizo. En lugar de eso, le entregó una entrada y le señaló un juego de puertas en la parte posterior del edificio.

—Entra.

—¿No vas a venir?

Negó con la cabeza.

—No estoy invitado.

Carlos partió tan rápido que Steele casi no tuvo tiempo de cerrar la puerta del coche antes de que lo hiciera. Perplejo por el último giro de los acontecimientos y por todo lo extraño que había sido el día, Steele trató de dominarse y se encaminó hacia el edificio. A pesar de todo el renombre internacional que tenía el lugar, por la parte trasera era parecido a cualquier otro teatro de América. Entró por el juego de puertas y vio las ventanas de la oficina de palcos a su derecha y los servicios, a su izquierda. Había unas pocas personas reunidas y charlando, pero nada parecido a lo que había esperado.

No fue hasta que estuvo más adentro del edificio y vio la estatua de Minnie Pearl sentada en un banco junto a Roy Acuff[19]

18. Freddie Krueger es el escalofriante protagonista de una serie de películas de terror, mientras que Mr. Rogers es el animador de un programa infantil de Estados Unidos. *(N. de la T.)*

19. Otro músico *country* americano. *(N. de la T.)*

que la historia de aquel lugar lo sacudió. Había algo sobrecogedor y mágico en aquel edificio que representaba un punto de referencia cultural. Había sido allí entre esas mismas paredes donde se había formado todo un estilo de música y toda una identidad.

Contempló las escaleras que conducían a los asientos del piso superior del antiguo edificio. Había sido una iglesia antes de convertirse en el famoso hogar de la música *country*, y todavía conservaba las huellas de su orgullosa herencia.

—¿Puedo ayudarte, cariño?

Se volvió para hallarse ante una mujer mayor con una insignia que la distinguía como parte del personal.

—Supongo que sólo necesito encontrar mi sitio. —Para ser honesto no tenía ni la menor idea de por qué estaba allí. Ese día todo había sido extrañamente surrealista.

Le entregó la entrada que le había dado Carlos.

Ella lo miró y sonrió.

—Tienes que subir las escaleras, cariño, en la tribuna de los confederados. Estás en la sección doce, fila A, asiento siete. —Bajó la voz como si compartiera con él un gran secreto—. Realmente es un buen sitio. Es muy sencillo, sube por esas escaleras, no tienes pérdida.

—Gracias.

Ella le dio unas palmaditas amables en el brazo.

—No hay de qué. Me llamo Carla. Si necesitas cualquier otra cosa, simplemente házmelo saber.

Él sonrió a pesar de sí mismo. Había algo que venía notando durante todo el día, la gente de Nashville era de lo más amistosa. Dirigiéndose hacia la derecha, subió las escaleras que se bifurcaban hasta las puertas superiores y buscó su asiento. Sólo estaban ocupadas cerca de la mitad de las plazas. Pero la mujer estaba en lo cierto; tenía una vista estupenda que daba justo al centro del escenario.

Se sentó y observó que varias personas se dejaban fotografiar en un área acordonada del escenario, donde se veía un

20. Show de radio que se transformó en el programa más popular de música *country* precisamente por retransmitir al Grand Ole Opry. *(N. de la T.)*

micrófono con el logo de WSM[20] y una guitarra. El grupo parecía emocionado por estar en el mismo escenario donde Elvis Presley, Hank Snow, Patsy Cline y otros muchos habían actuado.

—¿Palomitas?

Steele levantó la vista al oír la voz familiar y casi se cae de la silla al ver a Joe. Todavía tenía el pelo recogido en una coleta, pero ahora llevaba un sombrero de *cowboy* negro y una ajustada camiseta negra de manga corta que dejaba ver todos los tatuajes que tenía en ambos brazos.

Toda marca de refinamiento había desaparecido. Joe podría no tener un acento de los bajos fondos, pero definitivamente sí tenía el porte.

Steele cogió las palomitas que Joe le ofrecía mientras éste se sentaba en el asiento vacío que había a su lado. Cuando Joe le pasó una cerveza, se dio cuenta de algo. En el antebrazo derecho de Joe había tatuado un corazón roto con el nombre de Jane. A cada lado del nombre asomaban las alas de un ángel, como haciéndolo volar. Pero lo que más le sorprendía era su estilo, que había visto incontables veces en los últimos dos años. Era inconfundible.

—Tú también has estado allí.

Joe tomó despacio un trago de su cerveza mientras lo miraba de frente.

—Todos cometemos errores, Steele. Es lo que hacemos después lo que nos define más que el incidente que nos llevó a cometer el error. —Lo miró—. ¿Has estado pensando?

—Sí.

—Bien. ¿Ya te has calmado?

Steele soltó una respiración cansada.

—La comida ayudó.

Joe soltó un bufido antes de inclinar la cabeza hacia un grupo de personas en los asientos del suelo que había debajo de ellos.

—¿Sabes lo que me gusta de este lugar?

—Espero que no sea la decoración.

Sin delatar ninguna emoción, Joe tomó otro trago de cerveza antes de hablar.

—La gente. ¿Has visto allí abajo a la abuela con su hijo y su nieto? Probablemente, llevan años viniendo aquí juntos. O tal vez sea su primera vez. En cualquier caso, hay tres generaciones sentadas allí juntas, dejando de lado sus diferencias por una noche para ser una familia.

Joe le dirigió una mirada dura.

—Eso es la humanidad, Steele. Es por eso por lo que estamos luchando. La familia. La gente. La dignidad. Son nuestras diferencias las que nos hacen fuertes. El BAD no tiene que ver con el patriotismo. Se trata de salvar a los individuos. No sólo a los que están en América, sino a todos los que están en alguna parte haciendo sus vidas sin ningún o muy poco interés en la política. Hombres, mujeres y niños que sólo quieren vivir en paz mientras otros buscan formas de usarlos como peones en un juego mortal que ellos ni siquiera quieren jugar.

Para enfatizar sus palabras, usó su cerveza para señalar a una pareja afroamericana que había a su derecha. Tres asientos más allá había una familia asiática.

—Cuando era un muchacho que vivía en Nueva York, cada verano mi madre me enviaba a Carolina del Norte para quedarme con mi abuela italiana, que había venido aquí justo después de la Segunda Guerra Mundial. Se había quedado ciega durante un accidente en una fábrica, donde trabajaba catorce horas como una esclava para ganar tan sólo unos centavos, pero cada noche se sentaba y escuchaba la radio igual que lo hacía cuando era una muchacha. No había nada que le gustara más que el número de «El Grand Ole Opry». Para ella aquello era saludable… el paradigma de Estados Unidos y la razón principal por la que había acudido allí. —La tristeza se reflejaba en los ojos azul claro de Joe—. Todo lo que ella quería en la vida era venir a Ryman para asistir a un *show* de Opry en persona, tan sólo una vez.

—¿Lo hizo?

Él negó con la cabeza.

—Murió unas pocas horas antes de que yo llegara a su casa para sorprenderla con unas entradas.

El dolor de Joe lo alejaba de allí.

—Mi abuela solía decirme algo: «Joe, nunca des tu vida por

sentada. Hay un gran mundo allí fuera, y te está esperando. No malgastes tu tiempo. Es demasiado limitado, y antes de que te des cuenta ya se ha esfumado». —Volvió a mirar a Steele—. Te estoy dando una segunda oportunidad, Steele. Sé que harás algo bueno con ella.

En aquel momento, Steele odiaba a Joe.

—¿Por qué diablos estás tan seguro?

—Porque tienes una hermana pequeña, y te envió una postal por Navidad.

Un escalofrío recorrió a Steele.

—¿Cómo sabes eso?

Joe le sonrió con la boca torcida.

—Soy un espía. Ése es mi trabajo. Y sé que no permitirás que Tina viva bajo la amenaza de una bomba nuclear de un país que probablemente ella ni siquiera sabe que existe. ¿Estoy en lo cierto?

Antes de que él pudiera responder, oyó un grito ahogado de sorpresa.

—¿Joe?

Steele levantó la cabeza ante la voz profunda y femenina que hizo poner en guardia cada uno de los nervios de su cuerpo. Inmediatamente sintió una fiera oleada de ira.

—¿Qué hay, Syd? —dijo Joe con voz cansina.

Syd no puedo reprimir la sorpresa mientras observaba a un Joe que no había visto en su vida. ¡Llevaba incluso botas de *cowboy*! En la oficina y también fuera de esa esfera siempre llevaba ropa de vestir. Ropa de vestir que a ella no le habían dado ni una pista de lo fornido que era aquel hombre.

Ella podría lavar la colada sobre ese estómago. Y sus brazos… Eran musculosos y llenos de poder. ¿Cómo demonios conseguiría Tee compartir la oficina con aquel hombre día tras día y no sucumbir a una incontrolable lujuria?

Joe se puso de pie y desocupó el asiento. Ella se dio cuenta de que era el suyo. Él le entregó la caja de palomitas.

—Los dos necesitáis relajaros esta noche. Disfrutad del espectáculo. Estoy seguro de que después podrás acompañar a Steele de vuelta a casa de Carlos, ¿verdad?

—Claro.

Él volvió la vista hacia Steele.

—Sé amable.

La expresión del rostro de Steele indicaba que eso no era muy probable.

Joe se sacó el sombrero para saludar a Syd antes de pasar ante ella y dirigirse hacia un lateral.

Todavía atónita, ella lo observó mientras se colocaba en la fila de atrás, donde lo esperaba Tee. A diferencia de ella, Tee no parecía pensar que hubiera nada extraño en la forma de vestir de Joe. Se limitó a apartar las piernas para que Joe pudiera pasar y sentarse a su lado. Y, en cuanto estuvo sentado, le quitó el sombrero de la cabeza y se lo colocó en la suya. Joe le dedicó una sonrisa irritada antes de coger de sus palomitas.

—¿Qué estás haciendo aquí? ¿Intentando encontrar una nueva manera de joderme la vida?

Ella miró hacia donde se hallaba sentado Steele. Definitivamente, continuaba enfadado con ella. Y no es que ella pudiera culparlo.

—No creo que necesites ninguna ayuda para eso. Creo que lo haces muy bien jodiéndotela tú solito.

Tan pronto como esas palabras salieron de su boca, se arrepintió.

Suspirando, tomó asiento y colocó las palomitas entre sus piernas mientras trataba de mantener la coca-cola en equilibrio en su rodilla.

Steele comenzó a levantarse para irse. Syd alcanzó su brazo firme y lo retuvo. Él la miró con odio, y eso hizo que a ella le doliese el estómago.

—De verdad, lo siento —dijo, pronunciando cada palabra cuidadosamente.

—Hay cosas que no se arreglan con arrepentirse.

—Tienes razón. —El rostro de él mostraba sorpresa ante su disculpa—. Si eso te hace sentir mejor, Joe ya me ha echado bastante la bronca.

—No me sirve. Todavía tengo que mirar por encima del hombro para ver si me sigue la policía.

—Lo sé. —Hurgó con la mano en su bolsa de palomitas mientras consideraba la manera de abordar aquello—. Hoy lo he fastidiado todo, de acuerdo. No lo hago a menudo, y siento que tú estuvieras en la línea de fuego.

—¿Has practicado mucho ese discurso?

Ella le dirigió una sonrisa avergonzada.

—¿Eso parece?

El rostro de Steele era una piedra.

—Sí, y para ser una agente no tienes ni idea de cómo mentir…

Ella se movió incómoda ante su crítica.

—¿Y tú puedes hacerlo mejor?

—Por supuesto que puedo.

Ella se burló de él.

—Seguro que sí.

—Puedo.

Pero ella sabía que no.

—Eso es lo que todos creéis.

Antes de que pudiera moverse, Steele le cogió la barbilla. Su mirada pasó de la ira a una pasión ardiente. Sus ojos oscuros recorrieron las líneas de su rostro mientras se acercaba un poco más a ella.

Aquella mirada era tan cálida que ella la sentía como un contacto físico. Le hizo sentir un hormigueo en la piel de su rostro. E hizo que sus labios anhelaran probar su sabor.

—¿Te ha dicho alguien alguna vez que tienes la boca más sexy a este lado de la pantalla de cine?

Syd tragó saliva ante su voz profunda. Cada nervio de su cuerpo estaba en tensión mientras sentía subir el deseo en espiral.

—¿Perdón?

—Es cierto —dijo él casi sin aliento—. Si te tuviera a solas conmigo durante cinco minutos…

—¿Qué harías? —preguntó ella, muriéndose de ganas de saberlo.

La mirada de él volvió a teñirse de ira al instante mientras le soltaba la barbilla y volvía a concentrarse en su cerveza.

—Probablemente te daría una paliza por haberme denunciado a la policía.

Ella también se puso furiosa.

—¡Cabrón!

Él la miró de reojo.

—¿De verdad pensaste que hablaba en serio? Y lo he conseguido sin practicar ni una sola sílaba. Como te dije antes, no tienes ni idea de cómo mentir.

Syd estaba furiosa. Nadie la había picado de ese modo desde que el muchacho de quien estaba enamorada en la escuela superior la había ignorado.

—Deberías agradecer que te necesito, pues si no fuera así, te pegaría un tiro.

Él resopló.

—Ojalá tuviera tanta suerte.

Syd se volvió para mirar a Joe y Tee, que se estaban riendo juntos. Si no fuera por su presencia, ya estaría fuera de allí. Pero Joe probablemente la haría volver a su asiento.

Empezó a llegar más gente mientras un silencio incómodo se instalaba entre ellos.

Steele tuvo que moverse para dejar pasar a un hombre y una mujer. Al hacerlo, quedó tan cerca de Syd que pudo oler la dulzura de su perfume. Eso le hizo sentir una sacudida. De repente estaba tan duro que casi no podía respirar.

No había estado fingiendo con ella tanto como pretendía. La cruda verdad era que aunque ella le había dado una puñalada por la espalda, su lado masculino se sentía atraído por ella.

Syd frunció el ceño.

—¿Estás bien?

—Sí —dijo él, aunque lo asaltara una extraña pregunta… ¿puede un hombre morir por el olor de campánulas azules?

—¿Estás seguro? Pareces un poco… tenso.

Aquél era un buen término para lo que le ocurría.

—Estoy bien. De verdad, estoy bien.

La mirada de ella bajó un instante hasta el regazo de él antes de que sus ojos se abrieran como platos y sus mejillas enrojecieran.

—Sí, eres un gran actor —murmuró ella mientras dirigía rápidamente la atención al escenario que tenían ante ellos.

Luchando contra la urgencia de decir algo cáustico, Steele se frotó los ojos con la mano completamente avergonzado. Era como si tuviera de nuevo catorce años y lo llamaran al frente de una sala para una ceremonia.

Las luces se hicieron más tenues.

Gracias a Dios. ¿No podían haberlo hecho tres segundos antes para evitarle la humillación?

Syd se aclaró la garganta y se esforzó para no mirar a Steele, pero era duro.

No tan duro como estaba él.

Tuvo que apretar los labios para evitar reírse. «¡Syd, eres horrible!» Sin duda él estaba avergonzado. Había pasado dos años en la cárcel. Era lógico que le ocurriera eso.

Pero lo peor de todo aquello era la curiosidad que la llenaba de ganas de volver a mirar.

«¡No!»

Antes preferiría que le arrancasen los ojos y la matasen. De acuerdo, eso no era cierto. Pero no podía mirar. Aquel hombre era un imbécil integral. La irritaba. Se burlaba de ella.

A ella ni siquiera le gustaba.

Por el rabillo del ojo, pudo verlo bebiendo un trago de cerveza.

Dejando de lado su imbecilidad, era un hombre espléndido. Había algo en Steele absolutamente delicioso, y ella no podía decir eso de muchos hombres. Su pelo oscuro estaba peinado hacia atrás de una forma de lo más masculina. Sus mejillas estaban oscurecidas por la sombra, lo cual le añadía cierta dureza.

A pesar de su ira, una maliciosa parte de ella quería recorrer con sus manos esa mandíbula esculpida.

Y, entonces, un pensamiento incluso más malvado la asaltó… él había estado en prisión. Se preguntó cuántas veces habría tenido que luchar contra otros internos que también lo encontrasen guapo.

Y, sobre todo, se preguntó si habría perdido alguna vez.

«No sigas por ahí, Syd.» Pero no podía evitarlo. Debía de ser espantoso ser tan atractivo estando en la cárcel. No podía imaginar nada peor.

Al menos hasta que empezó la música. Trató de escuchar con una actitud abierta, pero aquello no tenía nada que ver con su gusto. Cogió su bolso del suelo para sacar el iPod de Tee. Sólo cuando lo tuvo puesto y pudo escuchar la canción *Getting*

Away with Murder de los Papa Roach, logró respirar de nuevo.

Eso estaba mucho mejor.

Levantó la vista para ver que Steele la observaba con irritación.

—¿Qué pasa? —preguntó, quitándose uno de los pequeños auriculares.

Él entrecerró los ojos.

—Eres increíble, ¿lo sabes?

Honestamente, ella no podía imaginar qué era lo que había hecho ahora para irritarle.

—Yo no te he hecho nada. Así que vete al diablo.

Desafortunadamente, no lo hizo. En lugar de eso, agarró su iPod y se lo quitó.

—¡Eh!

—¡Shh!

Syd se encogió cuando las personas que estaban al lado de ellos les dedicaron una mirada siniestra.

—Devuélveme eso —dijo, apretando los dientes y bajando el tono de voz.

—No.

Era un maldito capullo. Cruzando las manos sobre el pecho, ella contempló huraña el escenario donde Pam Tillis contaba historias sobre cómo su padre, Mel Tillis, había colocado el estuche de su guitarra en los camerinos de Opry cuando ella no era más que una niña.

Mientras escuchaba, una parte de ella se sintió encantada con la historia.

Al menos hasta que comenzó la canción. Syd se encogió, ansiando salir de allí. Justo cuando estaba convencida de que no aguantaba ni un sólo minuto más allí, Steele hizo algo de lo más inesperado. Le ofreció un extremo de los auriculares.

Perpleja por su conducta, ella alzó la vista hacia él.

—Yo no soy tan cruel como tú.

Ella no estaba segura de si debía sentirse agradecida o enfadada. Pero mientras se acercaba a él para que pudieran compartir el repertorio de Tee, la ira que sentía hacia él se desvaneció. Sus rostros estaban tan cerca que prácticamente se tocaban. Podía sentir fácilmente el calor de su piel. Su aroma cálido y masculino penetraba en su cabeza mientras se volvía intensamente consciente de sus bíceps apretándose contra la parte superior de su brazo mientras escuchaban la canción de Papa Roach *Tyranny of Normality*.

Permanecieron así hasta que el telón se cerró y lo músicos se tomaron un descanso.

Steele inclinó el iPod que tenía en las manos.

—¿Cuánto crees que durarán las baterías de este trasto?

—No lo sé. ¿Cuánto dura el espectáculo?

Él se encogió de hombros.

—No tengo ni idea. Pero creo que la cárcel era mejor. Al menos ante los castigos crueles y extraños se podía presentar una demanda al celador.

Ella se rio.

Steele se tensó ante el agradable sonido de su risa. Además, el gesto suavizó su rostro haciéndola parecer casi amable. Fue asaltado por un repentino impulso de besarla, pero rápidamente lo reprimió.

Pero en el fondo de su mente anidaba el pensamiento de que aunque no le gustara la música y no sintiera afecto por esa mujer, aquel momento era el mejor que había tenido en el curso de dos años.

Quería que su vida volviera a ser como había sido antes de ser arrestado.

Quería vivir.

A Syd se le cortó la respiración cuando vio el aspecto del rostro de Steele. El odio y la sospecha habían desaparecido. Su expresión era completamente indefensa y abierta. Y algo en ella recordaba a un muchacho.

Por primera vez, entendió lo que había hecho enfadar tanto a Joe. Ella había manipulado la vida de ese hombre. Lo había usado como a un peón.

En realidad, ella no era mejor que la gente tras la que iban. Por Dios, había acorralado a Steele contra la pared, ¿y para qué? No tenía derecho a ponerlo en aquel tipo de peligro. No tenía derecho a interferir en sus decisiones.

Repentinamente avergonzada de sí misma, le tocó el brazo.

—Mira, Steele, realmente lo siento si te ofendí antes. A veces tiendo a ser demasiado entusiasta.

Steele frunció el ceño al oír por primera vez su sinceridad. Quería conservar su ira, pero a pesar de sí mismo ésta se derritió.

Ella estaba haciendo un esfuerzo por arreglar las cosas. Y él nunca había sido el tipo de hombre capaz de guardar demasiado rencor.

—Está bien.

—No —dijo ella, sus ojos quemaban de tanta intensidad—, no está bien. Si quieres volver… bueno, no puedo mentirte diciéndote que me gusta. No puedo. Realmente te necesitamos, por muchas razones. Pero hay muchas cosas en este mundo más importantes que yo y mi ego.

Él lo dudaba.

Ella vaciló, y aunque él creyó verla intentar ocultar su vulnerabilidad, él la vio claramente.

—Realmente me gustaría que nos ayudaras. Puedo prepararte si estás dispuesto a hacer el trabajo, y si quieres ir en solitario… no me pondré en tu camino.

Steele podía sentir cuánto le costaba sacar esas palabras de su garganta. Pero pese a todo, las había dicho. Eso era digno de admiración.

—Muy bien, Sydney. Si aceptas escucharme y que las cosas se hagan a mi manera, lo haré.

Ella le sonrió. Era una sonrisa abierta y honesta que lo impactó como un golpe. Era preciosa y dulce, la antítesis total de la dura agente que había sido antes.

—Gracias, Steele.

Él inclinó la cabeza hacia ella.

Ella se volvió para mirar a Joe antes de sacarle el auricular del oído.

—Dado que ahora estamos en el mismo equipo, ¿por qué no pasamos de este concierto y nos ponemos a trabajar?

Él miró detrás de ellos hacia los asientos donde Joe se había vuelto a poner el sombrero y parecía estar bromeando con Tee mientras ésta le arreglaba el ala.

—¿Crees que el jefe nos disparará si nos ve salir?

Ella se rio de nuevo.

—Sólo hay un modo de averiguarlo.

Se levantaron y se dirigieron hacia el pasillo.

Joe arqueó una ceja cuando pasaron ante él. Syd tiró de Steele para detenerlo.

—¿No vais a iros tan pronto, no? —le preguntó Joe a ella.

Syd arrugó la nariz.

—Sin ánimo de ofender, realmente no es mi estilo. Además, vamos a discutir algunos detalles a la oficina.

Joe miró a Steele.

—Entonces, ¿él está en esto?

Steele asintió.

—Buen chico. —Sacó una billetera de su bolsillo trasero, a continuación se la entregó a Steele—. A propósito, te cobré las entradas a ti.

Steele frunció el ceño.

—¿Cómo? No tengo tarjeta de crédito.

Joe le señaló la billetera con una inclinación de cabeza.

—Mira dentro.

Syd entrecerró los ojos ante la arrogancia de Joe.

—Vamos, sé honesto, tenías que tener alguna duda de si se uniría a nosotros.

—En absoluto. No lo habría llevado a las oficinas si hubiera creído que había alguna posibilidad de que se retractase.

Ella estaría encantada de que al menos alguna vez Joe estuviera equivocado acerca de algo. Pero al menos en esta ocasión estaba agradecida de que entendiera a la gente tan bien.

Syd señaló sus asientos vacíos con una mano.

—Ya que nos vamos, ¿no queréis nuestros asientos?

Joe pareció encantado, mientras que Tee adoptó un aire de extremo disgusto.

—Que os divirtáis —dijo Joe mientras pasaba ante ellos rápidamente para dirigirse a los asientos de más abajo.

—Lo harán —murmuró Tee al tiempo que se movía hacia ellos—. Y yo mientras tanto estaré en el infierno.

Syd sacudió la cabeza ante el tono funesto de Tee y le entregó el iPod.

—Bendita seas —le dijo Tee agradecida al cogerlo.

—¿Por qué has venido si lo detestas tanto? —preguntó Syd.

Tee miró a Joe, que estaba bajando las escaleras. Al hablar hizo una imitación perfecta del acento del sur.

—Tal vez no me guste la música, pero es la mejor vista de la ciudad.

Syd se rio de Tee.

—Algún día, hermana, tendrás que decirle a ese hombre lo que sientes por él.

Tee le dirigió una mirada significativa.

—Puedo mirar, pero las dos sabemos que no puedo tocar. El trabajo es el trabajo y el placer es el placer.

Era cierto. Ella entendía muy bien los sentimientos de Tee respecto al trabajo y al juego. A diferencia de Tee, se había quemado lo bastante como para saber exactamente por qué el trabajo y el juego no se mezclaban. Era una lección que le había llegado al corazón.

Dándole un abrazo rápido, dejó que Tee se acercara al escenario con Joe.

Después Syd siguió a Steele, que tiró su bebida y sus palomitas en el cubo de basura. Ella hizo lo mismo antes de que ambos dejaran el auditorio para dirigirse hacia el estacionamiento de fuera, donde Syd había aparcado su Honda.

Mientras caminaban, advirtió que Steele se aferraba a la billetera como si fuera una cuerda de salvación. La apretaba con fuerza, y al mismo tiempo casi con amor.

—¿Qué te ha dado Joe? —le preguntó ella.

—Me ha devuelto mi vida —dijo él en un tono reverente. Le entregó la billetera a ella.

Syd la abrió para ver lo que había dentro. Tan pronto como vio el contenido, lo entendió perfectamente. Había en ella un carné de conducir de Tennessee con su nombre y su fotografía, dos tarjetas de crédito, y un poco más de cien dólares en efectivo. Era igual que la billetera de cualquier otro tipo, y eso era probablemente lo que más le había sorprendido.

¿Cuánto tiempo había transcurrido desde que era tan sólo un tipo cualquiera, común y corriente, paseándose por la calle?

Ella sonrió al verle tan pensativo.

—Cuidamos de los nuestros.

Steele no dijo nada cuando ella le devolvió la billetera y él se la guardó en el bolsillo de atrás. Desde que lo habían arrestado, hacía más de dos años, no se había sentido tan humano.

Con lo que Joe le había entregado, podía irse y no volver nunca. Era una gran prueba de confianza.

Él no iba a traicionarlo.

Y en aquel momento, se dio cuenta de algo. Joe tenía razón. Por primera vez entendía lo que significaba vivir. Tener una vida. Podía comer cuando quisiera, irse cuando deseara. Hacer cualquier cosa sin tener que responder a nadie. No había guardias armados vigilándolo nerviosamente justo ahora. Ni una cámara de aislamiento donde tuviera que medir los pasos. Nadie contra quien luchar por las necesidades de cada día. Ni pandillas con las que lidiar. Nada.

Dios, se estaba bien.

—¿Estás bien?

Él miró a Syd y le dedicó una sonrisa vacilante.

—Sí, creo que sí. —Se detuvo en el aparcamiento y tiró de ella para que también lo hiciera.

Y luego hizo algo que no había hecho desde la tarde en que disparó a su comandante…

Actuó guiado por un puro impulso.

La atrajo hacia él, bajó la cabeza y besó esa boca suya gruesa y exuberante que lo había atraído desde el primer momento en que la vio. Steele cerró los ojos mientras la probaba por primera vez. Había pasado demasiado tiempo sin tener una mujer, y no podía recordar ningún sabor mejor que aquél. Su boca estaba salada y a la vez dulce por su refresco de soda y las palomitas, pero, sobre todo, tenía sabor a Syd.

Apasionada. Encendida.

Y sobre todo sabía a lujuria.

Syd colocó su mano en el cabello oscuro de Steele mientras olía su innato olor masculino. Quizás debería estar ofendida por la forma en que la había besado, pero no lo estaba. Una parte de ella llevaba demasiado tiempo preguntándose cuál sería su sabor. Ahora ya lo sabía.

Era completamente masculino y completamente hábil. Nadie la había besado nunca así. Y eso la llevaba a preguntarse en qué más sería bueno…

Él se echó hacia atrás con una sonrisa de lo más descarada.

—Lo siento. No pude contenerme.

—Creía que los francotiradores nunca actuaban de forma impulsiva.

—Eso es sólo cuando vamos detrás de algo que pretendemos matar. —Le apartó el pelo de la cara y luego le puso la palma en la mejilla. Trazó el contorno de su labio inferior con el pulgar.

—Creí que querías matarme.

—Tienes tus momentos… pero éste no era uno de ellos.

Syd quería derretirse ante la suavidad de sus caricias. Pero aunque se ablandó un recuerdo, hacía ya mucho tiempo enterrado, la asaltó, recordándole por qué no podía permitirse a sí misma relacionarse con sus colaboradores.

Se echó atrás inmediatamente.

—Necesitamos explicarte los detalles del caso.

Steele quería soltar una maldición mientras sentía el muro que se levantaba entre ellos. Era gélido e irritante.

Maldita sea.

«Simplemente encuentra otra mujer. Todo lo que necesitas es una noche de acción.»

A pesar de que ese pensamiento le pasara por la cabeza, sabía que no era así. El sexo tal vez podría quitarle la urgencia, pero no quería sexo con cualquiera. Su cuerpo ansiaba a la víbora de Syd. ¿Por qué era tan estúpido? Lo último que necesitaba era confiar en una mujer que ya había demostrado no ser digna de confianza.

¿Qué diablos le pasaba? ¿Había perdido la razón?

Suspiró con irritación mientras ella se acercaba al Honda Accord plateado. El coche era extremadamente formal y práctico, lo cual, dado lo que debían representar sus ingresos anuales, decía mucho de la mujer.

—¿No eres una adicta a la velocidad, verdad?

Ella se rio maliciosamente.

—Como dicen, las apariencias engañan.

Él abrió la puerta.

—¿En qué sentido?

Ella cerró la puerta de un golpe y se puso el cinturón.

—Este pequeño tiene la potencia de cuatrocientos cincuenta caballos bajo el capó y puede ponerse de cero a cien Km/h en 2,2 segundos. Ni siquiera es legal para ir por la calle.

Él quedó impresionado por eso.

—¿En serio?

—Oh, sí. Está trucado y preparado para cualquier cosa. Drecker y Norbert son nuestros mecánicos oficiales. Pueden conseguir que un coche haga cualquier cosa que puedas imaginar. Te aseguro que Joe hará que te preparen también a ti algo muy pronto.

Steele ni siquiera habló mientras se apresuraba a abrocharse el cinturón y Syd arrancaba el coche.

Él la examinó bajo la luz tenue. Ella era segura y rápida, pero aun así le parecía una extraña elección como agente secreto. No es que él fuera un experto en eso. Pero simplemente había algo en ella por lo que uno se la imaginaba más bien en casa haciendo otro tipo de trabajo.

—¿Qué te llevó a decidir convertirte en agente?

—El 23 de marzo de 1992 a las once del mediodía.

Steele frunció el ceño ante aquellas palabras cuando buscó en su cabeza y no pudo relacionar con nada aquella fecha.

—¿Debería saber de qué se trata?

—No —dijo ella calmadamente—, lo más probable es que no. No fue más que una noticia loca. —Suspiró como si aquel pensamiento la hubiera herido—. Mi madre siempre llama a esos sucesos «momentos darwinianos». ¿Sabes? Esos momentos cristalinos en tu vida que te cambian para siempre. Cuando yo era una niña pequeña, ella solía hablarme del día en que Kennedy fue asesinado y ella se encontraba en su clase. Recuerda cada detalle de aquel día. El 23 de marzo fue un algo así para mí. Lo recuerdo todo, cada detalle de esa mañana... —Se aferró con más fuerza al volante.

Ésa fue su única reacción.

—¿Qué ocurrió?

Respiró irregularmente mientras se detenía ante una señal de tráfico.

Yo estaba en mi clase de ciencias políticas, aburrida y con la mente perdida en mis cosas, contando los minutos para que se acabara la clase. Entonces una mujer de la administración entró en el aula para hablar con el profesor. Él me señaló y mi corazón dio un vuelco. Dos minutos más tarde yo estaba fuera en el pasillo mientras ella me explicaba que mi cuñado y mi sobrino habían muerto aquella mañana en un accidente de barca.

En su interior, él se encogió de horror ante aquello. Debía de haber sido terrible oír una cosa así a una edad tan temprana.

Ella apretó los dientes y soltó una maldición.

—Mi sobrino, Chad, tenía sólo cinco años. Mi hermana había llevado a mi sobrina al médico aquella mañana, y su marido, Bobby, se había ofrecido para cuidar de Chad mientras ella estaba fuera. Bobby era pescador de langostas en Maine y había llevado a Chad con él muchísimas veces. Su padre era el dueño de la barca, y era un negocio de familia.

Steele fruncía el ceño profundamente mientras ella hablaba. Sabía que tenía que haber sido algo más que un simple accidente. La rabia de ella era demasiado cruda, demasiado amarga habiendo pasado tantos años.

Ella torció por otra calle, dirigiéndose hacia la Torre Murciélago.

—Aquella misma mañana algún grupo ecologista había decidido manifestarse contra la pesca abusiva de langostas y habían escogido cuatro barcas como objetivo. La de Bobby era una de ellas. Esos bastardos habían colocado un pequeño explosivo para hundirla mientras ellos estuvieran en alta mar. Chad estaba situado sobre la cubierta, justo encima de la bomba. En un instante, destruyeron más que una estúpida barca.

Steele lo sentía por ella. Sabía de primera mano cuánto quemaba por dentro un dolor como aquél. Sin pensar, alcanzó su mano y la apretó entre las suyas.

Vio las lágrimas en sus ojos y se sintió conmovido por ellas. Era una mujer tan fuerte que el hecho de que esas lágrimas la traicionaran le indicaba hasta qué punto aquel día la había marcado.

Podía sentir su dolor mientras ella respondía al gesto. Rápidamente, se enjugó las lágrimas y se aclaró la garganta.

—Cuando las personas responsables averiguaron lo que les había ocurrido a Chad y a Bobby, se desentendieron diciendo que era lo que merecían por recoger langostas… Sí, un niño de cinco años realmente merece estallar en pedazos para salvar los mariscos.

Ella apartó la mano de él para secarse las lágrimas y volvió a aclararse la garganta.

—Odio intensamente a los extremistas. Están tan cegados por su causa que sólo piensan en matar a cualquiera que no esté de acuerdo con ellos. Están tan equivocados… tan equivocados.

Steele deseaba aliviar el dolor de su pérdida, pero sabía que no era posible. Algunas heridas no se curan nunca y aquellas del corazón eran especialmente graves.

—Entonces te metiste en esto para evitar que volviera a ocurrir una cosa así.

Ella asintió.

—Al menos ésa fue la idea. Lo que muy pronto descubrí es que hay tantos trámites de papeleo y burocracia por medio al tratar de hacer las cosas que estuve a punto de dejar el FBI y no mirar atrás. Igual que tú, me peleé con mis superiores tantas veces que estuvieron a punto de despedirme.

Aquello le demostraba cuánto sabían ella y Joe acerca de su pasado.

—Entonces, apareció Joe. El BAD tenía entonces tan sólo un año y él estaba buscando reclutas. Se habían hecho informes tantas veces acerca de mi insubordinación que me vio como una posibilidad. En cuanto me explicó que podría hacer mi trabajo sin tener que presentar informes y requisas, me lancé con él y no me he arrepentido desde entonces.

Steele arqueó una ceja al oír eso.

—¿Ni siquiera esta tarde, cuando cargó contra ti?

Ella lo miró de reojo con irritación.

—No me lo recuerdes. —Syd cambió de marcha y dobló una esquina tan rápido que probablemente habría hecho sentirse a Joe orgulloso.

Bueno, al menos ahora él entendía qué era lo que la había impulsado a actuar contra él. Ella era una de esos idealistas que en realidad no se diferencian tanto de aquellos extremistas contra los que luchan. Pero al menos había sido capaz de reconocerlo.

No es que él estuviera dispuesto a perdonarla completamente. Pero la comprensión era una buena forma de suavizar el enfado que sentía hacia ella.

—Entonces, ¿a cuánto asciende tu récord de insubordinaciones? —le preguntó él a ella.

—He perdido la cuenta.

—¿En serio?

—¿No me crees?

Él se encogió de hombros.

—Dado el trabajo que te diste para conseguirme, sería capaz de creerme casi cualquier cosa acerca de ti. Me recuerdas a uno de esos superdotados que probablemente nunca recibieron una nota mediocre en toda su vida.

—No es cierto. Suspendí el curso de astronomía en mi primer año como estudiante y aprobé la ética por los pelos.

Él no se lo tragaba.

—¿En serio?

Ella asintió.

—Ya ves, no tienes tanta intuición como creías.

Quizás, pero al menos eso le daba la esperanza de que ella no fuera para él tan transparente como había creído. Se preguntó en qué más la habría juzgado mal.

«Por favor, que se hubiese equivocado en lo que imaginaba respecto a su forma de ligar...»

—¿Has tenido alguna vez un encuentro de una sola noche?

Ella volvió la cabeza para mirarlo a pesar de que estaba conduciendo.

—¿Perdón?

Él le movió la cabeza hacia la carretera.

—Me has oído. Me estaba preguntando qué otras conclusiones erróneas había sacado acerca de ti.

Ella paró ante un semáforo en rojo y volvió a mirarlo.

—Eso es algo en lo que habías acertado. No me acuesto con los hombres en la primera cita.

—Maldita sea... —murmuró él—. ¿Supongo que no querrás cambiar tus costumbres esta noche?

Ella negó con la cabeza.

—Dormir con un tipo con quien trabajas sólo complica las cosas. No, gracias.

Él inclinó la cabeza hacia atrás. Maldición.

«Ella ni siquiera te gusta…»

Su cerebro tal vez dijera eso, pero su cuerpo contaba otra historia. La deseaba como a una venganza.

—Estoy segura de que está lleno de mujeres allí fuera que no trabajan contigo y que no comparten mis normas.

El problema era que él no parecía desear a ninguna de ellas, y ni siquiera sabía por qué.

—Sí.

Ella entró en el garaje que había bajo la Torre Murciélago. Él frunció el ceño al darse cuenta de que estaba ahí.

—¿Por qué hay gente que aparca al otro lado de la calle?

—Lo prefieren.

—¿Por qué?

—Llama a Dionne Warwick[21] o pregúntaselo a alguno de los que aparcan allí. Yo no tengo respuesta para eso, ya que aparco aquí.

Él sacudió la cabeza.

—Eres una descarada.

Ella bajó del coche con un andar descarado que no hizo más que aumentar la turbación de él. Gruñó por lo bajo mientras contemplaba esas caderas que le hubiera gustado sostener entre las manos. Estar cerca de ella comenzaba a perturbarlo seriamente.

Syd podía sentir los latidos de su propio corazón mientras se hallaba bajo el escrutinio de aquella mirada increíblemente masculina.

«No sigas por ahí.»

Pero era difícil no hacerlo. Tratando de reprimir sus hormonas, se encaminó hacia el ascensor que los conduciría a las plantas superiores.

Steele fue tras ella y se le puso tan cerca que ella podía notar el calor que emanaba de su cuerpo.

—Sabes… tengo que decir que éste ha sido un día de lo más extraño. Cuando me desperté esta mañana, lo último que esperaba era estar aquí en Nashville esta noche.

21. Cantante estadounidense de *soul* y *pop*. (*N. de la T.*)

Ella levantó la vista hacia las luces del ascensor para ver que todavía tardaría un poco en llegar.

—¿Te ha dicho alguien alguna vez lo bien que besas?

Ella lo miró por encima del hombro para comprobar que la contemplaba como un depredador.

—Steele...

Él le puso un dedo sobre los labios para hacerla callar.

—Está bien, Sydney. Sé aceptar un no por respuesta. Olvidemos lo del beso. —Apartó la mano de su rostro y ella sintió la ausencia de ésta inmediatamente.

«Es mejor así.»

Entonces, ¿por qué se sentía tan vacía? ¿Por qué lo cierto era que deseaba otro beso de él, a pesar de que sabía que no era lo mejor? Los besos sólo llevan a las relaciones y éstas finalmente te rompen el corazón, y ella ya había tenido bastante de eso. Sus días de estar enferma de amor se habían acabado.

No quería que volvieran a herirla. Tenía su profesión y sus causas. Y eso le bastaba para ser feliz.

Al menos la mayor parte del tiempo... y para las noches en que no lo era el buen Dios había creado el chocolate y las galletitas Ben y Jerry.

En cuanto llegó el ascensor se dirigieron a las oficinas, permaneciendo en completo silencio. El área del vestíbulo estaba a oscuras, pero cuando ella entró a la zona del cubo, advirtió que varios agentes estaban todavía trabajando.

—¿Qué tal, Mark? —dijo ella mientras se detenía en la entrada—. Éste es nuestro miembro más reciente, Steele. Steele, te presento a Mark *Corazón de trueno*.

Steel le dio la mano al hombre, que obviamente era un indígena americano. Alto y delgado, tenía el pelo largo y negro y rostro angular. Sus ojos color negro azabache parecían extraordinariamente inteligentes.

—¿Qué hay?

Mark le dio un apretón de manos e inclinó la cabeza.

—Encantado de conocerte.

—Lo mismo digo.

Luego Mark pasó por delante de Steele y sacó de su escritorio un conjunto de papeles que le entregó a Syd.

—Obtuve esta información para ti. Parece que tus kabukis han hecho su acuerdo financiero con nuestros amigos de APS. Había un enorme traspaso a su cuenta bancaria de las Caimán esta tarde.

Syd hizo un sonido de disgusto con la garganta al ver que Mark usaba el mismo término que Steele para referirse a los uhbukistanis.

—No me digas que estuviste escuchándonos esta tarde.

Mark se rio.

—No pude contenerme. —Sonrió abiertamente a Steele—. Tengo que decírtelo, realmente me alegra que participes en esto.

—Sí, bien, si el rey de los *Oompa-Loompa* se ve amenazado todos tenemos que involucrarnos.

Syd soltó un gruñido.

—Oh, por favor, evítame esto antes de que me dé una úlcera.

Mark le dedicó una sonrisa impenitente.

—Solicitaron confirmación de su contacto. Así que me imagino que si APS no ha asignado todavía al hombre que atentará contra el presidente lo hará dentro de un día o dos.

—¿APS? —preguntó Steele.

—Sistema de Protección Activo. Ésa es la fachada de un grupo de asesinos mercenarios del distrito de Columbia que hemos estado rastreando desde hace algún tiempo.

Steele los miró seria y fijamente hasta que finalmente comprendió la verdadera razón por la que habían contactado con él.

—Queréis que trabaje para ellos.

Ambos asintieron.

Maldita sea. Lo último que quería era verse involucrado… oh, un momento, él ya se había estado involucrando con gente como ésa durante los últimos dos años.

—En fin, ¿quién es esa gente?

Fue Mark quien respondió.

—Es una empresa independiente que usa reclutas para encontrar un nuevo talento. Uno de sus reclutas se llama Dillon Williamon.

De pronto en su mente todo se volvió claro como el cristal.

—Vosotros sabéis que él contactó conmigo.

Syd y Mark asintieron.

Aquello tenía sentido. Dillon le había ofrecido trabajo unos nueve meses antes, después de que Steele evitara que su hermano más joven se convirtiera en la perra de otro presidiario. Por supuesto, él y Williamon habían asumido que pasarían veinte años o más antes de que Steele volviera a necesitar un empleo…

Pero ahora ellos querían que él aceptara la oferta de ese mafioso. Estupendo. Simplemente estupendo.

—¿Cómo los descubristeis?

Mark sacó una lista de una carpeta y se la entregó a Steele.

—Hay muchos ex militares trabajando para APS, algunos de los cuales fueron recomendados por Williamon.

Steele revisó los nombres.

—Esto es algo normal. Muchos militares se dedican a la seguridad y la ley después de dejar el Ejército.

Syd se metió las manos en los bolsillos mientras lo observaba.

—Sí, pero si estudias sus antecedentes, hallarás una interesante colección de talentos que no son realmente adecuados para una agencia de seguridad.

—¿Cómo qué?

—Expertos en demoliciones —dijo Mark—. Francotiradores dados de baja por conducta deshonrosa y mis favoritos, expertos en armas biológicas.

Steele le dirigió una mirada malintencionada.

—Tendrían que gustarte las agencias a la sombra que fingen ser legales. —Desvió la mirada significativamente hacia el logo de la empresa americana de seguros de vida pintado en la pared que había detrás de Mark.

—Ja, ja —dijo Syd con sarcasmo—. Pero ahora ya sabes por qué tuve que dar a conocer tu supuesta fuga. De esta forma, cuando aparezcas ante la puerta de APS, les parecerás fiable.

—Sería capaz de apreciarlo si alertaras a las autoridades para sacármelas de encima.

El rostro de ella tenía un aspecto maravillosamente malvado.

—Completa esta misión y lo haré.

Él le gruñó mientras ella cogía un teléfono y se lo entregaba.

Steele lo cogió frunciendo el ceño.

—¿Qué es esto?

—Necesitamos que contactes con APS.

Él le dirigió una mirada divertida.

—Uno no puede llamar de repente a esa gente para pedirle trabajo, Syd.

Mark asintió.

—Tiene razón.

—Entonces, ¿cómo lo haremos?

Steele le guió el ojo.

—Lo haremos a mi manera, ¿recuerdas? —Esperaba que Syd le discutiera, pero por una vez guardó silencio.

Sorprendido por eso, Steele llamó para pedir el teléfono de información de Metuchen, New Jersey. En cuanto tuvo el número correcto de Williamon lo marcó mientras Mark y Syd lo observaban de cerca.

—Hola —dijo él, al tiempo que se alejaba unos pasos de ellos—. ¿Está ahí Dillon Williamon?

—Yo soy Dillon, ¿quién eres tú?

Le dio rabia oír el tono autoritario, pero se contuvo para no demostrar enfado.

—Soy Steele, de Kansas. Me dijiste que te llamara si alguna vez necesitaba encontrar trabajo.

Hubo varios segundos de silencio.

—¿Me estás jodiendo?

—No. De verdad podría trabajar ahora.

—Creí que no te interesaba.

—Sí, bueno, vi la luz y fui liberado.

Una risa malvada sonó al otro lado del teléfono.

—¿Tu tío te anda buscando?

—Digamos, simplemente, que me gustaría estar alejado del viejo durante una temporada. ¿Puedes ayudarme?

—No lo sé. ¿De verdad estás preparado para esto?

Steele echó un vistazo a Syd y vio la expectación reflejada en su rostro. Todavía no podía creer que estuviera haciendo eso. Debía de haber perdido algunas neuronas durante los últimos dos años.

—No te preocupes. Sé manejarme solo.

—Sí, lo sé. ¿Dónde piensas moverte?

—Ya me conoces, no me llevo demasiado bien con vosotros los yankis. Estoy pensando en algún lugar donde me sienta cómodo. ¿Tienes algo por Dallas o el distrito de Columbia?

Dillon silbó.

—Dallas está muerta últimamente. ¿Seguro que no quieres venir aquí? Tengo bastante gente que podría usar tus talentos y habilidades.

—No, tío. No me gustan las ciudades tan grandes. Además, me llevaría mucho tiempo aprender a moverme por allí. Preferiría estar en un territorio familiar.

—En eso tienes razón. Déjame hacer algunas averiguaciones y te vuelvo a llamar.

—Eso es más fácil de decir que de hacer. No estoy precisamente seguro en este momento. ¿Qué tal si te vuelvo a llamar yo?

—De acuerdo. Llámame por la mañana.

—Lo haré. Gracias. —Steele colgó el teléfono.

—¿De dónde has sacado todo ese código de conversación? —preguntó Syd.

—Simplemente era yo entrevistándome para convertirme en un asesino a sueldo.

Syd cruzó las manos sobre el pecho.

—¿Me estás diciendo que es así de fácil convertirse en un mercenario?

—No, estoy seguro de que hay más que eso. Pero si él me pone en contacto con quien sea que dirija el APS en el distrito de Columbia, seremos capaces de encontrar a tu asesino antes de que atente contra el rey *Oompa-Loompa*.

—Es el presidente *Oompa-Lompa* —le corrigió Syd.

Steele le sonrió al ver que finalmente había aceptado su apodo para los uhbukistanis.

—Perdón.

—Bueno, está más cerca de ellos de lo que nosotros lo hemos estado nunca —dijo Mark—. Estoy impresionado. Con un poco de suerte nos dejará entrar por la puerta de atrás.

—Sí, pero él no sabe nada sobre el trabajo clandestino, y no tenemos mucho tiempo para enseñarle.

—Estupideces —dijo Steele—. Soy un francotirador. Sé más sobre trabajo clandestino que todos vosotros juntos. Lo primero que aprendí es cómo hacerme invisible para mis enemigos. Creedme, a enfrentarme con lo que me echen.

Syd seguía pareciendo escéptica.

—Espero que tengas razón, porque cuando todo esté dicho y hecho, ellos podrían arrojar mucha artillería viva en tu camino.

Eso no lo asustaba ni lo más mínimo.

—Que lo hagan, y maldito sea el primero en gritar «Basta». Y puedo garantizaros una cosa. No seré yo.

Capítulo siete

Syd pasó las cuatro horas siguientes informando a Steele de todo lo que sabía acerca de Uhbukistan y de los Kaskamanov. Cómo el país se había venido abajo después de que los soviéticos se retiraran hasta el golpe de Estado que había permitido al presidente hacerse con el poder. Era aquélla una posición que el hombre sostenía con fragilidad. Las facciones discordantes que querían destituirlo y su hijo descarrilado que no hacía más que codiciar el poder de su padre lo mantenían muy ocupado.

Pero Viktor Kaskamanov era un hombre decidido. En vez de querer huir hacia los países del Oriente Medio fronterizos del suyo, deseaba que su país continuara siendo un aliado de Occidente. Discípulo de Marx y de Stalin, Viktor creía que su país debía adherirse a la herencia soviética y no ser absorbido por los países vecinos, que querían su petróleo y las ventajas políticas que había en ese territorio.

Si ellos fallaban, a ese hombre le costaría su vida.

En general, Syd estaba sorprendida de lo rápido que Steele absorbía la historia y los acontecimientos actuales de Uhbukistan, aunque insistía en llamarlos de cualquier modo menos uhbukistanis.

Era poco más de medianoche, y todo el mundo excepto Mark y Andre se habían marchado a casa.

—Pareces agotada —dijo Steele suavemente mientras ella cerraba la carpeta que tenía delante.

Syd se tapó la boca mientras bostezaba.

—Probablemente debería irme a casa. Tú también debes de estar agotado.

Él inclinó la cabeza hacia la izquierda para estirar los músculos del cuello… un gesto que resultaba notablemente seductor y atractivo. Ningún hombre debería exponer una parte del cuerpo tan tentadora a menos que desee que una mujer clave los dientes en ella.

—Sí, llevo levantado desde las cuatro de la mañana.

Ella se quedó boquiabierta ante su confesión.

—¿Por qué?

—Estaba en cocina. Nos hacen levantar temprano para tener el desayuno preparado para el resto.

Ella estaba pasmada al ver que todavía se mantenía firme, considerando que llevaba al menos veinticuatro horas levantado y sólo había hecho una pequeña siesta en el helicóptero.

—¿Por qué no me dijiste nada?

Él se encogió de hombros.

—No es habitual dormir bien en prisión. Después de un tiempo te acabas acostumbrando.

Incluso así, ella estaba sorprendida de que él se hubiera mostrado agudo y perspicaz durante tanto tiempo. Antes de que lo mencionara no tenía ni idea de que estaba cansado en absoluto.

—Vamos, déjame llevarte a casa conmigo.

Él le dedicó una expresión dolorosa.

—No te burles de mí, Sydney, cuando sabes que me muero por un polvo.

Demasiado para los tiernos sentimientos que albergaba hacia él… lo cual probablemente era bueno. Cada vez que ella comenzaba a ablandarse respecto a él, él invariablemente decía o hacía algo que le repugnaba.

—¿Sólo puedes pensar en eso?

—Verás, entré en prisión después de una larga temporada seca. Créeme, si hubiera tenido idea de que iba a estar dos años y medio sin tocar a una mujer, me habría convertido en un buen rival para Wilt Chamberlain.[22]

Ella resopló mientras reunía sus carpetas y las guardaba bajo llave en un cajón del escritorio.

---

22. Famoso jugador de baloncesto americano que decía haber practicado el sexo con casi veinte mil mujeres. *(N. de la T.)*

—Ésa es la peor insinuación que he oído en mi vida. Acuéstate conmigo, cariño, porque acabo de salir de la cárcel y estoy desesperado por un polvo rápido y lo que necesito es un cuerpo caliente. Oh, cariño, dime más cosas como ésa…

Él sacudió la cabeza.

—¿De verdad piensas eso? Si todo lo que quisiera fuera un revolcón rápido con un cuerpo caliente, estoy relativamente seguro de que podría encontrarlo.

Ella puso los ojos en blanco.

—Supongo que te sientes increíblemente atraído por mi perspicaz inteligencia.

—No —dijo él en un tono profundo y provocativo—, me siento increíblemente atraído por tus labios sexys. Maldita sea, mujer, realmente deberías cubrírtelos. Angelina Jolie no tiene nada que hacer contigo.

Aun a su pesar, ella estaba sucumbiendo ante sus menos que encantadoras palabras. Le sería tan fácil darle lo que quería, pero sabía que era mejor no hacerlo. Los hombres y sus hormonas eran una combinación letal para su corazón, y lo último que quería era ser objeto de mofa para otros agentes.

Había aprendido hacía mucho tiempo que era el tipo de mujer incapaz de ocultar sus emociones. Y eso era lo que más odiaba de sí misma.

Siempre que se enamoraba… se enamoraba. En lugar de ser la agente dura que se enorgullecía de ser, se convertía en un auténtico felpudo para cualquier tipo que tuviera su corazón en sus descuidadas manos.

Su última relación le había enseñado muy bien lo estúpida que podía llegar a ser sólo porque la idea de vivir sin un hombre al que amaba le resultaba demasiado difícil de soportar. Todo lo que había hecho era llorar y aferrarse a una relación que había sido de lo más cruel con ella. David la había usado como novia suplente mientras mantenía una relación de compromiso con su novia oficial, que vivía al otro lado del país.

Ella había quedado destrozada cuando él le había dicho que en lugar de ir a Cancún durante las vacaciones de junio, tal como habían planeado, él iba a casarse ese mismo fin de semana.

Por Dios, ella había llegado a presentarse ante la casa de David para implorarle que volviera con ella. Había permanecido de pie ante su puerta llorando como una adolescente con el corazón roto. Al día siguiente ella lo había oído reírse en la oficina con otro compañero de trabajo, que rápidamente había hecho correr la historia. Ésa era otra de las razones por las que se sentía más que feliz de estar lejos del FBI. Al menos mientras estuviera trabajando para el BAD no tendría que preocuparse de tropezarse con David y esa pretenciosa sonrisa de satisfacción tan suya.

Nunca volvería a confiarse a las manos de un hombre descuidado que pudiese jugar con ella. Pretendía pertenecerse a sí misma a partir de ahora, y no ser la novia suplente de ningún hombre.

—No juegues conmigo, Steele. La última vez que me acosté con un tipo con quien trabajaba él no se lo tomó en serio. Descubrí de una forma muy dura que tenía una novia que había olvidado mencionar.

—Sabes que en mi caso eso no es así. Te aseguro que no he dejado una novia en la prisión. Y no tengo a nadie más en el mundo.

—Sí, pero yo no soy lo bastante ingenua como para pensar ni por un minuto que en menos de veinticuatro horas habrás desarrollado conmigo lazos perdurables.

Sin embargo, esos ojos marrón oscuro la tentaban.

—Mi abuelo le propuso matrimonio a mi abuela dos horas después de conocerla en un autocar. Se casaron tres semanas más tarde y estuvieron enamorados hasta que murieron, cincuenta y tres años después.

Ella arqueó una ceja.

—¿Me estás proponiendo matrimonio?

Él le dirigió una mirada esperanzada.

—¿Eso me llevaría a tu cama?

Ella arrugó el entrecejo.

—Casi consigues que me lo crea… casi.

Comenzó a pasar delante de él. Steele la agarró del brazo con suavidad y la hizo detenerse.

—Sólo estoy bromeando, Syd.

—¿Sobre qué parte? —Ella bajó la mirada para poder ver si estaba empalmado.

—Obviamente no sobre eso. Pero tú eres la única mujer que me muero por probar.

Tampoco iba a dejar que la convenciese con eso…

—A excepción de Tee, que te dispararía si te le insinuaras, yo soy la única mujer que has visto en los últimos dos años.

—No es cierto. He estado hoy por ahí fuera y sólo podía pensar en ti… en ti y no en Tee, ni en esa bomba que entró en el ascensor cuando Carlos y yo salíamos ni en esa preciosa morena que me dio su número de teléfono cuando me detuve en su tienda para preguntar la hora.

¿Acaso creía que hablarle de otras mujeres era la manera de llevársela a la cama?

Ese hombre realmente no era astuto.

—No estás abogando en favor de tu causa.

Él inclinó la cabeza hacia atrás como si estuviera completamente frustrado.

—Bien. Llévame de vuelta a casa de Carlos para que pueda darme una buena ducha de agua fría.

Syd agarró su bolso y sus llaves, pero mientras salía de su cubo se dio cuenta de que Mark y Andre habían oído cada palabra de su intercambio. Su rostro se incendió al verlos.

Mark se adelantó unos pasos y le entregó a Steele su tarjeta.

—Hazme una llamada mañana y podré conseguirte unas mujeres con mucho talento.

Syd le lanzó una mirada de odio.

—¿Qué eres? ¿Un proxeneta?

—No. Sólo intento ayudarlo.

Andre se echó a reír.

—Yo no sé, hermano, pero si sigues con eso, puede que Syd haga contigo lo mismo que le hizo a Hunter la última vez que estuvo en la ciudad.

Mark hizo una mueca de extremo dolor ante el recuerdo.

—¿Qué le hizo? —preguntó Steele.

—Le dio una patada tan dura que le hizo asomar las pelotas por los agujeros de la nariz —dijo Mark—. Hunter todavía se estremece y se protege con las manos cada vez que la tiene cerca.

Steele frunció el ceño.

—¿Por qué lo hiciste?

—Me hizo cabrear, y si no cambiamos de tema, sé de otro par de hombres que aprenderán a temerme a mí y a mi rodilla asesina. —Dirigió una mirada significativa a Mark y a Andre.

Steele le dedicó a ella una sonrisa diabólica.

—Aguantaré el dolor si me prometes besar la zona afectada después.

Ella le hizo una mueca.

—¡Eres asqueroso!

—No, lo que le pasa es que está desesperado —dijo Andre con simpatía—. Las mujeres no lo entendéis. Dios mío. Hasta yo siento lástima por él y, en general, no me compadezco de ningún hombre.

—Me voy de aquí. —Syd se dirigió hacia la puerta.

Andre se rio mientras Steele la seguía.

—Todavía no te ha golpeado —gritó—. Yo me lo tomaría como una señal alentadora viniendo de Syd *la Despiadada*.

—Gracias.

Ignorándolos, Syd salió de la oficina, fue hasta el ascensor y apretó el botón.

Steele fue detrás de ella.

Ella se volvió para dirigirle una mirada de odio.

—Podías haberme ahorrado tanta vergüenza. Sabes que no me gusta ser el hazmerreír de la oficina.

—Nadie se estaba riendo de ti, Syd.

—Sí, lo hacían. —Y ella odiaba eso. ¡Lo odiaba a él! Entró al ascensor, luego se volvió para mirarlo con odio.

—¿Por qué le pegaste a ese tipo? De verdad…

—Me ofendió.

—¿Cómo?

Antes de que ella pudiera evitarlo, la verdad emergió. Dios, realmente estaba cansada y había trabajado demasiado.

—Me llamó frígida y tensa, ¿de acuerdo? ¿Ya estás contento? Era amigo del chico con el que solía salir. Ese que pasó dos años engañándome. Así que la última cosa que quería oír después de aquello era que la que tenía un problema era yo.

—Qué tipo más imbécil.

La indignación de él la sorprendió.

—Disculpa…

—Espero que lo hayas hecho entrar en razón. Cualquier hombre que crea que tú eres frígida es un idiota.

Ella se sintió un poco mejor ante sus palabras, aunque si había alguien que debería pensar que ella era frígida, probablemente era él.

—Gracias.

—De nada.

Volvía a sentirse incómoda —lo cual parecía ser su estado natural cuando se hallaba cerca de Steele— y no habló hasta que llegaron al área de estacionamiento.

Ella se dirigió hacia el coche.

Pero mientras abría la puerta, continuaba evocando sus palabras. Y como un pequeño cachorro necesitado, no pudo dejar de preguntarle.

—¿De verdad crees que no soy frígida?

Él se detuvo para mirarla con sinceridad.

—Ninguna mujer frígida besa como tú. Créeme.

A pesar de su sentido común, ella estaba emocionada por la respuesta. No estaba segura de por qué, pero necesitaba esa confianza.

—¿En serio?

—En serio.

Ella sonrió.

—Gracias, Steele.

Él le hizo una inclinación de cabeza antes de entrar en el coche. Syd se unió a él y al instante sintió una oleada de deseo que la atravesaba. Ningún hombre la había respaldado nunca de ese modo. Y eso sentaba bien. Realmente bien.

«No, Syd.»

No podía ponerse tonta y aduladora con ese hombre. Aquello era una relación profesional. Y nunca llegaría a ser otra cosa.

Mientras conducía fuera de allí, no pudo evitar echarle una mirada. Las luces de las farolas resaltaban los ángulos de su atractivo rostro. Incluso así, podía notar lo cansado que estaba.

Pero eso no empañaba su perfecta imagen masculina. Si de alguien podía decirse que era «besable», ése era Steele. En su interior se sentía más atraída por él de lo que quería reconocer ante nadie, ni siquiera ante sí misma.

Igual que él, había pasado demasiado tiempo sin practicar el sexo. Además, nunca había tenido demasiada suerte en ese aspecto. No sabía por qué. Tal vez era demasiado intensa para la mayoría de los hombres.

O tal vez Hunter tenía razón, y ella era frígida. El miedo a que eso fuese cierto era lo que la había llevado a atacarlo con tanta ferocidad.

Aun siendo una mujer frígida, se descubrió a sí misma anhelando tocar esa parte de Steele que todavía seguía hinchada. Estaba realmente sorprendida del tiempo que llevaba así y atónita ante el hecho de que fuera capaz de controlarse tan completamente. Tenía que ser insoportable para él y, sin embargo, no dijo nada durante los pocos minutos que ella condujo hacia Church Street. Se detuvo ante el edificio de Carlos. Volvió a dirigir la vista hacia la protuberancia que parecía atraer su mirada como un imán.

«Quizás no estaría tan mal tener una noche de acción… quizás eso acabaría con todas sus dudas sobre la frigidez.»

—Verás, Steele, yo… eh… yo

—Está bien, Syd —dijo él tranquilamente, como si entendiera lo que ella estaba intentando soltar—. De verdad no quiero un polvo por compasión. Estoy dispuesto a esperar.

Antes de que ella pudiera responder, se inclinó hacia delante, la besó en la mejilla y se bajó del coche tan rápido que ella apenas tuvo tiempo de dar una inspiración.

Sorprendida ante sus acciones, lo observó mientras hacía su recorrido hacia el oscuro edificio.

El corazón le latía apresuradamente y se enderezó para vislumbrarlo una vez más, pero él se desvaneció completamente en la oscuridad.

Todavía no podía creer que él la hubiera dejado justo cuando ella estaba a punto de ofrecerle llevarle a su casa.

—Eres un ave extraña, Steele —susurró antes de cerrar la puerta y poner el coche en marcha.

Υ

Steele se detuvo entre las sombras donde se sabía oculto y observó partir el coche de Syd. «Eres tan idiota. Ella estaba ahí, y tú la dejaste marchar. ¿Has perdido tu estúpida cabeza?»

No, era cierto lo que le había dicho. No quería que ella se acostara con él por lástima.

No había nada peor que el sexo sin pasión.

Bueno, de acuerdo, eso es mentira. Hay muchas cosas peores. Pero después de tanto tiempo de abstinencia, ¿qué importaban unos cuántos días más?

Semanas…

Meses…

Maldita sea, era un idiota de primera categoría. Debería haber aceptado su invitación. Pero en ese caso probablemente ella lo odiaría por la mañana. Las mujeres pueden ser así de impredecibles. Ella ya lo odiaba bastante. Lo último que necesitaba era darle todavía más razones.

Pero incluso antes de que ese pensamiento terminara se estaba imaginando qué aspecto tendría Syd sin esas gafas. Qué aspecto tendría sin esa trenza y con su pelo suelto, cayendo sobre sus hombros mientras se ponía a horcajadas sobre él…

Gimoteando, se dirigió hacia el ascensor. Se quedó helado cuando se dispuso a apretar el botón y captó el persistente aroma de Sydney en sus ropas. Cerró los ojos y saboreó la dulce y femenina fragancia.

Lo que realmente deseaba era que ese aroma quedara impregnado en su piel desnuda.

Apretando los dientes ante la imagen de ella desnuda y debajo de él, apretó el botón y esperó. Había estado sobrellevando aquello dentro de la prisión. Podría, sin duda, sobrellevarlo también fuera.

Pero mientras subía en el ascensor se sentía atormentado con imágenes de Sydney. Imágenes de los pechos de ella entre sus manos… de sus piernas envolviendo su cintura.

O mejor todavía, envolviendo su cuello.

Soltó un silbido al notar una sacudida en su sexo. Sí, eso era justo lo que necesitaba… entrar en el apartamento de otro hombre con una erección del demonio.

Apenas había abierto la puerta cuando fue agarrado y lanzado contra la pared. Actuando por impulso, se volvió y atacó. Incapaz de ver a su oponente, agarró el revólver que lo estaba apuntando, lo hizo girar y se lo arrebató de la mano.

El hombre le soltó un revés y dijo algo en español. Notó en la boca el sabor metálico de la sangre mientras registraba la voz.

—¿Carlos?

El hombre se quedó quieto.

—¿Steele?

—Sí —dijo él con sarcasmo—. ¿Quién más podría ser?

Carlos encendió las luces.

Steele lo miró con odio mientras se secaba la sangre de los labios con el reverso de la mano. El cabello de Carlos estaba despeinado por el sueño. Llevaba un pantalón de pijama de franela y una camiseta negra.

—¿Te has vuelto loco? —gruñó Steele.

—No, amigo, lo siento. Estaba profundamente dormido y oí que alguien entraba.

—¿Con una llave?

—Lo sé. Era como un autómata dormido. De verdad, lo siento. —Señaló el revólver que Steele tenía en la mano. ¿Puedes devolverme mi arma?

—Claro que no. Podrías dispararme.

Carlos soltó una risa malvada.

—Eso pretendía, pero fuiste rápido como una culebra. Estoy impresionado. Ningún hombre me había desarmado nunca antes.

—Siempre hay una primera vez, y tienes suerte de que no te haya dado un golpe con la pistola —dijo Steele mientras Carlos le limpiaba la sangre de la frente, donde lo había golpeado durante la lucha.

—Muy cierto. —Extendió la mano pidiendo el revólver.

Steele vaciló. Lo descargó antes de devolvérselo a Carlos.

Carlos hizo una mueca.

—¿Para qué me sirve esto? Es lo máximo que vas a tener por ahora. ¿Qué pasa si me levanto en mitad de la noche para ir a mear? No quiero que me dispares mientras hago mis necesidades, comprendes?

Carlos levantó las manos en señal de rendición antes de devolverle el revólver a Steele.

—En caso de que entre aquí alguien que no sea ni yo ni tú, prefiero que al menos uno de los dos vaya armado.

—Eso no es muy reconfortante.

—Lo sé. Pero como te dije, hay gente a la que le encantaría encontrarme dormido.

—De acuerdo… es agradable saber que alguien que quiere ver muerto a Carlos puede entrar aquí mientras estás durmiendo. ¿En qué estaría pensando Joe cuando me ofreció este sitio para descansar?

Sin decir ni una palabra más, Carlos se dirigió de vuelta a su habitación.

Suspirando, Steele volvió a cargar el revólver y lo colocó en la mesilla de café. Bueno, algo positivo había sacado de aquello. Ya no estaba duro. El ataque, efectivamente, había refrenado su deseo.

Agradecido por aquel pequeño consuelo, fue hasta el sofá, donde Carlos había dejado una manta y una almohada. Apartó a un lado la mesilla del café, preparó su cama, apagó las luces y se desvistió. Una vez acostado y cubierto con la manta, alcanzó el arma.

Era una Glock 18, una pistola completamente automática. Carlos no manejaba un juguete. Agradecido de que su capacidad de reacción no se hubiese hecho más lenta durante su periodo en prisión, deslizó el arma debajo de la almohada y se dispuso a dormir. Pero tan pronto como cerró los ojos las imágenes de Sydney lo atormentaron otra vez.

Y mientras se quedaba dormido se preguntaba qué aspecto tendría con encaje negro…

—Te oigo, Andre —dijo Syd al micrófono del móvil mientras conducía entre el tráfico de la mañana desde la Torre Murciélago hasta Church Street. Carlos se había presentado una hora antes en la oficina sin traer consigo a Steele.

—Yo no sabía que querías que lo trajese. Nadie me lo dijo.

Ella adoraba a Carlos, pero había veces en que aquel hombre

no usaba la cabeza. Le había dicho que había dejado a Steele durmiendo en el sofá-cama. Dado que Carlos no tenía línea de teléfono fijo, ella no tenía ningún modo de llamar a Steele para saber si estaba preparado para empezar.

Andre estaba al otro lado del teléfono, dirigiéndose hacia el estadio donde aterrizaría el helicóptero que los llevaría a todos hacia el distrito de Columbia.

—Supongo que debería estar levantado cuando yo llegue. —Al menos eso era lo que esperaba.

—No lo sé, Syd. Creo que a ese hombre le gusta acosarte. Tal vez todavía esté durmiendo sólo por fastidiarte. O quizás esté levantado y listo, y se aventure a salir para aliviar su dolor. Por lo que sabes, podría estar fuera en flagrante delito con alguna chica caliente que encontró en la calle al ir por un café.

Por alguna razón desconocida, aquella idea realmente la hizo cabrearse.

—No eres gracioso, Andre.

—Ooooh, alguien está de malhumor esta mañana.

—Limítate a tener ese helicóptero preparado para irnos cuando lleguemos allí.

—Sí, señorita Scarlett. ¿Tiene usted más órdenes para mí? Ella soltó un suspiro de exasperación ante sus palabras.

—No lo he dicho de esa manera y lo sabes.

—Lo sé. Recoge a nuestro chico y te veré dentro de poco.

—Bien. Nos vemos enseguida. —Syd colgó el teléfono mientras se detenía frente al edificio y aparcaba. Se sacó los auriculares y los dejó en el asiento de pasajeros antes de salir y dirigirse hacia la entrada. Guardó el móvil en el bolso mientras subía a la acera.

El edificio estaba completamente silencioso mientras se dirigía hacia el apartamento de Carlos. En cuanto llegó, llamó a la puerta.

Nadie respondió.

Las palabras de Andre acerca de la posibilidad de que Steele hubiera encontrado una mujer bien dispuesta la angustiaban. Furiosa ante la idea de que pudiera estar en lo cierto, se apoyó contra la puerta y escuchó con atención. Contuvo la respiración mientras esperaba oír señales de que allí se estaba practicando el sexo. Pero no oyó nada. Todo permanecía en silencio. Más aliviada de lo que quería admitir llamó a la puerta otra vez.

Siguió sin obtener respuesta.

Ahora su ira dejó paso al miedo de que algo malo hubiera ocurrido. Sacó su arma y la llave de reserva que Carlos le había dado. Abrió la puerta lentamente y dio una rápida barrida al perímetro, sólo para descubrir a Steele durmiendo en el sofá.

Estaba hecho un ovillo contra la pared. La manta estaba retorcida sobre sus largas y bronceadas piernas, ligeramente cubiertas de un vello negro. Pero lo que más captó su atención fue la visión de su espalda y su pecho desnudos.

Santo cielo, ese hombre tenía un cuerpo que estaba hecho para el pecado. La boca literalmente se le llenó de saliva por las ganas que sentía de probarlo.

«Contrólate.»

El problema era que no podía controlar las ganas de tocar esa deliciosa piel desnuda.

El corazón le latía a toda velocidad y sacudió la cabeza disgustada ante esos pensamientos rebeldes. Se suponía que ya tenía que estar despierto. Irritada con él por no estarlo, guardó su arma en la funda y cerró la puerta.

Cruzó la habitación.

—¿Steele? —dijo, acercándose para sacudirlo.

En el instante en que tocó su piel, él abrió los ojos y la agarró, haciéndola caer encima de él.

—¡Steele! —gritó ella.

—Relájate, Sydney —le susurró al oído—. Supe que eras tú en cuanto abriste la puerta y olí tu perfume de Ralph Lauren. Sólo quería tenerte cerca de mí.

Steele inclinó la cabeza hacia atrás. Ella lo sintió relajarse y empezó a apartarse. Entonces sus brazos se tensaron en torno a ella y enterró la cabeza en su cabello para olerlo.

—Hueles divinamente —le dijo bruscamente al oído.

Syd tragó saliva mientras notaba la dureza de su cuerpo por debajo de la cadera. Había algo extrañamente erótico en aquel abrazo. Ella estaba echada de espaldas encima de él, apoyada contra su pecho.

Él levantó una mano para apartarle el pelo de la mejilla. Ella sabía que debía levantarse, pero una parte de ella estaba disfrutando muchísimo de aquello.

Hacía mucho tiempo que un hombre no la abrazaba. Él le acarició la mejilla mientras le rozaba el oído con los labios. Syd se retorció cuando un inesperado placer la recorrió. Nunca se había podido resistir cuando alguien jugaba con sus orejas. No sabía por qué, pero era algo que la hacía sentirse inmediatamente caliente y necesitada.

Steele se rio, juguetón.

—¿Eso te gusta, verdad?

Ella no pudo responder mientras su cuerpo se derretía.

Él deslizó los brazos en torno a ella para abrazarla suavemente mientras su lengua comenzaba a jugar con su oído. Syd arqueó la espalda mientras los escalofríos la recorrían. Podía sentir su erección palpitando contra ella mientras él la apretaba suavemente para tenerla aún más cerca.

La barba de él le raspaba ligeramente la nuca y sintió que sus manos frotaban suavemente sus muslos mientras le levantaba el dobladillo de la falda. Ella se relamió los labios mientras el deseo la golpeaba dolorosamente en el centro de su cuerpo, implorando una caricia mucho más íntima.

El cuerpo de él estaba completamente encendido mientras se movía con una lentitud concienzuda y placentera. Comenzó a frotarse suavemente contra ella mientras con la mano acariciaba la parte interior de sus muslos. Syd contuvo la respiración cuando sus manos se alzaron hasta agarrarle los pechos mientras sumergía la lengua en su oído.

Gimió de placer mientras sus manos hacían auténtica magia con su cuerpo. Dejó una mano jugando con su seno izquierdo mientras la otra se deslizó lentamente más abajo.

Steele no podía pensar mientras tocaba el sedoso interior de su muslo. Agradecía que no llevara medias bajo su falda corta. Su piel estaba completamente desnuda para él, y todo lo que él quería era sentirse aún más cerca de ella. Deslizó su mano hacia arriba acercándola todavía más a lo que realmente quería.

Se detuvo al borde de sus bragas, esperando que ella le dijera que no.

No lo hizo.

Sonriendo satisfecho, lentamente deslizó dos dedos bajo la tela de raso para poder notar su vello rizado enredándose con sus dedos hambrientos.

Pero no era exactamente eso lo que él quería.

Mientras movió su mano encima de ella, ella separó sus muslos para que él pudiera acceder a ese lugar que tanto anhelaba. Ella volvió la cabeza y capturó sus labios mientras él hundía los dedos en su suave y húmeda grieta.

Gruñó al sentirla mientras su sexo hinchado se apretaba contra sus nalgas. Ansiaba tan desesperadamente estar dentro de ella que eso era lo único que podía hacer para contenerse. Pero lo último que necesitaba era arriesgarse a dejarla preñada.

Relegándose a aquel pequeño placer jugó con ella antes de sumergir sus dedos profundamente dentro de su húmedo calor. Ella se estremeció entre sus brazos.

No, no había nada frígido en esa mujer.

Él deslizó las piernas entre las de ella para sostenerla abierta y explorarla aún más a fondo.

Syd no podía respirar mientras Steele la atormentaba sin piedad. Ella se frotó descaradamente contra su mano mientras él le procuraba placer. Hacía mucho tiempo que un hombre no la tocaba de esa manera. Ella odiaba lo mucho que disfrutaba sentir sus manos en ella y su cuerpo ardiendo y ansiando más.

—Así, cariño —le susurró él al oído mientras ella cabalgaba sobre sus dedos.

De pronto se le secó la garganta y alcanzó con la mano el sexo de él para agarrarlo con fuerza. Él le gruñó al oído, dejándole saber cuánto disfrutaba también él de sus caricias. Su miembro era increíblemente largo y grueso.

—Mira lo que haces conmigo, Syd. No he estado así de duro por una mujer en muchísimo tiempo.

Ella quería creerlo.

—Piensa que estoy dentro de ti. —Hundió sus dedos aún más profundamente, provocando en ella un grito de placer. Sus dedos la atormentaban—. Ahora córrete para mí, cariño. Déjame sentirte.

De repente, su cuerpo estalló de placer. Echando la cabeza hacia atrás, gritó mientras una ola tras otra de éxtasis la recorrían.

Steele sonrió satisfecho mientras ella se estremecía encima de él. Y continuó jugando con ella. Quería extraer hasta la última gota de placer de su cuerpo.

Entonces sintió que su propio orgasmo llegaba. Apretándola cerca, se movió más rápido contra la mano de ella hasta explotar. Gruñó al alcanzar lo que tan desesperadamente había estado necesitando.

Sydney yacía sobre Steele y comenzó lentamente a recuperar el control de su cuerpo. Sintió el calor subiendo a su rostro al ver cómo las piernas de él mantenían abiertas las suyas. La mano de él continuaba enterrada bajo sus bragas color verde oscuro, mientras la de ella estaba bajo la manta entre sus cuerpos, cubierta de su caliente liberación.

Steele relajó las piernas y subió su mano para poder abrazarla.

—Gracias, Syd. Realmente lo necesitaba.

De un modo extraordinario, ella sentía exactamente lo mismo.

—Si alguna vez le hablas a alguien de esto, te la corto.

Él se rio junto a su oído.

—No lo haré, cariño. Lo que es entre nosotros quedará entre nosotros. No es asunto de nadie más. —Puso las manos bajo su blusa para quitarle el sujetador.

—¿Qué estás haciendo?

Le abrió el sujetador para volcar sus pechos entre sus manos.

—Sólo quiero sentirte un poco más.

Ella sabía que debía levantarse, pero al parecer no podía conseguir que su cuerpo cooperase. Todo lo que quería era continuar sintiéndolo a él.

Él movió sus manos callosas contra sus pechos con un ritmo que comenzó a encender otro fuego en su interior. Amasaba sus pechos de una forma extraordinariamente suave y firme. Las yemas de sus dedos jugaron con sus pezones, haciendo que su estómago se contrajera en oleadas de placer.

—Me gusta tanto sentirte, Syd.

Syd se mordió el labio mientras él la estimulaba. Ningún hombre había obtenido antes tanto placer de su cuerpo. Rodó sobre ella hasta que la tuvo sujeta contra el colchón del sofá. Sus ojos la miraron hambrientos antes de levantarle la blusa para poder capturar su pecho derecho con la boca. Su lengua áspera la lamió y la atormentó, haciendo que su estómago se contrajera incluso más con cada lametazo erótico que le daba.

Syd se retorció mientras su cuerpo comenzó a palpitar otra vez.

Steele le sonrió mientras se echaba hacia atrás para mirarla a los ojos. Había algo tan encantador y dulce en él. Era de lo más extraño teniendo en cuenta lo que sabía de él y, sin embargo, no había modo de negar que ese lado tierno estaba allí.

Ella le apartó el pelo de los ojos.

—Eres hermosa con tu pelo suelto —le dijo él.

Su cumplido la halagó.

Sus ojos continuaron encendiéndola mientras tiró de sus bragas hasta quitárselas. Le levantó la falda por encima de las caderas mientras lentamente besaba su cuerpo cada vez más abajo. Una parte de ella se sentía completamente avergonzada por sus acciones, pero otra extraña parte de ella estaba encantada al ver que él bajaba por su estómago hacia sus muslos.

Lentamente él se fue moviendo hasta separar completamente sus muslos. Su aliento cálido le hacía cosquillas mientras él mosdisqueaba su carne.

Suavemente, separó los tiernos pliegues de su sexo para poder mirarlo. Syd se estremeció al verlo estudiar la parte más íntima de su cuerpo. Hundió un dedo en su sexo antes de inclinarse para tomarlo entre su boca.

Gimiendo en voz alta, Syd se agarró a su pelo mientras él le daba placer. Era absolutamente increíble, y quería sentir aún más de él.

Steele gimió en lo profundo de su garganta cuando finalmente pudo probarla. Era lo que había estado soñando durante toda la noche, y ahora que lo tenía…

Quería conservarla así. Caliente y suave. Sin palabras ni sentimientos ásperos. Sólo ellos dos perdidos en un momento de profundo placer.

Cerró los ojos y la saboreó.

En el fondo de su mente, Syd sabía que debería vestirse y salir de allí. Pero no podía pensar bien con su boca torturándola de esa forma. Todo lo que en realidad quería era sentirlo profundamente dentro de ella.

Como si él hubiera oído su súplica silenciosa, hundió los dedos en lo profundo de su cuerpo mientras su lengua continuaba explorándola y atormentándola.

Ella se mordió el labio mientras sentía más y más placer hasta que ya no pudo más.

Gritó su nombre mientras se corría otra vez, incluso más ferozmente que la primera. Soltó el aire y arqueó la espalda, incapaz de resistir el placer que él le estaba procurando.

Sin embargo, él continuó lamiéndola y torturándola hasta que ella imploró piedad.

Él se echó hacia atrás con una sonrisa triunfante.

—Para esto ha valido la pena levantarse hoy. —La besó antes de separarse de ella—. ¿Qué más hay en la agenda del día?

Ella se bajó la falda mientras su cuerpo continuaba latiendo. A diferencia de él, ella no se sentía cómoda con su desnudez. Y le estaba costando recordar lo que se suponía que debían hacer hoy.

Distrito de Columbia…

Jake. Andre. Helicóptero. Sí, era eso. Tenían que ir a APS.

—Tenemos que coger un vuelo.

Él se estiró como un gato lánguido.

—¿Qué pasa con la llamada a Dillon?

—Puedes hacerla desde el helicóptero.

Él le dio un beso rápido en la mejilla antes de levantarse del sofá-cama. La luz del sol iluminaba su cuerpo desnudo, poniendo de relieve su desgarradora perfección.

—¿No tienes ningún pudor?

Su sonrisa era absolutamente malvada.

—Para nada. —Bajó la cabeza para capturar sus labios.

Syd no quería que aquel beso la afectara tanto como lo hizo. Había algo en él completamente adictivo, a pesar de que ella quisiera odiarlo.

—¿Eres el diablo en persona, verdad?

Él se rio cálida y profundamente.

—Caliente hasta el final.

Ella puso los ojos en blanco.

—Vístete, pez gordo. Tenemos mucho que hacer, y Andre y Jake ya estarán esperándonos.

Syd puso las cosas en orden mientras él se dirigía sin prisa hacia el cuarto de baño para ducharse. Ella oyó el chorro de agua mientras se ocupaba de la manta. Sin querer se le cayó la almohada, y vio el Glock que había debajo de ella.

Frunció el ceño al reconocer el arma de Carlos. ¿Por qué la tenía Steele? ¿Cómo la había conseguido? Carlos era más paranoico que nadie. No era propio de él abandonar un arma. Syd la descargó, luego la guardó en el cajón de la cocina y volvió a ocuparse del sofá-cama.

Decidió que debería lavar la manta a menos que quisiese que Carlos se imaginara lo que habían estado haciendo y volvió a la cocina para buscar la lavadora y la secadora.

Cuando puso en marcha la primera, oyó que Steele soltaba una maldición en el cuarto de baño.

—¡Lo siento! —gritó ella, pero aun así no la desconectó. Le preocupaba demasiado que quedaran pruebas de lo que habían hecho.

Todavía no podía creer que le hubiera permitido aquello a Steele.

—Debo ser la mujer más descerebrada de este mundo —susurró para sí misma—. ¿Cuándo aprenderé?

Pero tal vez había sido una buena cosa. Sin duda, Steele necesitaba aquella liberación. Ahora sería capaz de concentrarse.

Y tal vez ella pudiera también.

Tal vez.

Dio un salto cuando sonó el teléfono móvil. Al responder halló a Andre al otro lado.

—¿Dónde estás?

—Estamos aún en el apartamento de Carlos. Steele estaba durmiendo cuando llegué y ahora se está vistiendo.

—Bueno, muévete. No podemos estar aquí todo el día.

—Lo sé. Llegaremos enseguida.

Cuando colgó el teléfono Steele salió del baño... aún completamente desnudo. Estaba empapado y tenía un aspecto estupendo. Ella apretó los dientes ante la húmeda perfección de ese cuerpo.

—Era Andre, diciendo que nos diéramos prisa.

—Me estoy apresurando —le dijo él con un guiño—. ¿No lo ves?

—No. Parece que te estés arrastrando.

Gruñendo con tono juguetón, pasó delante de ella para coger las ropas tiradas en el suelo junto al sofá.

Syd frunció el ceño al darse cuenta de que él no tenía otra cosa para ponerse.

—Recuérdamelo. Necesitamos conseguirte algo más de ropa más tarde.

Él resopló.

—Preferiría que más tarde me desnudaras de nuevo.

A ella se le encogió el estómago al oír su tono.

—Mira, Steele, esto no ha sucedido, ¿de acuerdo? Por lo que a mí respecta no hemos hecho nada aquí.

En su expresión pudo verse que se sintió herido, pero logró disimularlo.

—No te preocupes, Syd. He tenido bastantes líos de una sola noche en mi vida como para saber cómo comportarme después.

Ahora le tocó a ella sentirse herida.

—Me apuesto a que es así. Probablemente eres uno de esos que prometen llamar y nunca lo hacen.

Él se puso la camisa por encima de la cabeza.

—Nunca en mi vida he hecho una promesa que no haya cumplido. Nunca.

—Entonces, prométeme que olvidarás todo esto completamente y no se lo mencionarás nunca a nadie.

—Hecho. No ha ocurrido. Ya está olvidado. —Le volvió la espalda y manipuló la cama para convertirla en un sofá.

A pesar de que esas palabras deberían haberla alegrado, no fue así. En lugar de sentir alivio, notó en el estómago un agujero que le dolía.

«Es mejor así.»

Sin embargo, el agujero seguía ahí. La quemaba. La dejaba vacía. La avasallaba. Tragando saliva ante el dolor, asintió mientras conducía a Steele hacia la puerta.

Mientras la abría, Steele la agarró y la obligó a detenerse.

—Pero respóndeme una cosa, Syd.

—¿Qué?

—¿Podrás olvidarlo?

Syd no respondió. Como él había señalado no era una buena mentirosa.

—Hay gente esperándonos.

El rostro de él era duro y censurador.

—Un día, Sydney, tendrás que enfrentarte a mí.

Ella levantó la barbilla hasta que sus miradas se encontraron.

—No tengo problema en enfrentarme a ti. Pero dime una cosa, Steele. ¿Por qué nunca usas tu nombre de pila? ¿Podría ser que tuvieras más miedo a la intimidad que yo?

Por la expresión de su rostro, ella supo que había dado en el clavo.

—Sí —dijo ella en un tono significativo—. Podremos hablar de lo que ha pasado hoy aquí cuando me dejes llamarte de otra forma que no sea Steele.

Pero mientras cruzaba la puerta, ella no se sentía nada satisfecha de tener razón. La entristecía que su encuentro no hubiera sido un tierno interludio entre amantes. Había sido un encuentro rápido entre dos personas solitarias que sólo querían mantener el mundo a distancia.

Y eso le daba ganas de llorar, pero ya había llorado bastante. Su vida tenía que ser así. Ella lo sabía. Lo entendía. No había lugar en su mundo para un novio o un amante.

De la misma forma que Steele, estaba sola en el mundo, y así tenía que ser. Sin embargo, a pesar de que ese pensamiento surgía de ella, una parte diminuta y enterrada desmentía aquello a gritos. Quería más que eso. Quería…

Lo imposible. No tenía sentido depositar las esperanzas en algo que no podía permitirse tener. Su corazón había sido ya demasiado pisoteado.

Tenían un trabajo que hacer, y era de eso de lo que debía preocuparse. Él debía quedar fuera. Ella había satisfecho su curiosidad y él había calmado su picor.

Fin de la historia.

No fue hasta que se hallaron en el ascensor cuando Steele se acercó a ella otra vez. Se puso tan cerca que ella podía notar su calor. Su intensidad.

—Hay sólo una cosa de esta mañana que probablemente no quieras olvidar.

—¿Qué cosa? —dijo ella con irritación.

Su mirada se volvió ardiente mientras una sonrisa irónica se dibujaba en sus labios. Se inclinó para poder susurrarle algo al oído.

—Olvidaste volver a ponerte las bragas, y tengo que decirte que la idea de tenerte ahí de pie sin nada debajo de esa falda tan corta me está excitando seriamente otra vez.

Capítulo ocho

A Steele no le resultaba divertida la idea de tener que avanzar furtivamente al salir del apartamento a la calle, donde un grupo de tres policías se hallaban reunidos charlando. Estaban muy cerca del Honda de Syd.

Ella soltó una maldición al verlos.

—La llamada funcionó —dijo Steele con sarcasmo.

Ella le lanzó una mirada de odio mientras sacaba unas gafas de sol del bolso y se las ofrecía.

—Póntelas y mantén la cabeza baja. Con un poco de suerte ni siquiera nos mirarán.

Él estaba disgustado, pero aun así se puso las gafas.

—Si no le hubieras dicho a la gente que soy un asesino en fuga, no tendríamos este problema. Debería dejar que me capturaran sólo para poder salirme de este asunto.

—Bien —dijo ella, apartándose de él—. Ahí está la puerta. —Señaló las puertas de cristal que lo separaban de la policía.

Él gruñó.

—Realmente os odio.

—Sí, bien, deberías haber prestado atención a la letra pequeña de tu contrato. Usar todos los medios necesarios.

—Los medios me la sudan, Syd.

Ella se detuvo para mirarlo.

—¿Cómo podías estar entre los militares? Te has resistido a mis planes desde el principio.

—El Ejército me enseñó muy bien lo que ocurre cuando sigues a ciegas las órdenes de alguien. Todo lo que consigues es una bala en la cabeza y una carta patética a tu familia donde se dice que moriste durante un ejercicio de entrenamiento.

—Bien —dijo ella, abriendo la puerta—. Deja que te cojan. Estoy cansada de luchar contigo.

Se detuvo justo al lado de la puerta para mirarlo con esos ojos verdes que lo hacían a uno retorcerse.

—Además, no podemos sacártelos de encima hasta que completes esta misión. Necesitamos que seas un fugitivo para que resulte creíble que aparezcas en APS para pedir trabajo, cuando se supone que deberías estar cumpliendo una condena de veinticinco años de cárcel.

Él la miró con los ojos entrecerrados, algo que resultaba poco efectivo dado que llevaba gafas de sol.

Lo que le daba más rabia era que ella sabía tan bien como él que no volvería a la cárcel si podía evitarlo.

—Entonces, ¿cómo propones que pase el control de seguridad del aeropuerto? —le preguntó mientras se dirigían hacia el coche.

—No vamos a ir al aeropuerto. El helicóptero nos está esperando a unas pocas manzanas del estadio, pero necesitamos llegar rápido. Jake no puede estar ahí mucho tiempo sin que se reúna una multitud.

Steele la siguió hasta el coche. Los policías interrumpieron su charla cuando ellos se acercaron.

—¿Qué tal, oficiales? —dijo Syd jovialmente.

Dos de ellos le devolvieron amables el saludo, pero el que era de la misma estatura que Steele frunció el ceño.

—¿Te conozco? —preguntó.

Steele negó con la cabeza.

—No creo. ¿Has estado en Carolina del Norte?

El policía no parecía convencido.

—No. Pero juraría que te conozco de algo.

—Tengo una de esas caras que todo el mundo cree reconocer. Buenos días, caballeros. —Steele se comportó con una despreocupación que en realidad no sentía mientras se subía al coche e intentaba no decirle a Syd que salieran fulminados de allí. No podían permitirse volver a despertar las sospechas de la policía.

Pero podía notar la tensión de Syd. Tenía que reconocer su mérito. Ella no lo mostraba. Permanecía notablemente fría y tranquila mientras quitaba el freno y se ponía en marcha calle abajo.

Mientras tanto, él esperaba que los policías lo reconocieran en cualquier momento y los persiguiesen.

Hasta que estuvieron fuera de la vista no comenzó a respirar un poco más tranquilo.

—Ha estado demasiado cerca.

—Sí —admitió Syd—. Trabajas bien bajo presión.

Él soltó un bufido.

—Tú no sabes lo que es presión, pequeña. Créeme, eso ha sido fácil.

Ella le lanzó una mirada de reojo.

—Acaba con tu arrogancia, Steele. No estoy impresionada.

—Créeme. Lo estarás.

Ella sacudió la cabeza mientras giraban una esquina para dirigirse al estadio.

—Ya lo veremos.

Sólo les llevó unos pocos minutos llegar hasta el estadio donde el helicóptero en el que ya había viajado Steele los estaba esperando. Syd aparcó cerca y apagó el motor.

Bajaron y se dirigieron hacia el helicóptero, Jake y Tony se hallaban discutiendo cuando subieron a bordo.

—Oh, espera —dijo Tony al verlos—. Están aquí. Supongo que finalmente no podemos dejarlos.

—Échate a dormir, Tone —dijo Jake.

Syd los ignoró mientras se colocaba en su asiento junto a Andre, que ya llevaba puesto el cinturón de seguridad y también los estaba esperando.

—Me alegro de que finalmente os hayáis unido a nosotros.

Steele no respondió mientras se abrochaba el cinturón, pero advirtió cómo Syd se ruborizaba. Ella le dirigió una mirada furtiva que él ignoró, mientras se bajaba el dobladillo de la falda. Él todavía no le había devuelto las bragas, y se negaba a hacerlo mientras ella no abandonara esos aires estirados y aprendiera a tratarlo como a un ser humano.

Por no mencionar que le gustaba atormentarla. Y sobre todo, le gustaba saber que no llevaba nada debajo de esa falda azul marino.

Andre le entregó un teléfono, y él lo maldijo en su interior por haberlo distraído mientras pensaba en el sabor de Syd.

Andre echó la cabeza hacia atrás y le dio un grito al piloto.

—Jake, mantén los motores apagados hasta que te dé la señal. —Volvió a mirar a Steele—. Tienes que hacer otra llamada a nuestro amigo. Dejemos que crea que ya estás en Virginia.

Steele asintió mientras pulsaba el botón. Dillon respondió al segundo timbre.

—¿Qué hay? Soy Steele.

—Me estaba preguntando si habías cambiado de idea respecto a lo del trabajo. Vi anoche en las noticias que un presidiario se había fugado en dirección al oeste. ¿Algo terrible, no?

Él miró a Syd y por primera vez aceptó que tenía razón en que convenía haber dado su nombre a los medios de comunicación. Daba credibilidad a la historia.

—El mundo es una mierda. Espero que el pobre tipo alcance Pasadena.[23]

—Eso he oído. Está muy lejos de Kansas. Pero, amigo, con ese tipo de presión… un hombre tiene que tener cuidado, ¿lo sabes?

—Sí, sí, lo sé. Entonces, ¿puedes conseguirme algún trabajo inmediato?

—Sí, pero quiero que sepas que he tenido que pedir todo tipo de favores para esto. No es lo mismo que si trabajaras para mí, ¿entiendes? Voy a enviarte a uno de mis socios y a él no le gusta tratar con nuevos talentos. Prefiere que yo entrene a los nuevos reclutas y se los envíe a ellos al cabo de unos años. Pero por ti… estoy dispuesto a cambiar un poco las reglas. Tú no vas a ser uno de esos tipos de si te he visto no me acuerdo, ¿verdad?

—Nunca.

—Bien. Mi socio, Randy Wallace, posee una empresa de seguridad en la ciudad de Georgia llamada Sistema de Protección Activa. ¿Has oído hablar de ella?

—La verdad es que no. —Steele levantó un pulgar en dirección a Andre y Syd para indicarles que el plan estaba funcionando.

---

23. Ciudad situada en el condado de Los Ángeles, en el estado de California. (N. de la T.)

—Bien, es una buena empresa. Le he dicho a Randy que podrías estar allí hacia las tres de la tarde. ¿Puedes?

—Claro.

—Bien. Él te entrevistará personalmente y juzgará si eres adecuado para la empresa. ¿Tienes algo para anotar la dirección?

Él hizo un gesto señalando el bolígrafo que Andre tenía sobre sus rodillas. Andre se lo entregó junto con un pedazo de papel.

—Estoy listo. —Steele escribió la dirección que le dio Dillon—. Gracias, Dillon. Realmente aprecio lo que has hecho.

—De nada, simplemente no te metas en líos.

—No te preocupes. Te aseguro que eso pretendo. —Steele colgó el teléfono y se lo entregó a Andre—. Tenemos una cita con ellos esta tarde.

—Y es para eso que te necesitábamos —dijo Andre. Se echó hacia atrás y sonrió triunfal—. Jake, vámonos de aquí. Tenemos una cita a la que acudir.

Jake asintió mientras ponía en marcha el helicóptero.

Steele observó cómo Andre y Syd establecían lo que parecía un auténtico comando de operaciones en el centro entre sus asientos. Era impresionante. Tenían todo tipo de datos, desde el programa que debía cumplir el presidente uhbukistani desde su llegada a Estados Unidos hasta una grabación de las últimas llamadas de su hijo a Estados Unidos. Diablos, tenían incluso una lista de las chicas con las que el chico había contactado para su primera noche en la ciudad.

Steele frunció el ceño mientras revisaban la ruta en limusina del aeropuerto al hotel.

—¿No cambiarán sus planes por si acaso alguien como, digamos, nosotros planea un golpe o un asesinato?

Andre negó con la cabeza. Esta información estaba codificada. Ellos creen que se hallan completamente a salvo.

Sí, y él medía menos de un metro de alto y era de color verde. Una cosa que Steele había aprendido como francotirador era que los jefes tenían la capacidad y la costumbre de cambiar los planes en un momento absolutamente sin razón.

Nunca te fíes de la información a menos que quieras morir.

Observó cómo Andre sacaba una lista de las tiendas que el presidente uhbukistani quería visitar durante su estancia en la ciudad.

—Sólo por curiosidad. ¿Hay algún tipo de información a la que no podáis acceder?

Syd negó con la cabeza.

—En realidad, no. Pero te acostumbrarás a la falta de privacidad.

«Tal vez.»

—Sigo diciendo que, probablemente, cambien sus planes en cuanto lleguen.

Ella pareció un poco… bueno, a falta de otra palabra mejor, ofendida ante su insistencia.

—Si no hubiera un servicio secreto de hombres asignado para él, tal vez estaría de acuerdo. Pero como tú bien sabes, a los servicios secretos no les gustan los cambios. Cuando hay un plan diseñado, normalmente lo cumplen incluso aunque haya informes que indiquen que no es prudente hacerlo.

Steele no hizo ningún comentario.

—Ahora nuestra mayor preocupación es qué hacer contigo —dijo Syd mientras repasaba los informes—. Vamos a necesitar que nos informes sobre los archivos del personal de APS. No podemos descubrir que se ocultan bajo algún modo en el que no habíamos pensado. Necesitamos saber quiénes son sus asesinos potenciales. Cualquier tipo de información relacionado con eso que puedas darnos.

—¿Y si no puedo obtenerla?

—Tendremos en nuestras manos un presidente muerto y una probabilidad más alta de ser atacados por armas nucleares.

Andre le entregó otras gafas de sol.

—Aquí está tu micrófono y tu cámara. Si las llevas puestas fuera, podremos ver y oír lo mismo que tú. Yo estaré en una furgoneta a unas pocas manzanas, grabando y supervisándolo todo, mientras tú y Syd lleguéis. Cuando entres en las oficinas, cuelga las gafas en tu camisa. Y es necesario que mantengas los brazos apartados de ellas. —Señaló la bisagra de la patilla derecha—. Ahí está la cámara, y si se cubre, yo quedo a ciegas.

Steele examinó cuidadosamente las gafas. Tenía que dar crédito a Andre, pero no había manera de detectar la cámara o el micrófono. Eran una verdadera obra de arte.

—¿Dónde está localizado el micrófono?

Él le mostró la patilla, pero Steele era incapaz de distinguir nada.

—No parece que haya nada ahí.

Andre lo miró con regocijo.

—Lo sé. Las diseñé yo mismo. Nadie sabrá nunca que llevas un micrófono oculto.

—Andre no tiene problemas de ego —dijo Syd riendo—. Pero nos salva el pellejo, por eso lo toleramos.

Steele asintió.

—Entonces, ¿qué les digo cuando me pregunten cómo me fugué?

Ella le entregó un pedazo de papel con una serie de anotaciones.

—La historia que dimos a los medios de comunicación es que te escapaste de un grupo de trabajo.

—¿Y fui hasta el distrito de Columbia a pie? Soy un pedazo de atleta.

Syd puso los ojos en blanco.

—Te escapaste por la ventana de unos servicios públicos y tu novia te estaba esperando para recogerte en coche.

Él arqueó una ceja al oír eso.

—¿Mi novia?

—Sarah Whitfield.

Él frunció el ceño al oír aquel nombre desconocido.

—¿Quién es ésa?

Ella hizo un movimiento de cejas.

—Oh, diablos, no.

—Oh, sí —dijo ella con tono ofendido—. A todos los efectos soy tu chica. ¿Por qué te crees que me he puesto una falda y una blusa?

Él se aclaró la garganta al oírlo, lo cual hizo que ella se ruborizara otra vez. Por la expresión de su rostro él pudo ver que eso no le había hecho ganar muchos puntos. De hecho, probablemente había perdido unos cuantos.

«Vamos bien, estúpido.»

Andre abrió una maleta que contenía una aguja hipodérmica.

Steele se quedó helado.

—¿Qué es eso?

—Un dispositivo buscador de blancos. En cuanto aterricemos, voy a inyectarte un chip RFDID.

Él negó con la cabeza.

—No vas a hacer eso a menos que antes me muestres un título médico.

—Es para protegerte.

—No.

—Steele... —dijo Syd en tono de advertencia. Es un trasmisor RFDID que nos permitirá encontrarte si pasa alguna cosa. Te juro que es seguro. Jason tiene uno instalado y ni siquiera lo sabe.

—Yo no conozco a Jason. ¿Dónde está ahora? ¿En la morgue?

Ella lo miró divertida.

—No, está de vacaciones con otro agente.

—Mmmmm...

Andre cerró la maleta de un golpe.

—Muy bien. Cuando encuentren el micrófono oculto en las gafas de sol y decidan meterte en el maletero del coche para matarte, no esperes que ninguno de nosotros te encuentre y te salve en el último minuto.

—Me dijiste que el micrófono era indetectable.

—De todas formas, por más bueno que yo sea, en muy raras ocasiones también puedo cometer errores. Lamentaría mucho por ti que ésta fuera una de esas ocasiones.

Él también.

Andre miró a Syd.

—Ya sabes, el Ejército tal vez ya le haya puesto un chip para controlarlo electrónicamente. ¿Has comprobado sus documentos?

—Nadie me controla electrónicamente.

Syd se burló.

—Jason dijo lo mismo, y tuvieron que sacarle la chapa del trasero.

—Te puedo asegurar que esa zona de mi cuerpo es la más sagrada y nadie va a clavarme nunca nada allí.

Ella puso los ojos en blanco.

—Deja de comportarte como una criatura.

—Entonces permite que te lo inyecte a ti.

—Ya lo ha hecho. —Levantó el brazo para mostrarle un lugar cerca del codo.

—No veo nada ahí.

—Ésa es la idea. Andre halló una nueva frecuencia. Ni siquiera puede ser recogida por los rastreadores. El único modo de encontrarla es ser uno de nosotros.

—Entonces si entre vosotros surge un traidor, estáis jodidos.

Ella bajó el brazo.

—Eso no ocurrirá nunca.

—¿Cómo lo sabes?

—Porque somos una familia. Andre es el tío loco a quien nadie escucha.

—¡Eh!

Ella le sonrió.

—Pero lo queremos de todas formas.

Eso sonaba como una bonita fábula de esas que tienen que ver con unicornios y hadas, y Steele sabía muy bien que no había que confiar en ellas.

—Todo el mundo tiene un precio.

—No —dijo Andre con fervor—. Ellos no. Te aseguro que si te vuelves contra nosotros, daremos contigo y te mataremos. Somos una especie de mafia. Nadie deja la familia. Nadie. Y cuando veas la facilidad que tenemos para seguirle el rastro a la gente, entenderás por qué nadie en su sano juicio nos traicionaría nunca.

Steele negó con la cabeza. Le gustaría poder confiar en eso, pero su capacidad de confianza había disminuido enormemente hacía ya mucho tiempo. No le importaba lo que dijeran. La gente puede volverse contra ti en menos de un segundo, y él no quería morir por culpa de eso.

Ellos podían mantener al margen a los rastreadores. Pero había mucho margen para el error.

E incluso más para la traición.

Pero aun así, los dos continuaban instruyéndolo en los parámetros de la misión y sobre cómo penetrar en la organización. Aunque ellos no lo supieran, él estaba a punto de entrar en su propio terreno de batalla. En su mundo, los novatos eran ellos.

Syd estaba nerviosa mientras llevaba a Steele hacia su cita. Como agente, sabía todas las cosas que podían ir mal. Por mucho entrenamiento militar que tuviera, Steele no era un agente asalariado acostumbrado a mentir.

Aquél era su trabajo. Y a pesar de lo que Steele creyera, ella era muy buena en eso.

—¿Tienes tu historia preparada, verdad? —le preguntó ella.

—Sí.

—Bien. ¿Cuánto tiempo llevamos saliendo?

—Quince minutos —dijo él con ironía.

—¡Steele! —le riñó ella, irritada al ver que él se tomaba a broma algo tan serio.

Él soltó un suspiro de exasperación.

—No voy a olvidarme, Sarah. Si hay algo que sé hacer, es mantener mi trasero pegado al suelo cuando arriba hay fuego. No me olvidaré de ningún detalle.

—Bien. —Syd soltó su propio suspiro de irritación mientras se dirigía por M Street, sólo para comprobar que no había ningún lugar para aparcar cerca de la empresa de seguridad. Maldita sea, realmente odiaba el tráfico del distrito de Columbia.

—Déjame en esa esquina.

—No. Daremos una vuelta a la manzana y veremos si alguien sale. —Pero después de dar cuatro vueltas ella comenzó a sentirse como un tiburón de tierra buscando comida inexistente.

—Voy a llegar tarde —dijo Steele, apretando los dientes—. Y no son el tipo de gente a quien puedas hacer esperar. —Señaló una señal verde de aparcamiento—. Aparca ahí y espérame.

Ella no quería, pero se dio cuenta de que no iba a tener otra elección. Todavía más irritada, se dirigió allí y aparcó.

Se volvió hacia Steele, que iba a meterse en una situación peligrosa completamente desarmado… y lo que es peor, ella, a diferencia de Andre, no iba a poder verlo a través de un monitor.

—Ten cuidado. No hagas ninguna estupidez.

Él le sonrió abiertamente.

—Si continúas hablándome de esa forma, acabaré pensando que te gusto.

Antes de que ella se diera cuenta de lo que hacía, él se inclinó y le dio un beso escandalosamente caliente.

—Para tener suerte —dijo mientras se alejaba—. Mantén mi asiento caliente. Volveré.

Su imitación de Arnold Schwarzenegger no la tranquilizó mucho. A diferencia del actor en la película, él no estaba hecho de acero invencible. Era tan sólo un hombre que no había sido adecuadamente preparado para aquello a lo que debía enfrentarse.

Syd se aferró al volante y se obligó a no seguirlo. Tenía que hacer aquello solo. Si ella estaba cerca, podría poner en peligro no sólo la misión, sino la vida de ambos.

—Relájate, Syd.

Ella dio un salto al oír la voz de Andre en su oído.

—Mierda, olvidé que estabas ahí. ¿Viste…?

—Sí, besas muy bien para ser una agente.

—Cállate, Andre.

La risa de él llenó el diminuto auricular. Pero, tras eso, ella sabía que no volvería a oír a Andre mientras él estuviera grabando la conversación de Steele. A diferencia de Andre, ella no tenía forma de comunicarse con él. Demasiados receptores podían poner en peligro su tapadera. Así que ella se quedaría allí en completo silencio hasta que él regresara… ojalá de una pieza.

Steele bajó la cabeza al pasar por delante de una pareja de policías uniformados. Afortunadamente, estaban registrando un colegio mixto al otro lado de la calle. Aligerando sus pasos, se dirigió a la empresa de seguridad.

Empujó la puerta y se halló ante un largo mostrador gris donde había tres mujeres. Dos de ellas parecían colegialas y la otra estaba cerca de los cincuenta. Arregladas y bien vestidas, ninguna de ellas parecía estar al frente de una compañía de asesinos y mercenarios.

De hecho todo el lugar, como las oficinas del BAD, tenía la apariencia de una empresa legal, con una centralita llena de teléfonos y folletos sobre seguridad. Lo único extraño era la gran cantidad de cámaras dirigidas hacia la puerta y el mostrador.

—¿Puedo ayudarle? —preguntó la mujer mayor.

—Tengo una cita con Randy Wallace a las tres.

Ella alcanzó un gran libro marrón.

—¿Su nombre?

Antes de que pudiera responder se oyó un interfono.

—Todo está en orden, Agnes. Lo estaba esperando.

Ella se rio.

—Bien, los poderes han hablado. Puedes entrar. Abre la puerta cuando oigas el timbre y camina hasta el final de pasillo. Habrá una escolta esperándote para llevarte hasta la oficina del señor Wallace.

Incluso de no haber sabido a qué se dedicaba Wallace, todo aquello le hubiera resultado sospechoso. Aquel hombre tenía más medidas de seguridad que...

Más valía dejarlo estar.

Steele abrió la puerta cuando oyó el timbre accionado por la secretaria e hizo lo que ésta le había indicado. El pasillo era estrecho y oscuro, sin una sola puerta ni ventana.

Cuando llegó al final del pasillo, una puerta se abrió de manera automática y apareció un hombre grande y fornido que le fruncía el ceño.

—¿Tienes equipaje? —le preguntó el hombre bruscamente.

—¿Ves alguna maleta?

Aquello hizo que el hombre hiciera el intento de agarrarlo. Steele le atrapó el brazo y se lo retorció detrás de la espalda. Empujó al hombre contra la puerta.

—No soy tu perro, muchacho —dijo, apretando los dientes—. No vas a tocarme sin permiso.

Steele oyó el sonido de aplausos. Alzó la vista para ver una especie de balcón, donde un hombre de pelo oscuro estaba de pie observándolos.

—Te mueves bien —dijo con una voz idéntica a la que había oído por el interfono de Agnes—. ¿También sabes cantar?

—No sé afinar, pero puedo improvisar.

—Lástima que no esté buscando un humorista. —Su rostro se endureció—. Suelta a Bruce.

Steele tiró de su brazo un poco más antes de soltarlo.

El hombre del balcón, que supuestamente sería Randy, se cruzó de brazos y le dirigió una mirada fulminante.

—Sabes que no te voy a dejar subir hasta estar seguro de que no llevas un micrófono o un arma, ¿verdad?

Steele se sacó las gafas de la camisa y se quitó ésta por encima de la cabeza. Dio una vuelta para que Wallace pudiera inspeccionarlo.

—Obviamente estoy intervenido o llevo un chip electrónico.

Randy sacudió la cabeza.

—Eres un hijo de puta arrogante, ¿verdad?

—Mejor que ser un imbécil o un hombre muerto.

Hubiera jurado ver una mirada de admiración en el rostro de Randy.

—Ponte la camisa y sube aquí. Bruce te mostrará el camino.

Steele volvió a colocarse la camisa y se volvió hacia Bruce. Parecía que lo único que el hombre tenía ganas de mostrarle era el fondo del río Potomac.

—Lo siento, amigo. Es que no me gusta que me maltraten.

Bruce le gruñó y a continuación lo condujo hacia una puerta de la derecha. Steele volvió a colocar las gafas en su sitio antes de seguirlo. Las oficinas de Wallace eran lujosas y estaban bien decoradas... excepto por la hilera de cabezas de ciervo de la pared. Aquello parecía sacado de una mala película.

El hombre estaba sentado detrás de un antiguo escritorio caoba con un acabado tan brillante que casi deslumbraba la vista. Lo estaba frotando con un paño de gamuza.

—¿Bonito, verdad?

Steele se encogió de hombros. ¿Quién era él para juzgar muebles? Nunca les prestaba mucha atención.

—¿Has oído hablar del Feng Shui? —le preguntó Randy mientras guardaba el paño en el cajón superior.

—Sí. Esas tonterías de poner un espejo en la puerta y dormir en la orientación correcta.

El rostro de Randy estaba frío e inexpresivo como una piedra.

—Los chinos dicen que nunca debes comprar un escritorio usado a menos que conozcas su historia. Aseguran que si pertenecía a un hombre malo, su karma te sucedería. —Señaló el escritorio con una inclinación de cabeza—. Este de aquí pertenecía al presidente Kennedy. ¿Qué crees que significa?

Steele se encogió de hombros.

—No lo sé, pero si yo fuese tú, no conduciría a través de Dallas en un descapotable en noviembre. Mal feng shui.

Wallace se rio ante aquello. Sacó una caja de madera de su escritorio y la abrió.

—¿Fumas?

—Sólo cuando estoy ardiendo.

Su cara volvió a convertirse en piedra.

—No aprecio su sentido del humor, señor Steele.

—Es un gusto adquirido.

Wallace sacó un puro cubano, luego alcanzó una caja de cerillas. No habló mientras encendía el cigarro. Apagó la cerilla de un soplo y luego la puso en el cenicero.

—Dillon me ha dicho que te debe un favor.

Steele asintió con gravedad.

Wallace sacudió la ceniza del puro en el cenicero mientras lo miraba con los ojos entrecerrados.

—Voy a ser honesto contigo, Steele. No me gusta trabajar con gente que no conozco. Y no sé nada de ti. Hasta donde yo sé, podrías ser un marica de muñeca flácida con un puñado de movimientos rápidos.

A Steele no le hicieron gracia las palabras del hombre.

—Mmmm, veamos… lloré cuando murió Ole Yeller, pero era muy joven por entonces. Tengo una cicatriz en la rodilla de cuando tenía siete años y Willie Durante me hizo caer de la bicicleta. Luego yo lo derroté, le quité su bici y la vendí en una tienda de segunda mano. Oh, y mi color favorito es el rosa… es de lo más relajante.

Wallace frunció el ceño.

—¿Qué es toda esta basura?

Steele lo miró con aburrimiento.

—Mira, no voy a decirte sobre mí nada que sea verdad. Cuanto más sepas sobre mí, más corto va a ser tu tramo de vida. Todo lo que necesitas saber es que no fallo. En realidad es mejor que no sepas nunca exactamente lo bueno que soy, porque si lo descubrieras, estarías muerto.

Subió una comisura del labio.

—En eso te equivocas.

—¿Por qué lo dices?

Wallace abrió un cajón del escritorio y sacó una cámara digital. Steele frunció el ceño cuando le sacó una fotografía; luego dejó la cámara a un lado y miró su reloj.

—¿No te habías preguntado cómo elige a un trabajador alguien como yo?

Steele jugaba con el brazo del sillón.

—El pensamiento me pasó por la cabeza.

—Bien, en realidad es muy simple. Exactamente, dentro de veinte minutos, esta fotografía que acabo de sacar será enviada por *e-mail* a uno de mis contratistas. Él tendrá entonces veinticuatro horas para completar el entrenamiento.

—¿Qué entrenamiento es ése?

Él sonrió con sarcasmo.

—Es el juego de la vida, señor Steele. La supervivencia del más apto y todo eso. El que esté de vuelta en mi oficina mañana a las tres y media recibirá una bonificación y obtendrá el trabajo. Y quien no… bueno, ese contratista no necesitará el trabajo, ya que estará muerto para siempre. Este sistema permite que gane el mejor.

Steele estaba allí sentado en estado de *shock*.

—¿Me estás tomando el pelo?

—¿Tengo aspecto de estarle tomando el pelo, señor Steele? No, parecía que hablaba en serio.

—Ni siquiera tengo un arma.

Wallace se encogió de hombros.

—El ingenio es el noventa por ciento del oficio. —Comprobó su reloj—. Quedan quince minutos.

Steele miró a Bruce por encima del hombro. Fácilmente podía eliminar a esos dos hombres y acabar con todo aquello en aquel mismo momento. Pero entonces los uhbukistanis se limitarían a contratar a otros, y Syd lo mataría por haber fastidiado las cosas.

Maldita sea. Allí había un guión que el BAD no había previsto.

Se levantó despacio y miró a Wallace con malicia.

—Será mejor que tu bonificación merezca la pena. Si no es así, añadiré tu cabeza a la colección de mi pared.

Aquel cabrón se rio de él.

—Corre, Bambi, corre.

—Que te jodan. —Con la sangre en ebullición, Steele salió de la habitación con Bruce siguiéndole los pasos.

De nada habían servido las historias con las que Syd y Andre lo habían preparado. A Wallace le tenía sin cuidado si él realmente se había escapado o no de la cárcel. Y, probablemente, eso se debía a que pensaba que Steele estaría muerto al cabo de unas pocas horas.

Una parte de él quería conducir directamente de vuelta hasta Nashville y estrangular a Joe por eso. La otra parte sólo esperaba vivir lo suficiente como para llegar vivo hasta M Street.

—Que tenga usted un buen día —le dijo la recepcionista al verlo salir.

¿Qué? ¿Aquella mujer estaba mal de la cabeza? Levantó la mano fingiendo simpatía.

—Lo mismo digo —respondió en un tono agudo. Sin duda, ella no tenía ni idea de lo que acababa de pasar. O tal vez sí. Hasta donde él sabía, ella era la persona asignada para registrarlo.

«Estás paranoico.»

Nada de eso. Simplemente no le gustaba la idea de un asesino a sueldo que sabía su aspecto mientras que él no tenía ni idea de cuál era el suyo. Y aun más, no podía acudir cerca de Andre ni de ningún otro ya que estaría bajo vigilancia.

«Esto se está poniendo cada vez mejor.»

Pensándolo bien, hacía dos días el peor de sus temores era que Frank, de la celda de al lado, se pusiera juguetón. Ahora podía acabar con una bala en el cráneo.

Con una despreocupación que no sentía, se dirigió hacia el aparcamiento donde había dejado a Syd y entró en el coche.

Ella lo miró expectante.

—¿Y bien?

Él le hizo una mueca de desprecio.

—Sois una mierda.

—¿Perdón?

—Me has oído.

Ella estaba horrorizada ante su rencor.

—¿Por qué has dicho eso?

—Porque mañana a esta hora lo más probable es que esté muerto... y todo gracias a ti.

Ella apretó el auricular que llevaba al oído.

—¿Andre? ¿De qué está hablando?

Antes de que Steele pudiera responder, el vello de la nuca se le erizó. Era algo que le pasaba muy raras veces, y no estaba seguro de qué era lo que estaba poniendo alerta sus instintos.

Antes de que pudiera mirar alrededor, oyó un chasquido extraño, seguido de una inconfundible punzada.

—¡Salgamos de aquí! —gruñó.

—¿Qué? ¿Qué...

—¡Me han disparado, Syd! Y si no nos sacas de aquí, vamos a morir los dos.

Capítulo nueve

*S*yd pisó el acelerador mientras más cristales caían hechos pedazos a su alrededor, rozándola y cortándole la mejilla y el brazo.

—¿Qué has hecho, Steele?

Él soltó un silbido de dolor.

—Nada.

A ella le resultaba difícil creerlo.

—¿Nada? Entonces, ¿por qué nos están disparando?

—Porque ese hijo de puta no sabe leer la hora.

Andre le dio detalles muy incompletos de por qué estaban bajo fuego. Syd conducía a toda velocidad saltándose los semáforos en rojo como alma que lleva el diablo mientras Andre la guiaba a través de las calles donde había menos civiles.

Al principio creyó que sería fácil escapar de sus perseguidores, pero una mirada al espejo retrovisor le mostró un gran Escalade negro virando bruscamente y acelerando.

Pudo ver la pistola un instante antes de que abrieran fuego otra vez. Soltó una maldición por lo bajo.

Aquello era bastante más difícil en la vida real de lo que parecía en las películas, especialmente con tanto tráfico. Un movimiento equivocado y no sólo ellos, sino también cualquier transeúnte inocente podría morir.

Por el rabillo del ojo, vio prepararse a Steele para resistir una sacudida cuando giró una esquina a tanta velocidad que el coche resbaló hacia un lado. Se encogió de vergüenza cuando un instante más tarde golpearon de refilón a un Sedan marrón. Sin embargo, continuó. No tenía elección.

Syd soltó una maldición mientras disparaban otra vez. Se inclinó hacia delante para enseñar su espalda a Steele.

—Coge mi arma.

Notó su mano cálida cuando él la agarró y la extrajo de allí, luego lo vio vacilar.

—¿Qué ocurre? —preguntó ella.

—Demasiados civiles. No puedo disparar y arriesgarme a que una bala desviada le dé a alguna mamá en su furgoneta llena de niños. A diferencia de ese cabrón, yo no podría vivir sabiendo que he matado al hijo de alguien.

Ella sintió respeto por él.

—Muy bien, Andre —dijo en voz alta por encima del sonido de su coche frenando para no chocar contra una furgoneta que avanzaba despacio. Viró bruscamente para adelantarla y por poco atropella a dos hombres que cruzaban la calle. Volvieron al bordillo de un salto justo a tiempo para evitar que los alcanzara—. Necesitamos ayuda. Hay un Escalade 2005 negro persiguiéndonos. Está armado y va en busca de agentes. Steele ya ha resultado herido.

Steele soltó una maldición al oírla.

—¿Qué diablos va a hacer Andre? ¿Aplaudir?

Ella lanzó una mirada de odio a Steele mientras el Escalade se acercaba.

—Odio los coches de alquiler —dijo ella, apretando los dientes—. Es por eso que adoro mi pequeño motor de cuatrocientos caballos. —Si fueran en su Honda ya habrían perdido a sus perseguidores.

Con aquel coche apenas lograban ir delante de ellos.

—Bueno, tienes uno cuarenta de potencia en este trasto, así que espero que sepas engañarlos.

Otra bala atravesó el cristal trasero. Syd viró bruscamente entre el tráfico que venía en sentido opuesto y Steele comenzó a soltar un conjunto de improperios tan subidos de tono que demostraban que sí había pasado mucho tiempo en el Ejército.

—Cálmate —le regañó ella mientras esquivaba los coches con habilidad.

Sonaban bocinas mientras los coches que venían en sentido contrario viraban para apartarse de su camino.

—Me calmaré cuando tenga un tiro claro y a ese capullo enfrente de mí para poder matarlo.

—Bueno, ¿por qué no dijiste eso? —Syd viró bruscamente dentro de su carril y dio un golpe de frenos. El Escalade ganaba velocidad.

Steele lanzó dos disparos que hicieron añicos la ventana posterior del Escalade.

Ella giró el coche hacia la izquierda por otra calle y el Escalade hizo un giro en forma de «J» para volver sobre sus pasos directamente hacia ellos.

—¡Andre! Socorro. Socorro. ¡Necesitamos ayuda!

Tan pronto como acabó de decir eso, una hilera de coches de policía pasaron por delante de ella hacia el Escalade.

—Relájate, Syd —le dijo la voz de Andre al oído—. Tenemos nuestro contacto seguro con la policía. Él está dirigiendo a la policía para que persigan al asesino. Ellos fingirán seguiros, luego irán abandonando la persecución para que podáis huir.

Mientras ella daba otro giro, dos coches de policía se les pusieron detrás.

Steele aumentó el volumen de sus maldiciones.

—Oh, mierda, esto es fantástico.

—Relájate.

—¿Cómo? Me han disparado, y una vez nos detengan me enviarán de vuelta a Kansas. Gracias, Syd.

—No van a arrestarte.

—Sí, muy bien. Entonces, ¿cómo propones que expliquemos mi ausencia de la cárcel?

—No lo haremos. La policía va a fingir que nos persigue, hasta que nosotros los dejemos atrás.

Ella aceleró el motor y se dirigió fuera del centro urbano de Georgetown con la policía pisándoles los talones. Tan pronto como se hallaron seguros y los otros coches de policía hicieron que el Escalade se alejara en la dirección contraria, los coches que los seguían a ellos se rezagaron dejándolos escapar, tal como Andre había vaticinado.

Satisfecha de haberse librado del Escalade, al menos de momento, Syd tomó la primera salida y se dispuso a reunirse con los suyos.

—No lo hagas.

Ella frunció el ceño.

—¿Que no haga qué?

—Reunirte con Andre. Nos están vigilando.

—No hay ningún modo de que puedan vigilarnos. —Ella lo miró y se le encogió el corazón al ver cuánto estaba sangrando. Se apretaba el hombro con una mano, pero eso era muy poco para detener la hemorragia.

Necesitaban ayuda rápidamente o él moriría.

—Estarán vigilándonos —dijo él, apretando los dientes—. ¿Cuántos satélites crees que se echan encima del distrito de Columbia cada minuto de cada día? Te aseguro que nos tienen bajo su radar y siguen el rastro de cada uno de nuestros movimientos. Si no fuera así, el Escalade seguiría aún detrás de nosotros, maldita policía. Es preciso que Andre corte la comunicación antes de que ellos la descubran y lo usen contra nosotros.

—Eres tan…

—Estuve en el Ejército, Syd. Sé lo que se podía hacer para rastrear un blanco hace dos años. Sólo Dios sabe qué podrán hacer ahora.

—Tiene razón —dijo Andre por el auricular—. Cambia de vehículo y nos encontraremos en el agujero dentro de dos horas. Corto toda comunicación en… tres… dos… uno.

La voz del auricular se extinguió.

Maldita sea.

—Bien —dijo ella, echando un vistazo a Steele mientras se dirigían hacia el oeste—. Necesitamos que te vea un médico.

—Dado que alguien ha dicho a las autoridades que soy un preso en fuga no sería un movimiento inteligente, ¿no crees?

Ella ignoró su sarcasmo.

—Podemos…

—No —la interrumpió él—. Encuentra un hotel y podré arreglármelas yo solo.

Ella puso los ojos en blanco ante su estupidez.

—¿Y qué vas a hacer? ¿Sacarte tú mismo la bala? —preguntó ella, haciendo eco del sarcasmo de él.

—No será la primera vez.

Ella lo miró dos veces de soslayo al oír eso. Pero lo que más la sorprendió fue la sinceridad que había en su tono. No estaba bromeando. La imagen de él tendido en algún lugar del campo de batalla vendándose una herida abierta le provocó un dolor peculiar en el pecho. Por alguna razón que no entendía estaba sufriendo por él.

Estaba sentado a su lado, sosteniendo todavía su hombro con la mano cada vez más cubierta de sangre. Un ligero brillo de sudor cubría su hermoso rostro, que ahora tenía un aire ceniciento.

Ella no estaba dispuesta a discutir más, dado que el tiempo apremiaba, así que decidió seguir su consejo.

—De todas formas necesitas un médico.

—Entonces será mejor que tú y tus amigos consigáis uno de manera furtiva, porque de otro modo nuestro cometido está totalmente «jodimedio».

—¿«Jodimedio»?

—Jodido sin remedio.

Ella se dirigió hacia lo que esperaba que fuese un hotel seguro.

—No estamos jodimedios.

—Sí, lo estamos. Nuestro amigo del Escalade tiene veinticuatro horas para matarme, así que tengo el fuerte presentimiento de que no lo hemos visto por última vez. —Colocó el revólver en el asiento de al lado. Estaba completamente cubierto de sangre—. También necesito conseguir algún tipo de arma para poder darle una dosis de su propia medicina. Dejemos que se presente cuando estemos en igualdad de condiciones.

—Espera, espera, espera. Vuelve a lo primero. ¿Qué es eso de las veinticuatro horas? Andre no me ha dicho nada sobre eso.

Steele le dirigió una mirada significativa.

—¿Querías que consiguiera un trabajo? Muy bien, preciosa. Ésa es su manera de comenzar. Yo lo mato a él, o él me mata a mí. El ganador se queda con el trabajo.

—Estás bromeando.

—Completamente. No hay nada serio en lo que digo. Todo esto es una gran alucinación. Y no estoy aquí sentado sangrando en peligro de muerte. Pero, ya que es una alucinación, ¿por favor, puedes hacer que mi brazo deje de palpitar? Porque te aseguro que ahora mismo duele como el infierno. —Esto último prácticamente fue un gruñido.

—No tienes por qué ser tan desagradable.

Él le gruñó como un oso herido... o a ella al menos le pareció el gruñido de un oso. Ese gruñido no hizo más que aumentar mientras subían hacia el Henley Park Hotel y aparcaban a un lado para que su coche abollado no se viera tanto.

—¿Qué diablos vamos a hacer aquí?

Ella le dirigió una mirada amenazadora mientras estacionaba el coche.

—Coger una habitación.

—Es un hotel despampanante. Claro. ¿Por qué no?

—El asesino no nos buscará aquí.

Él puso los ojos en blanco.

—No se puede huir de los satélites, Syd. Por no mencionar el hecho de que me va a ser un poco difícil pasar desapercibido aquí justo ahora. ¿Cómo propones que entre? Creo que se disgustarán si dejo llenos de sangre sus pulidos suelos.

—No te preocupes, Steele. En este hotel tienen muchas medidas de seguridad. Si entra aquí alguien que no esté registrado como huésped, lo detendrán. Un político francés y su familia están ahora aquí de vacaciones y han incrementado sus medidas de seguridad para alojarlo. Es el lugar más seguro que conozco.

Ella le colocó el arma sobre la pierna.

—Toma. Para que estés protegido mientras yo voy a hacer la inscripción. —Ella vaciló al ver la angustia de su expresión—. Aguanta aquí un momento, ¿de acuerdo?

Él cogió el arma a regañadientes.

—¿Qué? ¿Vas a ser suave, despiadada Syd?

Ella le dedicó su propio gruñido antes de salir y cruzar la calle para dirigirse a la entrada.

Steele se contuvo para no decir nada mientras ella lo dejaba allí a la vista como una señal de neón implorando al asesino a sueldo que viniese a acabar con él.

Mientras él miraba en torno al coche, con sus evidentes agujeros de bala y cristales rotos, comenzó a reírse al pensar en el aspecto que debía tener desde fuera con el guardabarros también dañado. Sí, como para pertenecer a un hotel de lujo... Era un milagro que los dueños no estuviesen llamando a la policía para sacar a semejante gentuza del local.

No sabía qué podía ser peor.

Steele entrecerró los ojos para aguzar la vista cuando un sedan negro sin matrícula entró en el terreno. Luego redujo la marcha hasta tener a la vista su coche. Se deslizó cerca hacia su lado.

Él agarró el arma, dispuesto a disparar. Apretando los dientes para contener el dolor, echó hacia atrás el pasador para guardar una bala en la recámara y se preparó para disparar.

Hasta que vio a dos mujeres jóvenes saliendo del coche. Mantenían una charla mientras se ponían sus bolsos de diseño sobre los hombros y cogían varias bolsas de compras del asiento trasero. Completamente inconscientes de él se alejaron charlando camino al hotel.

Steele respiró profundamente mientras volvía a colocar el dispositivo de seguridad y se relajaba a pesar de que el dolor de su hombro fuera una palpitante pesadilla. Había aprendido hacía mucho tiempo a lidiar con la incomodidad física. La herida finalmente dejaría de palpitar, o de lo contrario lo mataría.

En aquel momento no tenía una preferencia. «Sólo que este maldito dolor pare.»

Apretando los dientes, inclinó la cabeza y respiró profundamente. No estaba seguro de cuánto tiempo había transcurrido hasta que vio a Syd dirigirse de vuelta al coche.

Ella corrió a su lado.

—Quédate aquí un segundo —le dijo, moviendo mucho los labios para que pudiera entenderla a través del único cristal que no estaba destrozado.

—Puedo oírte perfectamente, ya que la mayoría de los cristales han desaparecido —dijo Steele con sarcasmo, frunciendo el ceño mientras la veía dirigirse al maletero. Pocos segundos más tarde regresó a su lado con un abrigo largo. Abrió la puerta y puso cara de compasión al ver la sangre que había empapado la falsa piel de la tapicería interior del coche.

—Lo siento, cariño —dijo él, limpiándose el sudor de la frente—. Lo he puesto todo perdido.

A ella no pareció divertirle la broma.

—¿Estás bien?

—Para ser un tipo con una hemorragia mortal estoy bastante bien. ¿Y tú?

Ella sacudió la cabeza mientras le pasaba una mano sobre la cara. Él cerró los ojos ante la ternura de sus inesperadas acciones. No entendía cómo era posible que la caricia de ella lo hiciera sentir algo más allá del dolor de su herida, pero así era. Diablos, incluso se le estaba poniendo otra vez duro.

Ella le apartó el pelo de la frente.

—Necesitamos llevarte dentro.

—¿Qué pasa con el coche?

—Yo me ocuparé de él.

Decidido a no discutir, Steele salió del coche lentamente y se puso el abrigo por encima. Dejó escapar un gemido al ver que el hombro le dolía todavía más. Oyó el quejido que Syd hacía por compasión. Ella lo ayudó con cuidado a ponerse el abrigo y se lo abotonó.

Hacía un poco de calor para llevar abrigo, y no hay duda de que con él llamaría la atención, pero el abrigo sería un poco menos llamativo que la sangre.

—Necesitamos llegar a la habitación antes de que la sangre traspase la tela —murmuró él.

Ella asintió mientras intentaba ayudarlo a avanzar.

—Puedo hacerlo, Syd. Levantaremos demasiadas sospechas si me ayudas.

—De acuerdo —dijo ella mientras lo conducía hacia el hotel.

—Sigo pensando que es un error quedarnos aquí.

—No te preocupes. Este lugar está plagado de medidas de seguridad.

¿Se suponía que eso debía hacerlo sentir mejor? Lo último que necesitaba era a unos televidentes que acababan de ver su supuesta huida de la cárcel.

—Estamos en el tercer piso —dijo ella mientras entraban al vestíbulo y lo conducía hacia los ascensores.

Iba a ponerse las gafas de sol, pero al ver lo oscuro que era el vestíbulo se dijo que eso lo haría parecer todavía más sospechoso de lo que ya resultaba. Así que mantuvo la cabeza baja, pero era muy consciente de todas las personas que había en el lugar. Afortunadamente, las dos recepcionistas estaban ocupadas charlando y el único hombre que había en el vestíbulo estaba sentado trabajando con su portátil.

Syd sacó su teléfono móvil y apretó un botón. Comenzó a hablar en la jerga de los agentes secretos, lo cual significaba que no estaba diciendo nada mientras ponía a alguien al día de su situación. Steele no tenía ni idea de con quién estaba hablando, y francamente no le importaba. La cabeza comenzaba a zumbarle, y lo peor que podía pasarle era desmayarse justo ahora.

Se apoyó contra la pared trasera del ascensor mientras ella apretaba el botón que los llevaría a su piso. Pareció que pasaba una eternidad antes de que las puertas se abrieran y apareciera ante ellos un elegante pasillo. Syd lo condujo hasta una habitación que estaba a medio camino entre el ascensor y las escaleras.

—Déjame adivinar —dijo él mientras ella hurgaba en la cerradura—. ¿No es una coincidencia?

Ella negó con la cabeza mientras colgaba el teléfono.

—Necesitamos salidas para escapar.

—Una chica lista.

Tan pronto como ella abrió la puerta, Steele se dirigió hacia la cama para poder acostarse por fin. Pero lo que realmente quería era perder el conocimiento.

Si al menos…

Syd se mordió los labios mientras se dirigía hacia Steele y le ayudaba a quitarse el abrigo, que ahora estaba completamente empapado de sangre. Ella hizo un gesto desesperado al ver su herida.

—Lo siento. No me había dado cuenta de lo grave que era.

—Es sólo una herida superficial —dijo él en una mala imitación de *Los caballeros de la mesa cuadrada y sus locos seguidores*.

—¿Qué eres, un loco? —preguntó ella, usando otra cita de esa escena.

Él se rio, luego gruñó.

—¿Te gustan los Monty Python?

Ella asintió mientras dejaba caer al suelo el abrigo.

—Ven la violencia inherente en el sistema. Ayuda, ayuda, estoy siendo oprimido.

Los ojos de él brillaban, a pesar de que su frente estuviera arrugada por el dolor.

—Necesito algunas toallas, un cuchillo y útiles de costura con algún tipo de alcohol para ponerlos en remojo.

Syd frunció el ceño.

—¿No pretenderás en serio hacerte esto tú solo?

—La otra alternativa es cauterizar la herida, en cuyo caso necesito toallas, un cuchillo y un encendedor.

Ella lo observaba horrorizada ante su calma.

—¿Simplemente vas a desenterrar eso de tu hombro tú solo?

—Sería agradable que lo hicieras tú, pero dado que me da miedo que me cortes una arteria y me mates creo que debería encargarme yo.

—¿Haces esto muchas veces? —preguntó ella mientras iba en busca de las toallas.

—Sólo cuando lo tengo que hacer.

Ella sintió una punzada en el estómago. Cogió dos toallas y volvió junto a él. Para ser honestos, estaba muy preocupada. Él no tenía buen aspecto, pero dado el estado en que se hallaba eso no resultaba nada sorprendente.

—Acuéstate —dijo ella mientras apretaba las toallas contra la herida—. Andre estará de un momento a otro aquí con ayuda.

—¡No!

Ella lo miró con severidad.

—Sí, Steele. No podemos permitir que te nos mueras. Ya estamos bastante comprometidos.

Ella pudo notar que él quería discutir, pero se limitó a echar hacia atrás la cabeza y apretar la mandíbula.

Alguien llamó a la puerta.

—Servicio de habitaciones.

Steele levantó el revólver y apuntó hacia la puerta antes de que ella pudiera hacer el gesto de alcanzarlo. Le dijo que se quedara quieto y se acercó hacia la puerta, temiendo que fuera el asesino a sueldo. Se puso de puntillas para ver a través de la mirilla.

—¿Sí?

—¿Necesitan toallas extras y alcohol?

Ella se relajó tan sólo un poco al oír la clave. Sin embargo, no era tan tonta como para fiarse completamente. Echó una mirada a Steele, que continuaba apuntando con el revólver, antes de quitar el cerrojo a la puerta y abrirla lentamente.

La mucama entró despacio, seguida por Andre.

Steele frunció el ceño a la pequeña mujer de origen hispánico vestida con uniforme de señora de la limpieza mientras dejaba caer el revolver a un lado. Andre cerró la puerta y puso el cerrojo.

La mucama llevaba un brazo cargado de toallas, pero en lugar de dirigirse hacia el baño se acercó a la cama. Él la observó mientras se sentaba a sus pies y abría un maletín de médico.

—Todo está bien —le dijo mientras se acercaba a él para cortarle la camisa—. Soy la doctora Vásquez.

—Eso espero —dijo él en voz baja—. Odiaría que fuera Alice quien me sacara una bala del cuerpo. Llámame loco, pero no creo que enseñen esto en la escuela de cocina. Por no mencionar que no recuerdo ningún episodio en que Marcia, Greg o Cindy recibieran una herida de bala.[24]

Ella le dio unas palmaditas en el brazo antes de sacar los algodones con alcohol, luego se dispuso a limpiarle la herida.

—Sé que el dolor hace a todo el mundo irritable.

—Él siempre es así —dijo Syd secamente.

Él soltó un bufido.

—Oh, apenas acabo de empezar. Espera a que el dolor empeore.

Syd no dijo nada y se limitó a apartarse mientras la doctora se preparaba para darle anestesia local.

—¿Sabemos algo sobre nuestro amigo? —le preguntó a Andre.

Andre negó con al cabeza.

—Dejó atrás a los policías y se desvaneció por la autopista interestatal. Fue visto por última vez en dirección al norte.

Syd suspiró como si aquella información la irritase.

—Eso no nos dice nada.

—Lo sé.

---

24. Todos son personajes de una serie cómica televisiva de Estados Unidos titulada *The Brady Bunch,* basada en una extensa familia. Greg es uno de los tres hijos varones de Mike Brady, quien se casa con una mujer que a su vez tiene tres hijas, entre ellas Cindy y Marcia. En cuanto a Alice, es el ama de llaves de la familia. *(N. de la T.)*

Syd volvió junto a Steele, que estaba observando cómo la doctora extraía la bala de su hombro. Volvió a sentir que se le encogía el estómago. El hombre definitivamente tenía agallas. En eso tenía que darle crédito. Ella sería incapaz de observar a un médico curándole una herida.

Se volvió hacia Andre.

—Vamos a necesitar algunos suministros…

—Un rifle M21 —dijo Steele desde la cama—. Quiero también una pistola, un cuchillo de mariposa y algunas bombas de humo. Un teléfono móvil cifrado y seguro y una bolsa deportiva. Necesito una navaja multiusos, arcilla, alambre y un alambre electrónico para abrir cerraduras.

Syd frunció el ceño. Él estaba empezando a sudar en serio.

—¿Cómo diablos eres capaz de concentrarte mientras alguien te está extrayendo una bala del hombro?

Él le dedicó una mirada divertida.

—El espíritu vence a la materia. Por no mencionar el hecho de que no quiero morir ahora. Todavía hay algunas pocas cosas que quiero hacer, como darle una patada tan fuerte en el culo al asesino que le deje la marca de la bota por toda una eternidad… ¡oh! —soltó mientras la doctora le retorcía la parte todavía sensible de su brazo.

Andre sacudió la cabeza.

—De acuerdo, tengo su lista. Me haré con un nuevo coche, eliminaré el viejo y conseguiré todas esas cosas…

—Déjanos a nosotros ocuparnos del coche —dijo Steele—. Parecerá más auténtico de esa forma.

Andre asintió.

—De acuerdo. Otra vez, entonces. Consigo un coche y lo aparco en la calle. Meto todas las cosas en el maletero y lo cierro perfectamente, de modo que parezca que vosotros lo robáis. Supongo que sabrás cómo hacerlo.

Steele asintió.

Andre miró a Syd.

—Cuidaos los dos.

—Lo haremos.

Al menos eso esperaba. Peor era tener certezas, ya que ninguno de ellos sabía contra quién luchaban.

Syd acompañó a Andre fuera de la habitación y luego no habló mientras la doctora cosía la herida de Steele. La fuerza de él era absolutamente sorprendente, y tenía que reconocer que estaba aprendiendo a respetar a ese hombre. ¿Cómo era posible que un hombre como él hubiera perdido el control hasta el extremo de disparar a su comandante?

No tenía sentido. Lo cual la llevaba a preguntarse qué más habría pasado entre ellos. ¿Qué era lo que el comandante no había mencionado y Steele mantenía en secreto? Tenía que reconocerlo, se sentía más atraída por él de lo que quería. Pero ¿cómo podría una mujer no sentirse fascinada por alguien que era capaz de mantenerse tan sereno y tan competente en una situación tan extrema como aquélla?

Mantuvo la cabeza ladeada hasta que la doctora terminó.

—Necesitará alguien que lo ayude a mantener la herida limpia —dijo la doctora Vásquez mientras le limpiaba la sangre de los puntos—. Dejo un antibiótico, algodones y vendas para la herida. Simplemente, asegúrate de que no tiene mal aspecto. Necesitamos mantener la infección tan a raya como podamos.

—Toma. —La doctora Vásquez le entregó una pequeña botella—. Tengo también medicación para el dolor pero creo que es preferible que no la use, porque le provocará somnolencia. Pero por si acaso…

—Gracias.

—Estoy aquí, doctora —dijo Steele—. No soy ni estúpido ni sordo. Puedo oírla.

La doctora no dijo nada mientras acababa de recoger sus cosas. Al salir de la habitación tenía el mismo aspecto que cualquier otra mucama del hotel.

Ninguno de los dos habló mientras la doctora salía con lo que aparentemente eran simples toallas sucias.

Syd puso el cerrojo a la puerta antes de volver junto a Steele, que parecía a punto de desmayarse.

—¿Cómo te encuentras?

—He estado mejor.

Sin duda así era. Syd se dirigió al cuarto de baño para coger una compresa fría. Después de empaparla volvió con ella para colocársela sobre la frente húmeda.

—Lo siento, Steele. No sabía que te harían esto.

Sus facciones se relajaron cuando cerró los ojos.

—Está bien, Syd. ¿Quién podía haber imaginado que un hombre que dirige una empresa de mercenarios y asesinos a sueldo podría ser un psicótico?

Ella suspiró disgustada.

—¿Podrías abandonar el sarcasmo, por favor?

—Puedo intentarlo, pero no te prometo nada. Suelo destacar en ello.

Sí, desde luego.

—Bueno, supongo que si alguien tiene derecho a ser sarcástico, ése eres tú.

Él abrió un diabólico ojo par mirarla.

—Vaya día, ¿verdad? —Para completa sorpresa de ella, él se incorporó.

—¿Qué estás haciendo?

—No podemos permitirnos quedarnos aquí.

Syd lo empujó para que se echara.

—Yo te protegeré, Steele. Necesitas descansar.

Steele comenzó a luchar, pero la sensación de las manos de ella sobre su pecho desnudo le provocó algo extraño. No era su estilo confiar en nadie. Realmente no lo era y, sin embargo, una parte de él estaba traicionando ese código incluso aunque se hallara tenso.

Se echó de espaldas.

Syd le sonrió, y él sintió una sacudida en la entrepierna al ver la manera en que su rostro se suavizaba. Ella puso la compresa de nuevo en su frente antes de acariciarle suavemente el pelo. Sus caricias le hacían tanto bien que él tuvo que controlarse para no gemir.

No había tenido una mujer cuidándolo así desde…

Nunca.

Era cierto, se dio cuenta. Ni siquiera su madre se había permitido mimarlo. Su padre se había mostrado inflexible con la idea de que un chico no necesitaba ninguna muestra de compasión. Tenía miedo de hacer de su hijo una persona débil. Y la mayoría de mujeres con las que había salido habían estado más pendientes de ser consoladas que de consolarlo a él.

—Aparte de tu hermana, ¿tienes algún hermano más, Syd?

—Un hermano más joven.

Él se preguntó si alguna vez habría hecho esto por él.

—¿Tu familia sabe cómo te ganas la vida?

—No tienen ni idea. Creen que soy una agente de seguros del gobierno.

—¿Están orgullosos de ti? —Él no estaba muy seguro de por qué preguntaba eso, pero una parte de él tenía curiosidad. Su padre nunca se había sentido orgulloso de él. Había veces en que él sospechaba que éste ni siquiera soportaba estar en la misma habitación que él, y eso antes de su arresto. No es que le importara. Había asimilado la falta de sentimientos de su padre hacía ya años.

—Sí, lo están, pero me pregunto qué pensarían si realmente supieran a qué me dedico.

—Estoy seguro de que estarían preocupados por tu seguridad.

Ella asintió.

—¿Y qué me dices de ti? ¿Tus padres estaban asustados por tener un hijo militar?

—Para nada. Mi padre no podía esperar el día en que fuera lo bastante mayor como para alistarme y así poder ponerme de patitas en la calle. Y mi madre era de aquellas que de buena gana me hubiera entregado un rifle y me hubiera dicho que no la avergonzara al marcharme a la guerra. Creo que en alguna vida anterior debió de ser una madre espartana.

Ella le retiró el trapo de la frente.

Steele abrió los ojos para descubrir que ella lo contemplaba con una mirada extraña y casi llorosa.

—¿Es por eso que no dejas que nadie te llame por tu nombre?

—La verdad es que no. En realidad nadie lo usaba nunca. Mi padre siempre me llamaba chico o hijo. Mi madre y mi hermana usaban J.D., y todos mis amigos usaban mi apellido sólo para cachondearse de mí, así que se me quedó pegado Steele desde muy pronto.

Ella ladeó la cabeza y arrugó la nariz.

—No te pega J.D.

—¿No?

Ella negó con la cabeza.

—Además, tiene demasiados significados despectivos.

—¿Cómo cuáles?

—Jurado del Deber, Departamento de Justicia, Doctorado Jurado, Delincuente Juvenil.

Él le dedicó una sonrisa torcida.

—Bastante apropiado, ya que soy un criminal.

Ella le acarició suavemente la mejilla.

—Tal vez, pero para mi gusto te pega más Josh.

Steele se incorporó para rozar su suave mejilla. Se concentró en esos labios suyos que siempre parecían estar implorándole un beso ardiente.

—¿Si te dejo que me llames Josh, me besarás?

—Steele… ya te he dicho…

Él la atrajo hacia sí e interrumpió sus palabras con un beso. Steele suspiró mientras probaba la dulce calidez de su boca. Para ser una mujer que quería dejar aquella mañana tras ellos, tenía un modo muy curioso de responder a su beso. Enterró la mano en su cabello mientras ella le mordía suavemente el labio inferior.

Y a pesar de que el brazo le dolía de un modo infernal, sabía que debajo de esa pequeña falda ella estaba todavía desnuda y no podía dejar de preguntarse si ese beso la estaba poniendo húmeda para él.

A Syd le resultaba difícil pensar con él besándola de aquella manera. ¿Qué era aquello que había en él y resultaba tan adictivo?

Él profundizó su beso al tiempo que le cogió la mano y la puso sobre su miembro sólo para que ella pudiera sentir lo hinchado que estaba. Ella se lo agarró a través de la tela de los vaqueros, teniendo cuidado de no hacerle daño. Gimió al notar su tamaño mientras una imagen de él entre sus brazos la asaltaba. Recordó exactamente lo bien que se había sentido antes.

Él tenía razón, en realidad ella no podía arrojarlo de su mente.

Pero no tenía otra elección. Apartó la mano y retiró los labios.

Vio la decepción en sus ojos.

—Lo sé —dijo él bruscamente—. No es el momento ni el lugar.

—Por no mencionar que estás herido.

—Sí, pero ya sabes lo que dicen.

Ella frunció el ceño.

—¿Sobre qué?

—Es imposible sentir dolor y placer al mismo tiempo. Ya que no puedo tomarme los medicamentos, ¿no querrás tú aligerar mi dolor?

Ella lo miró disgustada. Tienes que ser el rey de las malas insinuaciones. ¿Alguna vez has conseguido engatusar a una mujer con una de ellas?

Su mirada se volvió diabólica.

—Todo el tiempo. Las mujeres adoran mi ingenio a la hora del cortejo. Además, valía la pena intentarlo.

—Sigue hablando así, y tendrás otro disparo del que ocuparte.

—Sí, sí. —Rebuscó en su bolsillo.

Syd frunció el ceño cuando le vio sacar una bolita de tela verde oscuro. Su rostro se incendió al darse cuenta de que eran sus bragas.

—¡Dame eso!

Él las mantuvo apartadas.

—Sólo si me dejas ponértelas.

—Estás de broma.

Él negó con la cabeza.

Syd lo observó. En realidad sería fácil quitárselas, pero al hacerlo podía empeorar su herida incluso más. Incluso podía volver a abrirse.

«Hazlo. Lánzate sobre él y quítale tus bragas.»

Pero en realidad él ya la había tocado, no sería tan embarazoso como si ocurriera por primera vez. Aquel pensamiento la encendió, pues recordó exactamente lo bueno que había sido lo ocurrido por la mañana.

—Está bien —dijo enfadada.

Sus ojos oscuros tenían un aire burlón mientras estiró las bragas y se puso de pie lentamente. Para ser honestos, la verdad es que ella casi no podía respirar cuando lo vio arrodillarse en el suelo frente a ella. Puso una mano en la pared para apoyarse y levantó una pierna para insertarla dentro de la prenda.

Sabía que desde aquella posición él tenía una vista perfecta de lo que había bajo su falda. Era extrañamente erótico, especialmente por la mirada provocadora que había en su rostro. Syd sabía que él estaba recordando su sabor, y la verdad era que ella deseaba volver a sentir de nuevo su boca. Su cuerpo estaba completamente encendido tan sólo por notar el aliento de él en aquella zona. Lamiéndose los labios, subió la otra pierna.

Steele subió las bragas lentamente, al tiempo que se levantaba hasta hallarse de pie frente a ella. Le subió el dobladillo de la falda hasta la cintura antes de deslizar la mano entre sus cuerpos.

—Mírame a los ojos, Syd, y dime que no estás húmeda para mí. Dime ahora que no te mueres de ganas de que te toque.

Ella no podía hablar. Él tenía razón. Su cuerpo estaba absolutamente palpitante con un agridulce dolor.

Mientras él tiraba de sus bragas sus nudillos rozaron la sensible grieta. Ella gimió a pesar de sí misma.

A él se le movió la comisura de los labios mientras soltaba sus bragas y apretaba un dedo largo y duro contra ella. Ella se estremeció mientras lo movía contra esa parte de ella que se había hinchado para él.

Steele quiso dar un grito triunfal cuando comprobó lo húmeda que realmente estaba y vio que, además, ella no lo apartaba. Inclinando la cabeza hacia abajo, besó esos gruesos y tentadores labios. Ella se aferró a él mientras deslizaba un dedo en su interior.

Y ella era la que hablaba de olvidar lo de aquella mañana… Pero él nunca se burlaría de eso. La verdad era que él no quería que lo olvidara, del mismo modo que no quería separarse de ella. Con dolor o sin dolor, quería probarla otra vez.

Y más que eso, quería que ella cabalgara sobre su miembro de la misma forma que ahora lo hacía sobre sus dedos.

Con el cuerpo en llamas, él se disponía a desabrocharse el pantalón cuando vio el destello de una extraña sombra en la pared que había junto a ella.

Syd gimoteó cuando Steele la apartó de su cuerpo blanco y caliente. Él había dejado de mirarla para mirar la ventana. Frunciendo el ceño, se volvió para ver qué era lo que lo había distraído. Pero antes de que alcanzara a hacer nada más que un mínimo movimiento de cintura, Steele cayó de rodillas y la tiró al suelo con él.

Tres segundos después, ella oyó un estallido en la pared. Alzó la vista y palideció.

Había un agujero de bala justo en la zona donde había estado su cabeza un segundo antes.

Capítulo diez

Más disparos salpicaron la pared color beis al tiempo que destrozaban los cristales de las ventanas y las balas desgarraban la tela de color apagado de las cortinas.

—Malditos aficionados —le gruñó Steele al oído mientras se apartaba de ella para colocarse más cerca de su arma—. Por otra parte, gracias a Dios son tan malos que de lo contrario estarías muerta.

Aquello no lograba reconfortarla. Syd se subió rápidamente las bragas y se bajó la falda e intentó no pensar en el hecho de que lo más probable era que su asaltante hubiera visto su pequeño interludio amoroso a través de la mira telescópica de su rifle.

—¿Desde dónde está disparando? —preguntó Syd.

Él la miró con condescendencia.

—No lo sé. ¿Quieres asomarte a mirar por la ventana y luego me das la respuesta?

Ahora fue ella quien lo miró molesta.

—Creía que los expertos como tú podían saber esas cosas por el ángulo del impacto y todo eso.

Él se arrastró por el suelo hasta llegar a su arma.

—Podría si me pusiera de pie para examinar el impacto de la pared, pero personalmente preferiría vivir lo suficiente como para poner el cañón de mi SR sobre ese…

Sus palabras fueron interrumpidas por más tiros.

Pero estos últimos fueron suficientes para darle una pista sobre su procedencia… desde el otro lado del área de aparcamiento. Poniéndose de rodillas, Syd se alzó un poco y disparó a través de la ventana destrozada.

Steele ladeó la cabeza.

—¿A qué le estás disparando?

—Espero que a nuestro atacante.

—¿Tienes munición extra después de agotar ese cartucho?

Ella se molestó por su crítica y por el hecho de que él tenía razón. Una vez se agotara la munición estaban perdidos.

Steele suspiró disgustado al ver que más disparos entraban al azar en la habitación.

—¿Por qué está disparando así? No tiene ningún sentido. Hay demasiados testigos para arriesgarse tanto.

Ella oyó el sonido de sirenas de la policía acercándose.

—Quizás lo está haciendo para conseguir que te arresten.

Él negó con la cabeza, y ella se mostró de acuerdo… aquello tampoco tenía sentido. Dado que Steele conocía la existencia de su asociación clandestina, lo último que ellos querrían sería darle la oportunidad de hablar con la policía acerca de su organización.

Entonces, ¿a qué se debía aquel ataque espectacular? Era como si el asesino quisiera que lo cogiesen.

Más balas entraron en la habitación.

Ella miró a Steele mientras éste soltaba otra maldición.

—¿Quieres darte a la fuga?

Su rostro se endureció como si estuviera preparado para mirar fijamente al demonio y vencerlo.

—La verdad es que no. Él está allí fuera esperándonos. Si salimos ahí, será para él como disparar a los patos en un barril.

—¿No se dice peces en un barril?

—No me vengas ahora con metáforas, Syd. ¿No te das cuenta de que estoy estresado?

Él tenía razón. Pero ¿qué les quedaba entonces? No podían quedarse allí con la policía a punto de echárseles encima mientras les estaban disparando.

—¡Seguridad del hotel!

Syd añadió su propia maldición a la de él mientras alguien golpeaba la puerta. ¿Qué tipo de idiota haría semejante cosa?

Acaso no podía oír…

El asesino interrumpió su asalto… probablemente para recargar, pero podía acribillar la puerta a balazos en cualquier momento. Ya podía encomendarse a Dios el idiota del pasillo si lo hacía.

¿Qué iba a hacer ella? La cama estaba llena de sangre. La camisa de Steele estaba en el suelo hecha pedazos y la venda de su hombro comenzaba a sangrar otra vez. Ella no tenía ningún tipo de documento de identificación y Steele tampoco.

Lo último que necesitaban precisamente ahora era que los guardias de seguridad del hotel vinieran a molestarlos.

Y todavía sería peor que los policías de ahí fuera entraran como un huracán en el edificio y les pidieran documentos.

—Creo que vas a volver a la cárcel una temporadita —dijo Syd.

Él la miró.

—No. No voy a verme desarmado en la celda de una cárcel gracias a este gilipollas. Regla número dos de un francotirador... nadie me quita un arma.

La puerta hizo un clic y se abrió lentamente.

Antes de que ella pudiera moverse, Steele se lanzó contra el hombre que llevaba un uniforme rojo de seguridad. Más balas se esparcieron por la habitación mientras Steele y el hombre caían estrepitosamente contra el suelo del pasillo.

—¿Steele? —lo llamó ella.

Él arrastró al guardia de seguridad al otro lado del pasillo, donde comprobó su cartuchera mientras se apoyaba contra la pared.

—¡Quédate ahí! —ordenó al guardia, que todavía estaba en es suelo—. No sé quién nos está disparando y por qué, pero aún no ha detenido su ataque.

El guardia estaba completamente inmóvil.

—¿Qué debo hacer?

Syd lo miró cortante.

—Respira superficialmente y, sobre todo, no levantes la cabeza. Al menos si lo que quieres es conservarla.

Más balas estallaron contra la pared y el marco de la puerta.

El guardia de seguridad se cubrió la cabeza y comenzó a rezar en voz alta.

Tan pronto como Syd salió también al pasillo, Steele la agarró y corrió con ella en una postura medio agachada hacia las escaleras.

—¿Qué estamos haciendo? —preguntó ella—. La policía estará…

—Nos dirigimos hacia arriba —dijo él, subiendo las escaleras.

—¿Por qué?

—Porque la policía subirá hasta nuestro piso —dijo él con los dientes apretados—. Y no podemos ir hacia abajo sin encontrarnos con ellos. No sé tú, pero yo no tengo ganas de que me encuentren medio desnudo y sangrando.

Los dos llamaban un poco la atención. Personalmente, ella prefería encontrarse con la policía antes que con su atacante, pero ya que hasta el momento ella se había encargado del asunto, decidió ver cuáles eran los planes de Steele. Él la hizo subir dos tramos de escalera.

Luego se encaminó por el pasillo hasta una puerta que se hallaba en el lado opuesto al de la habitación donde antes se encontraban.

Golpeó con brusquedad.

—Seguridad del hotel. ¿Hay alguien ahí?

Syd permaneció en silencio mientras el corazón le latía frenéticamente contra el pecho. Odiaba hallarse en una situación sobre la que había perdido completamente el control. No le pasaba muy a menudo y, realmente, le molestaba que le estuviera ocurriendo ahora.

Odiaba también el hecho de no saber quién o qué era lo que había allí fuera, tratando de arrebatarles la vida.

Tras unos segundos en los que no obtuvo respuesta, Steele puso una tarjeta llave en la cerradura y la puerta se abrió.

A ella se le aflojó la mandíbula de la sorpresa.

—¿Cómo…

—Se la saqué al guardia de seguridad cuando lo lancé al suelo —dijo él, abriendo la puerta. Él entró primero y examinó la habitación.

Luego la empujó a ella dentro, cerró la puerta y echó el cerrojo.

Ella lo observó mientras abría los cajones y rebuscaba en ellos hasta encontrar una sudadera con un logotipo del distrito de Columbia. Comprobó la talla antes de ponérsela sobre su torso desnudo.

—Benditos sean los turistas —dijo mientras volvía hacia la puerta y miraba a través de la mirilla.

Syd repitió sus acciones buscando en los cajones un par de pantalones. Se quitó los tacones y se cambió la falda por unos tejanos azules anchos, colocándose la blusa como pudo por encima de ellos. No era un conjunto de lo más atractivos, pero serviría.

Si consiguiera zapatillas de deporte…

—Bien —dijo Steele—. Tú y yo somos simplemente un matrimonio de turistas y no sabemos nada sobre todo esto. ¿Entiendes?

—Claro.

—Bien.

Syd tiró sus zapatos a la basura.

—Si no salimos de aquí pronto, estaremos jodidos.

Él resopló.

—No sé tú, pero yo tuve la sensación de estar jodido en el mismo momento en que conocí a tu gente. Lo mínimo que puedes hacer, cariño, es darme unas pocas más caricias estimulantes para facilitarme las cosas.

Ella sacudió la cabeza a la vez que oía un golpecito seco fuera, probablemente la policía cortando los cables de alta tensión del hotel.

Syd colocó su arma en la cinturilla del pantalón.

—Hablando de facilitar las cosas, salgamos de aquí con una escolta policial.

—¿Estás loca?

—No. Piénsalo. Apuesto a que nuestro pequeño francotirador de ahí fuera lleva un uniforme de policía y entrará con ellos para registrar el hotel. ¿Por qué otra razón nos dispararía de esta manera a menos que pretenda que los policías vengan y lo cubran? Te disparará al verte y alegará que te reconoció como criminal en fuga. Luego desaparecerá en medio del caos.

Ella vio en sus ojos que, aunque de mala gana, admiraba su idea.

—Eso tiene sentido, ¿no? Las noticias informarán de un accidente y él obtendrá así confirmación del asesinato. Bajo todo punto de vista se trata de un buen plan.

—Demasiado bueno. Así que necesitamos salir de aquí antes de que él entre y te dispare en alguna zona que no podamos vendar.

Steele nunca había sido un tipo dispuesto a seguir a nadie ciegamente… cosa que le había ocasionado serios problemas cuando estaba en el Ejército. Sin embargo, estaba empezando a confiar en Syd y en sus instintos casi tanto como confiaba en los suyos. Odiaba tener que admitirlo, pero ella era una buena aliada.

—¿Cuál es tu plan?

—Sobrevivir a esto —le dijo ella con un guiño—. Vamos, sígueme.

Lo tomó de la mano y lo condujo por el pasillo vacío. Se hallaban completamente a oscuras mientras se dirigían de vuelta hacia el hueco de las escaleras, que ahora estaba lleno de policías.

Bajaron un tramo de escaleras hasta alcanzar a los oficiales, que los miraban alarmados.

Syd inmediatamente se lanzó sobre el que tenía más cerca.

—¡Oficial, oficial, por favor ayúdenos! Estoy muy asustada por todo este estruendo. ¿Qué es lo que pasa?

Steele tenía que reconocer su mérito. Esa mujer podía ser una buena actriz si la situación lo requería.

El policía lo miró antes de liberarse de Syd, que lo agarraba de forma agobiante.

—Todo está bien, señora. Sólo hay un pequeño altercado.

—Mi marido dice que estaban disparando —dijo ella en un tono agudo y casi histérico que resultaba completamente incongruente con la mujer capaz que ella era—. ¿Han sido disparos?

Steele fingió poniéndole una mano en el hombro para tranquilizarla.

—No molestemos al oficial, cariño. Parece muy ocupado.

—Pero no puedo evitarlo —se lamentó Syd—. No quiero que le pase nada a mi bebé. —Se colocó las manos sobre el estómago como para protegerlo—. ¿Por favor, dónde puedo ir para estar a salvo?

Steele quedó todavía más impresionado cuando vio que aparecían lágrimas en sus ojos y que comenzaban a caer por sus mejillas. Realmente se merecía un premio de la Academia.

—¿Dónde podemos escondernos? —preguntó ella sorbiendo por la nariz.

El oficial la agarró del brazo con actitud protectora.

—¿Es su primer bebé?

Ella sorbió otra vez por la nariz y asintió.

Él se volvió hacia una mujer policía que subía las escaleras.

—Mary, tenemos aquí a una mujer embarazada que está asustada. ¿Puedes ayudarlos a llegar a una zona segura?

—Por supuesto. —La oficial sonrió a Syd—. Sígame, señora, y la llevaré hasta las oficinas. Allí estarán a salvo.

Steele dudaba de que aquel lugar del hotel fuese seguro para ellos. Pero al menos por el momento la policía estaba tan preocupada por el francotirador que no lo estaban buscando a él. Que Dios lo ayudara si se ponían a hacerlo.

La agente los condujo escaleras abajo. Había por lo menos dos docenas de policías y una unidad SWAT[25] registrando el edificio. Cuando se acercaron a la planta baja, a Steele se le erizó el vello de la nuca. Su subconsciente había registrado algo. Examinó a los policías que había a su alrededor. Ninguno de ellos les prestaba atención mientras nerviosamente se ocupaban de su trabajo. Echó una ojeada a los uniformes azules hasta que se dio cuenta de algo… Descubrió al asesino dos segundos antes que Syd. Era el único policía que no estaba nervioso. El único que los miraba directamente como si supiera exactamente quiénes eran y qué estaban haciendo.

El tipo era de altura media y tenía un cabello castaño corriente. Para cualquier observador, no había nada en él que llamara la atención. Nada que lo señalara como asesino.

Excepto por un detalle. La mirada de esos ojos marrones era escalofriante… era una mirada que Steele conocía muy bien. Pertenecía a un asesino entrenado que no muestra compasión

25. Son las siglas de Special Weapons and Tactics (Armas y Tácticas Especiales), unidad especializada en intervenciones peligrosas de diversos cuerpos policiales de Estados Unidos. *(N. de la T.)*

mientras evalúa a su blanco y espera el momento oportuno para atacar.

Mierda, estaban muertos. No había lugar donde escapar, y el asesino a sueldo ya estaba sacando su revolver. Y si él le disparaba a un oficial de uniforme todos los policías que había allí se volverían hacia él y lo matarían instantáneamente.

Todo había acabado.

Al menos eso es lo que creía antes de que Syd comenzara a gritar.

—¡Es él! ¡Es él!

Agarró a la agente y la colocó entre ellos dos.

—¿Quién?

—¡Mi ex marido, el policía! Va a matarnos a mí y a Terry. Dijo que lo haría si volvía a vernos juntos. ¡Oh, que Dios nos ampare! —Syd continuó gritando mientras señalaba al asesino, que comenzaba a ponerse nervioso.

—¡Se suponía que no debería estar aquí! —gritó—. Fue expulsado del cuerpo por acecharme y amenazarme de muerte por haberme vuelto a casar. ¡Está enfermo, es un hombre enfermo! ¡Ayuda! ¡Ayuda! ¡Que alguien nos ayude!

Steele tuvo que esforzarse para no sonreír mientras el asesino se apresuraba a salir del hotel antes de que los policías pudieran interrogarlo.

Syd continuaba señalándolo.

—¡Es un falso policía! Deténganlo antes de que sea demasiado tarde. ¡Va a matarme!

—Detengan a ese hombre —gritó la oficial a los demás—. Necesitamos interrogarlo.

El asesino echó a correr y la policía fue tras él. Steele sacudió la cabeza al verlo. Si no estuvieran todavía en peligro, la besaría por la rapidez con que había pensado.

Mientras la policía, que no tenía ni idea de lo que ocurría, iba tras el asesino, Syd cogió a Steele de la mano y lo condujo hacia una puerta que había en la parte posterior del vestíbulo. Podían oír más tiros procedentes de la parte frontal del hotel.

—Eso lo mantendrá ocupado el tiempo suficiente para que salgamos de aquí —dijo Syd mientras inspeccionaba el área de aparcamiento.

SHERRILYN KENYON

El aroma de neumáticos quemados era intenso mientras el Escalade negro se alejaba con varios coches de policía tras él. Era lo mejor que había visto desde que había tenido a Syd desnuda entre sus brazos.

Syd le hizo un movimiento de cejas mientras sacaba su teléfono móvil A y comenzaba a marcar un número.

—¿De dónde sacaste eso? —le preguntó Steele mientras ella lo conducía lejos del lugar de la persecución.

—Se lo saqué al policía sobre el cual me lancé.

Él estaba pasmado.

—Vaya, eres una pequeña ladrona…

Ella arqueó una ceja y echó una mirada a la sudadera robada que él llevaba. Luego dejó de prestarle atención para hablar por teléfono.

—¿Qué hay, Andre? ¿Dónde está el coche nuevo?

Si era cierto lo que ella le había dicho, el asesino a sueldo y su equipo no podían estar escuchándolos a través de la línea de la policía, ya que ni siquiera ellos sabían quién era aquel agente. Era una línea relativamente segura.

Ella se detuvo y examinó la calle.

—Sí, ya lo veo… Por otra parte, tengo una buena descripción de nuestro «amigo». No está militarmente entrenado. Estoy de acuerdo con Steele en cuanto a eso. Tiene unos cincuenta y ocho años, cabello castaño, ojos castaños. Es zurdo y tiene un pequeño tic nervioso en la nariz.

Demonios, ella era incluso mejor observadora que él, y eso ya era mucho.

—Apuesto a que es un antiguo policía —continuó—. Sabía llevar el uniforme demasiado bien y se mezcló entre ellos con demasiada facilidad. Me meteré en la red para buscar en los archivos en cuanto encontremos un agujero seguro.

Steele la siguió hasta un BMW azul que había aparcado. Ladeó la cabeza al ver la forma en que se movía, confiada y a la vez completamente femenina. Balanceaba las caderas de tal forma que un hombre podría estar contemplándola toda el día…

Incluso bajo disparos…

—No —siguió diciendo ella al teléfono, inconsciente de lo

que inocentemente le estaba provocando, y eso que aún tenía en el hombro ese dolor palpitante—. Necesito que te quedes donde estás. Creo que Steele y yo podemos arreglárnoslas por ahora. Estaremos en contacto.

Ella colgó el teléfono y se lo lanzó a él.

Él lo cogió con una mano y le sonrió abiertamente.

—Buen trabajo, Despiadada Syd.

Ella le sonrió con arrogancia.

—Te dije que sabía lo que hacía.

Sí, era cierto. Era bueno saber que no mentía. Hacía demasiado tiempo que no era capaz de confiar en alguien o en algo.

Syd abrió la puerta del BMW, que aparentemente había sido dejada sin cerrar.

—De acuerdo, mi idea sobre un hotel seguro ha sido un desastre. ¿Qué tenemos ahora?

—Un dolor en el brazo terrible y la cabeza a punto de estallarme. —Abrió la puerta del coche y entró. Se inclinó dispuesto a hacer el puente para arrancar el motor, pero Syd lo detuvo.

Mientras él le fruncía el ceño ella extrajo un juego de llaves de la visera del coche.

—Andre las dejó aquí.

—¿Cómo sabía que alguien no iba a robarlo antes de que llegáramos?

Ella señaló al otro lado de la calle, donde se hallaba aparcada la furgoneta de una empresa fumigadora.

—Sonríe a la cámara. Si alguien se hubiera acercado al coche, él habría disparado. —Puso en marcha el motor—. Entonces, ¿ahora cuál es el plan, pez gordo?

—No lo sé. Nuestro amigo de ahí fuera tiene una clara ventaja sobre nosotros. Sabe mi nombre y mi ubicación, lo cual significa que probablemente ahora mismo nos está espiando. Malditos satélites y maldito este sistema llamado Carnívoro. —Este último consistía en un sistema de telecomunicaciones que permitía al gobierno capturar cada *e-mail* o conversación telefónica a través de cables y satélites. Éstos se archivaban para ser examinados más tarde. Es un sistema que muchas organizaciones como el BAD y otras compañías menos legales podían usar para controlar y encontrar gente.

La era de la privacidad había terminado. Existía un sistema capaz de convertir el mundo en una especie de «Gran Hermano». La mayoría de la gente ni siquiera lo sospechaba. A él le molestaba terriblemente que en aquel mismo momento hubiera tipos que pudieran vigilarlo desde una altura superior a cinco kilómetros por encima de la atmósfera, viéndolo con tanta claridad como si se hallaran junto a él en el coche.

Simplemente no estaba bien.

Steele suspiró con irritación.

—Si supiéramos quién es, podríamos volvernos contra él… —De pronto se echó a reír.

Syd frunció el ceño.

—¿Qué?

Él se reía cada vez más, como si se reservara un as en la manga del que nadie sospechaba. Al diablo los satélites y el sistema Carnívoro. Había una persona capaz de encontrar a cualquiera en el mundo. Donde fuera. En cualquier parte. En cualquier momento. La única persona que podía mantenerlos a salvo de cualquier amenaza.

—¿A qué distancia estamos de Calverton, en Virginia?

Ella se encogió de hombros.

—No estoy segura. Creo que a unos cuarenta y cinco minutos o una hora, dependiendo del tráfico. ¿Por qué?

Él no respondió a esa pregunta.

—¿Sabes el camino?

—Vuelvo a preguntarte: ¿por qué?

—Porque conozco a alguien allí que puede ayudarnos.

Syd le lanzó una mirada de reojo. Él no sabía qué era exactamente lo que la hacía tan sexy, pero algo en la expresión de su rostro lo hizo ponerse duro.

—¿Se trata de un amigo de la prisión?

Él se rio con malicia al oír eso.

—Probablemente debe de haber estado en la cárcel al menos una o dos veces, pero no. Él es mucho más peculiar de lo que cualquier recluso podría llegar a ser nunca, incluso en sus sueños más optimistas.

—Oh, Dios —dijo ella, arrugando el entrecejo.

Steele negó con la cabeza ante su sospecha… y no es que la

culpara. Simplemente, no tenía ni idea de dónde se estaba metiendo.

—Él nos protegerá. Te lo prometo. Nadie que se meta con Caimán Jack sale con vida. Confía en mí, estarás más segura que en los brazos de tu madre. Nuestro contratista independiente no tendrá ni una oportunidad.

Ella lo miró.

—Bueno, hay un gran tramo de carretera abierta entre aquí y allí. Nuestro otro «amigo» fácilmente puede volver y acabar lo que ya empezó.

—Por si acaso busquemos un sitio para parar y veamos si Andre nos ha dejado en el maletero algo que valga la pena tener a mano.

Syd obedeció, y al cabo de unos minutos encontraron la caja de un rifle y dos maletas en el maletero. Los ojos de Steele brillaban de júbilo mientras acariciaba el rifle. Estaba bien lubricado, y no tenía un sólo rasguño. A pesar de que había abandonado su oficio de francotirador, le sentaba bien tocar otro rifle después de tanto tiempo. Demasiado bien.

Quizás Jack tuviese razón cuando decía que el oficio de francotirador no se elegía, sino que se nacía para eso. Y que por eso el único modo de acabar con un francotirador era matarlo. Dios sabía que no se había sentido así desde el día en que había sido arrestado. Había un lazo especial que el francotirador sentía hacia su arma. Era como un matrimonio. Tú cuidas de tu rifle y tu rifle te cuida a ti.

Cerrando la caja y dejando a un lado esos pensamientos, se volvió hacia Syd.

—Vamos a Virginia. Tenemos cuentas pendientes con alguien.

Syd sacudió la cabeza ante el entusiasmo que veía en el atractivo rostro de Steele y el brillo de esos mortales ojos marrones. Estaba preparado para darle su merecido al asesino, y ella no podía culparlo. Personalmente, a ella también le gustaría mostrarle a aquel hombre una parte de su entrenamiento.

Se dirigió de vuelta al asiento del conductor mientras él cogía el rifle y un nuevo revólver, además de munición y lo llevaba a su lado del coche. Ella observó cómo inspeccionaba las armas.

—No puedes tener a la vista de ese modo las armas en el coche. ¿Sabes que en Virginia es ilegal, verdad?

—Sólo si nos cogen.

Ella puso los ojos en blanco mientras se adentraba a través del tráfico. La actitud de Steele con las armas le recordaba a la de un niño con su juguete favorito.

—¿Les das tu aprobación? —preguntó ella.

—Andre tiene buen gusto. —Él cargó el revólver y guardó una bala en la recámara.

—Sí, es cierto —admitió ella mientras mantenía sus sentidos alerta vigilando a todos los coches que había a su alrededor. Continuaba esperando que el Escalade volviera a aparecer.

—No seas tan paranoica.

Ella miró a Steele, que había echado la cabeza hacia atrás y tenía los ojos cerrados.

—¿Por qué no?

—No va a volver enseguida. Nos dará tiempo para que relajemos la guardia. Por no mencionar que todavía tendrá que eludir a los policías, recargar e idear una nueva estrategia.

Probablemente él tenía razón.

—¿Cómo te sientes?

—Como si me hubieran disparado y luego me hubieran arrastrado fuera de la cama.

Ella frunció el ceño al ver la sangre filtrándose a través de la sudadera.

—Has estado aguantando como un profesional.

Él abrió los ojos y la miró con dureza.

—Soy un buen profesional, Syd. ¿No es por eso que me escogisteis?

Ella asintió.

—Pero has superado todas mis expectativas.

—No seas blanda conmigo, Despiadada. No sé cómo tratar contigo cuando haces eso.

Ella reflexionó sobre sus palabras. Es verdad que él no parecía disfrutar de interactuar con la gente en general y con ella en particular. Sintió curiosidad al preguntarse qué habría pasado si se hubieran conocido como dos extraños en la calle.

—¿Hay alguien con quien sí te sea fácil tratar?

—En realidad, no —susurró él—. La habilidad para relacionarme nunca ha sido mi punto fuerte. Es por eso que me resulta tan fácil ser un francotirador. Sólo tengo que interactuar con mi observador. Todos los demás pueden irse al carajo.

—O sea que las relaciones largas nunca han formado parte de tus planes para el futuro.

Él soltó un bufido.

—La verdad es que no. Las mujeres me confunden o me irritan. Siempre que he conocido a alguna me he acabado hartando de ella en unos pocos meses.

Ella hizo un ruido de disgusto.

—Como representante de mi género me siento seriamente ofendida por eso.

—Sí, ya… bueno, no veo tampoco ningún anillo en tu dedo, cariño. ¿Eso a qué se debe?

Syd hizo chirriar las ruedas.

—Eso no es asunto tuyo.

—*Touché*.

Syd tenía la sensación de que había alguna razón para un rechazo tan brusco. Recordó el informe sobre él que había leído aquella mañana antes de recogerlo. Él estaba comprometido cuando lo arrestaron.

—¿Tu opinión de las mujeres incluye también a Melissa?

Él frunció el ceño.

—¿A quién?

—Tu novia.

—Margaret —dijo él con calma—. Se llamaba Margaret.

—Perdón. ¿Ella también te sacaba de quicio?

—Sí, es por eso que rompimos un año antes de mi episodio con el comandante.

—Tu informe dice que todavía estabas comprometido cuando te arrestaron.

—Mi informe —dijo él con un tono totalmente desapasionado— estaba equivocado. La dejé el día en que abría la puerta de su apartamento y la encontré de rodillas enfrente de otro tipo. Eso mató cualquier idea que pudiera tener de un futuro con ella.

A ella se le encogió el estómago de compasión por él. Aquélla era una manera dura de enterarte de que tu pareja te engaña. Pobre chico.

—Lo siento.

—No tienes por qué. Probablemente, fue lo mejor que pudo pasar para los dos. Créeme, no se perdió ningún gran amor. Al menos descubrí la verdad antes de que me costara la mitad de todo lo que poseía… Por otra parte, todo lo que ahora tengo es un dolor de cabeza. Quizás después de todo sí debía haberme casado. Me encantaría compartir esto con ella ahora.

Syd soltó una risita ante su sentido del humor. Él era definitivamente todo un personaje.

—¿Qué había tan especial en ella para que a pesar de que blasfemes en contra del matrimonio le pidieras que se casase contigo?

—La mamaba tan bien que sería capaz de desgastar un tubo de escape. Lo malo es que no se limitara a un solo modelo de coche.

Syd se horrorizó ante la crudeza de sus palabras.

—¡Eres un cerdo! Eres tan ofensivo.

Él soltó un suspiro.

—Sí. Lo hago lo mejor que puedo.

En aquel momento ella entendió lo que él estaba haciendo. Estaba tratando de sostener el muro que había entre ellos… y lo estaba haciendo muy bien.

—En serio, Steele, ¿por qué le pediste matrimonio?

Él hizo una pausa, como si estuviera intentando recordar la razón.

—No lo sé. Me pareció que era lo que había que hacer en aquel momento. Llevábamos un año saliendo y ella continuaba haciendo insinuaciones al respecto. Teresa, la esposa de mi observador, dijo que era el momento de que la convirtiera en una mujer honesta o la dejase marchar.

—Entonces le propusiste matrimonio.

—Sí. Todavía no sé por qué. En realidad, no. Ella estuvo de acuerdo, pero lo peor fue que cuando rompimos en el fondo me sentí aliviado.

Ella lo miró.

—¿Crees que le pediste matrimonio porque querías una familia?

Steele no le respondió, mientras sus palabras lo atravesaban. Demonios, ella era astuta. Tanto que daba miedo. No le gustaba hablar de eso, pero sí. Había pasado demasiadas horas viendo esos sensibleros programas de televisión cuando era niño y papá estaba allí con mamá. Su propia familia había sido demasiado disfuncional para él.

Siempre había deseado esa relación de amor especial, como la de alguna patética comedia. ¿Cómo podía un hombre adulto ser tan estúpido como para continuar con ese sueño? Y, sin embargo, no podía negar lo que sentía.

—¿Y que hay de ti, Syd? ¿Hay algún agente o alguien que se acurruque a tus pies?

Ella le dirigió una mirada fiera.

—No, y nunca lo habrá.

—¿Por qué no?

—No confío en vosotros los hombres. Siempre estáis fanfarroneando y pavoneándoos como si fuerais los dueños del mundo. La última cosa que quisiera ser es el felpudo de algún tipo.

Él asintió.

—Puedo respetar eso. —Él se quedó en silencio mientras observaba el tráfico a través de la ventana—. ¿Por qué Hollywood nos llena con toda esa basura?

—¿A qué te refieres?

—Ya sabes. Todas esas tonterías de un hombre y una mujer para toda la eternidad. Ahí están, el señor y la señora Brady con sus seis perfectos hijos, corriendo alrededor de una casa con sólo un baño para nueve personas. Nadie se pelea nunca y cada dilema en la vida tiene una solución perfecta que sólo hace falta media hora para alcanzar. —Suspiró.

—Ya sé —dijo ella con voz distraída, como si realmente estuviera pensando sobre eso. Supongo que en el fondo todos fantaseamos con eso. Sería una vida bonita, ¿no crees?

Él levantó la comisura de un labio.

—No lo sé. No pega contigo la imagen de la mamá que se queda en casa.

Ella sonrió.

—No, a menos que se trate de una agente secreta y esté armada hasta los dientes. —Ella lo miró de un modo extraño que a él le hizo notar el deseo en su interior—. Dime una cosa, Steele.

—¿Qué?

—¿Qué os pasa a los hombres para que… —Ella se interrumpió, como si hubiera sido sorprendida en medio de un pensamiento—. No importa.

Con curiosidad, él se echó hacia delante en el asiento.

—¿Qué es lo que no importa?

—Nada. Es una estupidez.

Steele notaba que ella quería cambiar de tema, a pesar de que él se moría de ganas de una respuesta. Decidiendo que no era muy acertado insistirle, sobre todo teniendo en cuenta que ella llevaba un arma, se sorprendió a sí mismo preguntándose cómo sería salir con Syd. A él no le parecía el tipo de mujer capaz de adorar a un hombre. Sin duda, sería más bien de ésas capaces de darle una patada en el culo para hacerlo espabilar.

—¿Cuánto tiempo hace que no tienes un novio formal?

Ella se encogió de hombros.

—No lo sé. Define formal.

—Alguien que tiene la llave para entrar a tu casa.

Ella contestó sin vacilar.

—Nunca. No confiaría en ningún hombre como para darle la llave de mi casa. Lo que es mío es mío y quiero mantenerlo así.

Mmm… él la había juzgado mal en eso.

—¿Por qué? ¿Tú también eres de las que engañan?

—¡No! —dijo ella en un tono extremadamente ofendido—. Nunca le haría eso a nadie. Opino que Margaret debería haber recibido una patada en el trasero por hacerte eso. No se hiere a la gente de esa manera.

A juzgar por su indignación, él podía ver que había experimentado esa forma de traición de primera mano.

—Estoy de acuerdo. Que caiga una maldición sobre todas sus casas.

El rostro de ella se suavizó de ese modo que a él lo hacía encenderse.

—Me gustan tus aires shakespeareanos…

Steele permanecía sentado en silencio mientras contemplaba el tráfico. Miraba alrededor, consciente de todos los coches que tenían delante y detrás. Era tan increíblemente competente. Pero, sobre todo, era tan seductor.

No había pasado mucho tiempo cuando él se sorprendió a sí mismo contemplando otra vez esos labios. Unos labios que quería volver a sentir junto a los suyos. Y mientras la observaba, se dio cuenta de algo.

—¿Dónde están tus gafas, Syd?

—Llevo lentes de contacto. Temía que tuviéramos que salir huyendo en algún momento y me cuesta disparar bien con las gafas resbalando en mi nariz.

Él se rio ante aquella idea. Dios, estaba preciosa con esa melena negra suelta y esos penetrantes y brillantes ojos verdes. Después de su aventura de aquella mañana, él debería sentirse saciado.

Pero no lo estaba. Si no los estuvieran persiguiendo, él le pediría que detuviera el coche en ese mismo momento y se ocuparía de ese nuevo deseo que sentía.

Pero no podía permitírselo.

Y por eso le debía al asesino una paliza en el trasero antes de matarlo. Aunque en realidad no importaba. Conociendo a Syd, ella le daría una sacudida si se atrevía a proponer otro revolcón.

Sin embargo, quería acercarse y tocarla. Hundir el rostro contra la suavidad de su cuello y, simplemente, oler ese dulce perfume suyo. Había en ella algo que lo calmaba. Le hacía sentir dolor y excitación al mismo tiempo. Si pudiera pedir un deseo, ése sería pasar un día entero con ella en la cama.

Sí, hubiera sido divino…

Condujeron en silencio durante kilómetros mientras Syd continuaba su vigilancia y Steele trataba de hacer todo lo que podía por ignorar su presencia.

El cuerpo de Steele sufriendo por ella mientras luchaba contra el sueño. Lo peor que podía pasarle era estar lento de reflejos si Syd lo necesitaba. Pero aun así, no podía evitar hallarse medio adormilado.

—Estamos cerca de Calverton —dijo Syd, sacándolo de su siestecita—. ¿Hacia dónde nos dirigimos?

Aclarándose la garganta, él abrió los ojos y miró alrededor. No había mucho más que tierras de cultivo.

—No lo sé. Para en la primera ferretería pequeña que veas y pediré información.

—¿Qué?

—Ten fe en mí, Syd. Jack no es el tipo de persona que confía en las demás. Estoy seguro de que está escondido en algún lugar en el medio de ninguna parte y se habrá fortificado y abastecido para aguantar todo lo posible. Puede sobrevivir sin comida, pero no sin herramientas. Dado que no le gustan los grandes almacenes habrá establecido vínculos con los dueños de las ferreterías más pequeñas de la ciudad.

Él esperaba que ella discutiese más, pero por una vez no lo hizo. En lugar de eso, obedeció sus órdenes, dejando la carretera principal para dirigirse a una pequeña ferretería independiente.

Steele se tomó un momento para examinar la zona por si los habían seguido antes de dirigirse a la tienda, con Syd siguiéndole los pasos. Una pequeña campanilla sonó cuando entraron al lugar lleno de polvo.

Había dentro dos hombres en torno a los cincuenta, de pie ante el mostrador y charlando acerca del tiempo y de las consecuencias que éste traería para los cultivos.

El que estaba tras el mostrador, vestido con un peto y una camisa azul, levantó la vista hacia Steele.

—¿Puedo ayudarte, hijo?

—Sí. Estoy buscando a Jack Taylor. Sé que viene aquí de vez en cuando, y me preguntaba si usted podría conducirme a su casa.

El cliente frunció el ceño pero no dijo nada.

El hombre de detrás del mostrador se inclinó para coger una botella de coca-cola de plástico que estaba debajo de la caja registradora. Escupió dentro el tabaco que estaba mascando y la devolvió a su sitio.

Masticaba el tabaco con tanta lentitud que Steele casi podía jurar que veía cómo el hombre sopesaba la idea de darle o no darle información.

—No te conozco a través de Adam, hijo. ¿Por qué iba a darte una información como ésa, en el caso de que la tuviera?

Steele cruzó una mirada con Syd por encima del hombro.

—Soy un amigo de él, del Ejército. Si tienes su número de teléfono, puedes llamarle para comprobarlo.

—No conozco a ningún Jack Taylor. Lo siento.

Steele sabía que el hombre estaba mintiendo. Podía verlo en su expresión.

—Vamos. De verdad necesito hablar con él. Mi nombre es J.D. Steele y…

—¿Steele? —El hombre estalló a reír y a dar palmadas con una mano sobre el mostrador—. ¿Eres el mismo Steele que perdió su rifle durante el entrenamiento? —El hombre mayor miró al otro tipo y le dio unas palmaditas en el pecho—. Escucha esto, Gil, llevaba el rifle atado con una cuerda y aun así el pobre capullo lo perdió.

Ambos se rieron.

Steele notó cómo el calor hacía arder sus mejillas al recordar uno de los momentos menos estelares de su entrenamiento militar.

—Sí, ése era yo, y no lo perdí. Un gilipollas me cortó la cuerda y me lo robó. Luego se escondió.

—Seguro que sí.

Steele gruñó en voz baja mientras se volvía hacia Syd, cuya expresión indicaba que ella también estaba haciendo duros esfuerzos para no echarse a reír.

Personalmente no lo encontraba divertido, ya que aquella pequeña broma le había ocasionado todo tipo de problemas. Un francotirador que no lograba conservar su rifle no tenía nada de lo que jactarse en el Ejército.

El hombre se serenó.

—¿Cómo sé que eres tú?

—Porque sólo un completo idiota admitiría algo así. Por no mencionar que cuando descubrí quién lo hizo, lo encerré en la letrina portátil y la volqué con él dentro. Jack cargó con mi culpa en esa ocasión, pues se imaginaba que yo ya tendría suficientes problemas por el incidente del rifle.

El hombre aguzó la mirada como si estuviera tratando de decidir si estaba mintiendo o no. Después de un breve debate, alcanzó el teléfono y marcó un número.

—Qué hay, Jack —dijo tras una breve pausa—. Tengo aquí un hombre que dice conocerte. Dice que es tu amigote del Ejército, Steele, aquel a quien una vez le quitaron un rifle.

El hombre escupió más tabaco mientras escuchaba.

—Ajá. Ajá. No, no lo creo. Espera un momento. —Le pasó el teléfono a Steele—. Quiere hablar contigo.

Steele cogió el teléfono agradecido.

—Qué hay Jack, cuánto tiempo sin oírte.

—Muchacho, ¿eres incapaz de no meterte en problemas?

Él sonrió ante el sonido de la voz ruda y profunda del hombre que había sido lo más cercano a un padre que Steele había tenido nunca.

—Por lo visto, no. Siempre decías que si había una manera fácil de hacer algo, yo encontraría la forma de complicarlo.

—Muy cierto. Dile a Bob que te dé un pedazo de papel y escribe dónde estoy.

Steele le pidió a Bob papel y lápiz y luego escribió la dirección del lugar donde se hallaba Jack. Tan pronto como acabó, le devolvió el teléfono a Bob y se volvió hacia Syd.

—Lo tengo. Vamos.

Bob colgó el teléfono.

—Gracias, Bob —le dijo mientras doblaba el papel por la mitad—. Aprecio tu ayuda.

Bob inclinó la cabeza mientras ellos abandonaban la tienda para dirigirse de vuelta al BMW.

Syd lo miró de manera sarcástica cuando llegaron al coche.

—¿De verdad perdiste el rifle teniéndolo sujeto con una cuerda?

Él gruñó ante el recuerdo de algo que había llegado a olvidar casi por completo.

—No exactamente. Estaba agotado de tanto entrenamiento, así que cerré los ojos para descansar un momento. Volviendo la vista atrás entiendo que debí dejar las manos sobre mi arma, pero sólo iba a cerrar los ojos por un segundo y el rifle estaba justo a mi lado. Smithy se me acercó en silencio, cortó la cuerda para hacer una broma y luego escondió el rifle.

—¿Smithy?

—Uno de los imbéciles de mi unidad. No podía soportar el

hecho de que yo lo eclipsara, así que siempre estaba buscando formas de joderme. Una vez me robó el martillo cuando tenía mi rifle descargado.

—¿Y le permitiste seguir con vida?

—Créeme, no tuve otra elección.

Syd entró en el coche y lo puso en marcha al tiempo que Steele se unía a ella.

—¿A qué distancia está Jack?

—No muy lejos.

Mientras ella ponía el coche en marcha, un extraño escalofrío le recorrió la espina dorsal. Miró alrededor del área de aparcamiento y no vio nada que debiera alertarla.

—Nissan azul, once en punto.

Ella observó el coche que Steele había identificado.

—¿Qué pasa con eso?

—Mira el conductor.

Lo hizo. Se trataba de un hombre mayor y rubio que no tenía ningún parecido con el hombre que habían reconocido antes como su atacante.

—No es nuestro hombre.

—No, pero apuesto a que trabaja con él. Mira cómo nos observa.

Steele tenía razón.

—Tal vez es simplemente un tipo de la zona preguntándose qué hacemos aquí.

—¿De verdad crees eso?

—No. —Steele tenía razón, estaba demasiado concentrado en ellos. Maldito sistema satélite del gobierno. Para los expertos en tecnología les era demasiado fácil intervenirlo y usarlo para localizar a quien quisieran. A ellos también les procuraba ventajas cuando lo usaban para encontrar a sus enemigos, pero era una mala herramienta cuando alguien la usaba en contra de ellos.

La primera inclinación de Syd fue confrontar al conductor, pero habría resultado inútil.

En lugar de eso, sacó su arma y le quitó el seguro por si acaso el hombre decidía ponerse juguetón.

—Conduce, Syd —dijo Steele mientras le quitaba el revólver de la mano y lo colocaba en el asiento—. Dudo que nos siga. Si es quien yo creo, probablemente habrá colocado una señal en el coche mientras estábamos dentro.

Syd sintió que estaba a punto de tener una úlcera.

—¿Sabes qué? Echo de menos la leyenda de Hollywood según la cual los asesinos trabajan solos. ¿No sería bonito que fuera cierto?

—Sí. Pero raras veces es así, y los de hoy en día dominan la alta tecnología.

Suspirando con irritación, Syd se retiró de la carretera principal y se encaminó hacia el área más remota de Calverton. Como Steele había vaticinado, el otro no los siguió, lo cual significaba que estaban controlados electrónicamente.

Qué fabuloso día.

Pero al menos el asesino les estaba dando un pequeño respiro.

O eso era lo que ella creía hasta que se adentraron por una carretera sucia y sin nombre. Acababan de meterse allí cuando una bomba estalló a su izquierda.

Capítulo once

Syd soltó una maldición e hizo un movimiento brusco con la rueda para evitar las salpicaduras de barro.

—Relájate —dijo Steele con una voz extrañamente tranquila, teniendo en cuenta lo que acababa de ocurrir.

—¡Nos están atacando!

—No, no es eso. Es sólo el modo de darnos la bienvenida de Jack.

Ella detuvo el coche para mirarlo boquiabierta. ¿Estaba hablando en serio?

—¿Cómo has dicho?

Él asintió.

—Es cierto. Es sólo su modo de hacer que la gente sepa que a partir de ahora están en su terreno y las viejas reglas no sirven. Jack es un poco…

—¿Psicótico?

Él se rio.

—Excéntrico. Tiene algunos problemas con la autoridad y el gobierno, y, bueno, con la gente en general.

—Uh-huh. ¿Y eso provoca que arbitrariamente bombardee a coches sin ninguna razón.

—No. Eso no era una bomba. Créeme, si quisiera herirnos, ya estaríamos muertos. Eso era un explosivo autodisparado para hacer saber a quien se acerque que se halla en su propiedad. Estoy seguro de que nos tiene bajo vigilancia incluso ahora mientras estamos discutiendo. Así que conduce con lentitud unos pocos kilómetros hasta que llegues a su Chevy rojo de 1957, que debería estar aparcado en el medio de la carretera.

¿Se suponía que eso debía tener sentido para ella?

—¿No estamos buscando su casa?

—No. Estás buscando su Chevy.

Claro. ¿Por qué no? Eso tenía casi tanto sentido como cualquiera de las otras cosas que les habían pasado hasta ahora. Se adentró por la carretera sin pavimentar a ambos lados de la cual había altas plantaciones de trigo. Una ligera brisa soplaba a través de ellas, haciendo que las espigas se agitaran en oleadas mientras ella intentaba divisar algo a través.

No pudo. Sólo veía con claridad la carretera que tenía por delante.

—¿Hasta qué punto conoces a ese tipo?

Él le dirigió una sonrisa irónica.

—Lo conozco tan bien como lo conoce cualquier otra persona, que no es decir mucho. Jack es único.

Justo lo que ella quería oír. Era tan bueno como eso de «tiene una personalidad encantadora, así que sal con él y diviértete». La única diferencia era que ese tipo estaba entrenado para matar y al parecer le gustaba jugar con explosivos en lugar de mostrarse sencillamente violento.

Oh, qué alegría… Syd aceleró el coche por la carretera sin pavimentar y llena de polvo. Las plantaciones de trigo finalmente dieron paso a arbustos muy necesitados de agua. Toda el área estaba desolada y descuidada. Definitivamente, a Jack no le interesaba la jardinería o el desarrollo rural. ¿Por qué molestarse en eso si tenía aquel territorio preparado para hacerlo estallar? ¿Por qué iba a perder el tiempo?

Probablemente circularon unos siete kilómetros más antes de encontrar el Chevy abandonado. Era un icono de los años vente descolorido y oxidado, que nadie había cuidado en mucho tiempo. Resultaba bastante extraño que estuviera allí en medio de la carretera y no se viese nada más alrededor.

—Para aquí —dijo Steele.

—¿Estás seguro?

—Sí. Eso es lo que Jack dijo que hiciéramos.

Todavía sin confiar en lo que iba a pasar a continuación, ella aparcó el coche y lo apagó. Steele bajó primero y se movió lentamente hasta colocarse ante el Chevy. Le hizo un gesto para que se uniera a él.

Casi esperando que Rod Serling[26] le diera la bienvenida, ella salió y caminó hasta hallarse junto a Steele. Mientras examinaba la zona, se dio cuenta de que había una antigua y desvaída cabaña de madera cubierta de malas hierbas.

Sin duda, ni siquiera el excéntrico de Jack podría vivir en un sitio como ése. ¿O sí?

—¿Qué hay, Caimán Jack? —gritó Steele—. Estamos aquí.

Ella advirtió que Steele se encontraba de pie con los brazos en alto, como si quisiera convencer a ese misterioso Jack de que no iba armado. Los ojos de Syd se ensancharon cuando oyó un extraño estruendo que venía del suelo que había bajo sus pies.

—Qué… —Saltó hacia la derecha cuando el suelo empezó a moverse.

Tres segundos más tarde el ruido se interrumpió y una sección de suelo junto al Chevy voló por los aires. Syd se protegió la cara mientras una gran trampilla se abría de golpe y algo que se parecía a un refugiado de una vieja película de Mad Max[27] apareció. El hombre iba vestido con un mono color caqui y llevaba un par de gafas de submarinismo que hacían que parte de su fino cabello gris estuviese de punta. Una bufanda blanca le envolvía la cara y estaba cubierto de polvo.

Primero la miró a ella, luego dejó de mirarla para contemplar fijamente a Steele. Se quitó las gafas de submarinismo y dejó ver un par de brillantes ojos azules rodeados de polvo antes de bajarse la bufanda de la cara para ponérsela en torno al cuello.

—¡Qué hay, Slick! —dijo riendo—. Hace mucho que no nos veíamos.

—Hola, Caimán —dijo Steele, extendiendo la mano hacia él—. Me enteré por ahí de que estabas viviendo por detrás de

26. Creador y presentador de una famosísima serie de T.V. de los años 50 y 60 titulada «La dimensión desconocida», donde abunda lo sobrenatural y lo misterioso. *(N. de la T.)*

27. Mad Max es el protagonista de una película australiana de 1979 protagonizada por Mel Gibson. Se trata de un oficial que pierde la cabeza y se entrega a una tenaz búsqueda de venganza cuando su familia y su mejor amigo son asesinados por una pandilla de motociclistas. *(N. de la T.)*

los bosques de Virginia. ¿Cuándo fue exactamente que te convertiste en un topo?

Riendo, Jack se rascó el cuello antes de sacar una gorra de béisbol de su bolsillo. Ésta hizo un extraño sonido al desarrugarse mientras se la ponía en la cabeza.

—Oh, no lo sé, hará unos cinco o seis años cuando pensé que con todos esos nuevos artilugios que los bastardos tenían probablemente podrían ver a través de mis paredes para saber dónde estaba. Simplemente no podía soportar esa idea, ¿sabes a qué me refiero? Es espeluznante pensar que algún pervertido en Rusia pueda usar una conexión vía satélite para ver lo que hago en el lavabo. No podía aguantarlo, así que supongo que me trasladé bajo tierra para conservar mi privacidad y mi dignidad.

Syd no pudo resistir la sensación de bromear con él.

—¿Sabes que ahora tienen un sónar que les permite ver también lo que hay debajo del suelo?

Jack resopló con desagrado.

—Debajo de mi suelo no, no pueden. Me he asegurado de eso. Me he comprado un montón de esos artilugios en eBay[28] y he excavado tan profundamente y he reforzado las paredes hasta tal punto que no podrán ver una mierda a menos que yo lo permita, y no voy a permitirlo.

Steele sonrió abiertamente.

—Y es por eso que estamos aquí. Tengo a un pistolero a sueldo siguiéndome los talones, y necesito un sitio para enfrentarme con él donde nadie más tenga que pagar por mis pecados. Estoy harto de que me dispare en hoteles y me persiga por las calles de la ciudad. Es sólo cuestión de tiempo que alguna persona inocente acabe resultando herida por estar en el lugar equivocado en el momento equivocado.

Jack lo miró arqueando las cejas.

—¿Un pistolero a sueldo? Muchacho, ¿en qué te has metido ahora?

—Ojalá lo supiera —dijo Steele, mirando a Syd—. Debería

---

28. Tal vez el mayor centro de compra y venta de segunda mano. *(N. de la T.)*

haberte escuchado, Jack. El gobierno me tiene cogido y no me suelta.

—¿Ves? —dijo él en tono triunfante—. Y pensabas que yo estaba loco. ¿Quién es el loco ahora?

—Lo sé.

Levantando la mano hasta el ala de su sombrero, Jack oteó el paisaje que había alrededor de ellos.

—Bueno, en ese caso, será mejor que vengáis abajo antes de que se acerquen sigilosamente. Lo último que necesitamos es ser cogidos en campo abierto como los gansos con nuestros picos al aire —se interrumpió al reparar en Syd—. No es que usted tenga un pico, *madame*. Sólo es una forma de hablar —aclaró mientras le sonreía con franqueza. Se sorprendió al ver sus pies descalzos—. ¿No está usted embarazada, verdad?

Syd frunció el ceño ante aquella extraña pregunta. ¿Acaso insinuaba que estaba gorda?

—¿Qué le hace pensar eso?

Volvió a mirarle los pies.

—Pies descalzos. Embarazo. Son cosas que suelen ir juntas, porque a las mujeres embarazadas se les pueden hinchar los pies hasta diez veces por encima de su talla normal. ¿No está usted embarazada, no?

—¡No!

Él apareció aliviado.

—Bien, porque hay suficientes radiaciones ahí abajo como para que un feto salga con tres cabezas. No quiero ser responsable de nada de eso. Sólo creo en la corrupción de aquellos que han salido del útero y han alcanzado a crecer hasta al menos un metro y medio de altura.

Syd hizo un ruido de incredulidad.

—¿Puedes mantener a raya a la NASA pero no a la radiactividad? ¿Hasta qué punto es sofisticado tu funcionamiento?

Jack hizo un gesto con las mejillas

—La radiactividad no me molesta a mí y yo no la molesto a ella. Yo y *Cletus* nos hemos hecho inmunes, pero imagino que si alguien intenta ir detrás de nosotros, puede llegar a infectarse y quedarse sin pulmones.

Ella frunció el ceño al oír aquel nombre.

—¿*Cletus*?

—Mi mejor amigo.

¡Demonios! ¿Había alguien más aparte de él? Ella se preguntó si *Cletus* los estaría vigilando desde los arbustos.

Steele le dirigió una mirada divertida.

—Abre el maletero y déjame sacar nuestras cosas.

—¿Qué cosas? —preguntó Jack.

—Ropas, armas.

—Siempre podéis ir desnudos, pero las armas… ésas son importantes, ¿no es cierto, señor «no-puedo-conservar-mi-rifle»? —Jack se volvió hacia ella con una sonrisa maliciosa—. ¿Te ha contado alguna vez esa historia de cómo perdió su rifle a pesar de que lo llevaba atado a él?

Syd dirigió a Steele una mirada pícara.

—Sí, lo hizo. También me dijo que tú cargaste con la culpa cuando él le dio su merecido a Smithy.

Jack se puso rígido y se volvió con cierta brusquedad.

—Yo no sé nada de eso. No hice nada.

Era obvio que no le gustaban los agradecimientos, pero ella podía ver que realmente lo había hecho. Había algo increíblemente entrañable en Jack. Era como una mezcla entre un niño grande y un tío loco. No era extraño que a Steele le gustara.

—Eh —le dijo Jack a Steele—, ¿es sólo cosa mía o realmente se parece a esa actriz, Angelina Jolie?

Syd se sintió horrorizada.

—Yo no me parezco a ella… es ella la que se parece a mí. Sólo que yo soy más baja y más gorda.

Jack hizo un ruido grosero.

—Sobre lo de más baja no sé, pero el peso a mí me parece bien. ¿Tú qué dices, Steele?

Él le dirigió una mirada provocativa.

—No podría estar más de acuerdo, Jack. Pero, ya ves… Parece que a la dama no le gusta que se lo diga.

Jack soltó un bufido. ¿A qué mujer no le gusta oír que es bonita? ¿Ella no es una de esas feministas, no?

Syd arqueó una ceja.

—¿Tienen algo de malo las feministas?

—No, supongo que no. Pero son las únicas mujeres a las que

no les gusta oír que están guapas. A no ser que sean raras o algo así. Y tú no eres rara, ¿o sí?

«¿Ese comentario saliendo de la boca de Jack? Vaya…»

—No particularmente.

—Eso está bien. Mi rareza bastará para los tres. Y no quiero compartirla. —Le guiñó el ojo.

Riendo, Syd se dirigió al maletero para sacar la maleta antes de que Steele pudiera hacerlo.

—Yo la cojo —dijo él bruscamente.

Ella le dirigió una mirada divertida.

—Te han disparado. Yo la cojo.

—¿Disparado? —preguntó Jack con la frente arrugada de preocupación mientras caminaba hacia ellos—. ¿Dónde te alcanzaron?

—En el hombro.

—¡Vaya! —dijo él con irritación—. ¿Dónde fuisteis después de que te dispararan?

—A un hotel.

Jack sacudió la cabeza e hizo un ruido de disgusto.

—Te enseñé algo mejor que eso, Flaco. ¿En qué estabas pensando cuando decidiste esconderte ahí?

Steele señaló a Syd.

—Le dije que era una mala idea, pero es duro discutir con una mujer cuando estás sangrando.

Jack soltó un bufido.

—Es duro discutir con una mujer, y punto. La única manera de que un hombre gane discutiendo con una mujer es que ésta esté en la televisión o que esté muerta. ¿Supongo que no querrías matarla?

—De momento, no.

—Se entiende.

Jack se acercó cojeando hacia ella y le sacó la maleta de la mano. Fue hasta el maletero para coger la otra maleta.

—Seguidme abajo antes de que nadie más reciba un disparo. Especialmente antes de que yo reciba un disparo, porque eso me arruinaría otro bonito día.

Syd abrió la puerta del coche para recuperar el estuche del arma de Steele.

—¿En qué me has metido? —le preguntó a Steele casi sin aliento mientras seguían a Jack.

—Nirvana. Con Jack tenemos una manera de identificar al pistolero a sueldo y tenderle una trampa para darle su merecido.

Ella esperaba que así fuese. Necesitaban tener esa misión bajo control, y el mejor modo era neutralizar la variable desconocida.

Jack lanzó las maletas por una trampilla y éstas aterrizaron haciendo un ruido sordo antes de que él se arrastrara a tientas en la oscuridad tras ellas. Syd dirigió a Steele una mirada avergonzada antes de seguirlo. La trampilla los condujo hasta una pequeña cabina de ascensor. Pero a pesar de eso, ella sentía un poco de claustrofobia. Había un aroma a humedad y tierra, junto con algo parecido al olor de un perro mojado. Esto sí que era raro.

—¿Estás plenamente seguro de lo que hacemos? —preguntó ella a Steele.

—Confío en él.

Pero ella advirtió que su rostro estaba pálido mientras Jack accionaba un interruptor que cerró la trampilla tras ellos.

Las luces se encendieron un instante antes de que ellos se movieran unos dos metros hacia abajo. Luego se trasladaron hacia un lado durante unos pocos minutos antes de descender otra vez.

—¿Dónde vamos? —preguntó ella a Jack.

—A mi casa. La construí hace unos tres años en estas antiguas minas. —Syd estaba horrorizada por la mentalidad del hombre.

—¿No tienes miedo de que se produzca un derrumbamiento?

—Bueno, todos acabamos muriendo. Al menos si muero de esta forma, nadie tendrá que preocuparse de enterrarme. —Él le sonrió.

Ella miró a Steele.

—Yo no lo encuentro divertido. ¿Tú, sí?

Steele se rio.

—Relájate. Te digo que conociendo a Jack estoy seguro de

que tiene más modos de escapar de aquí que el propio Harry Houdini.[29]

—Sí, claro que sí, y eso demuestra que tengo razón. ¿Qué fue lo que mató a Houdini? Un accidente estúpido. De no haber sido por un solo instante de estupidez habría podido envejecer con su Bess, tan feliz como un chancho en su pocilga. Fijaos que no soy joven, y si muero, el viejo *Cletus* me dará una patada en el culo por dejarlo solo aquí.

—¿Así que tu amigo vive contigo? —preguntó Syd.

—Por supuesto —dijo él, como si su pregunta lo hubiera ofendido—. ¿En qué otro sitio iba a tener a mi perro? Verás, *Cletus* tiene obsesión por el queso, pero como no tiene dedos pulgares tiene que dejar que yo le ponga queso en su comida cada noche. Si yo me muero, como nadie más sabe lo de *Cletus* con el queso, el pobre se volvería loco. Así que no puedo morir antes que él. ¿Entiendes cómo funciona?

«Que el cielo no permita que el perro se quede sin su queso.»

—¿Y cuántos años tiene *Cletus*?

—Dos años. Así que os queda por lo menos una década antes de tener que preocuparos de que yo cometa suicidio o muera aplastado por un derrumbamiento de tierra.

Ella volvió a mirar a Steele.

—¿Todo esto te parece razonable?

—Es la lógica propia de Jack. Tiene completo sentido.

Bueno, ¿quién iba a discutir con él? Si para ellos funcionaba, para ella también.

Sí…

Tras lo que parecieron unos metros, el vehículo se detuvo. En lugar de que se abriera el techo, como había ocurrido en la superficie, se abrió uno de los laterales para mostrar una enorme habitación que debía de tener al menos doscientos metros

29. Houdini, el artista de la fuga. Fue un mago notablemente popular en los años veinte, famoso por lograr escapar de todo tipo de cadenas, baúles y lugares insólitos. Cajas fuertes arrojadas al mar, camisas de fuerza colgadas boca abajo de rascacielos, etc… Murió por una ruptura del apéndice a los pocos días de haber aceptado el reto de ser golpeado en el abdomen por una estrella del boxeo para demostrar su fortaleza física. *(N. de la T.)*

cuadrados de artefactos que nada tenían que envidiar a los del Comando de Defensa Aéreo Norteamericano, y eso que ella había estado en la instalación militar subterránea...

—¿Te dan miedo los ataques con armas nucleares? —preguntó ella mientras miraba a su alrededor los ordenadores, que eran una sobrecogedora obra de arte.

Jack negó con la cabeza. Colocó las maletas sobre un sofá de cuero que estaba hecho un desastre y los hizo sentar en él.

—Las armas nucleares no me dan miedo. Son los agentes secretos quienes me asustan. Ahora vosotros sabéis que lo saben todo sobre nosotros. Dónde vivimos, cómo compramos. Todo. Pronto pondrán un código de barras en nuestra ropa.

Se dio dos golpecitos en la cabeza.

—Insertarán chips electrónicos en nuestros cerebros para que mientras nos movemos puedan tener nuestra vida entera entre sus dedos. ¿Sabéis que es imposible hacer una llamada telefónica sin que media docena de personas la oigan y tú ni siquiera te enteres?

Steele lo miró divertido.

—Sí, esos espías están en todas partes.

Jack soltó un bufido.

—Sé que todo el mundo piensa que estoy loco. Pero te digo una cosa, he pasado demasiados años de mi carrera en el Pentágono. La gente se moriría si supieran lo que yo hacía, y eso fue muchos años atrás. Yo no quiero que nadie sepa tanto sobre mí. Por eso dejé el Pentágono y volví a dedicarme al entrenamiento de operaciones especiales. Preferí desaparecer en la oscuridad con la única protección que me procuraba mi rifle. Pero no basta con un rifle para defenderse de ellos. Diablos, no. Todavía pueden visitarme e intervenirme con chismes, y eso que me retiré hace un año. —Negó con la cabeza—. Realmente nunca te dejan ir.

—Sí, lo sé —dijo Steele mientras se dirigía hacia una de las doce computadoras que Jack había dispuesto sobre tres largas mesas—. Entonces, ¿qué es lo que puedes enganchar?

Jack se dirigió hacia él.

—Absolutamente todo. ¿A quién quieres espiar?

—Necesito buscar en los registros personales de la policía.

—¿De qué estado?

Moviéndose para colocarse detrás de los hombres, Syd se encogió ante lo desesperado que era aquello que estaban intentando. ¿Cómo podrían encontrar a un hombre entre miles? ¿Acaso podrían buscarlos a todos?

—Eso está hecho. —Jack tomó asiento y se quitó el sombrero.

Syd arqueó una ceja al ver el papel de estaño con el que estaba revestido. «Oh, que no me digan que es uno de esos personajes raros que llevan papel de estaño en la cabeza para evitar que los alienígenas lean sus mentes.»

—Entonces, si eres tan paranoico respecto a los federales, Jack, ¿por qué vives tan cerca del distrito de Columbia?

Él le lanzó una mirada ofendida.

—No soy uno de esos psicóticos que viven fuera en los bosques de Montana, pensando que hay algún tipo de conspiración contra ellos por parte del gobierno. Algunos de esos simplemente son tipos raros.

Ajá… Ella tuvo que esforzarse para no sonreír ante su indignación.

—Sé que piensas que estoy fuera de mis cabales, pero confía en lo que te digo: no es así. Me gusta estar aquí para poder hablar con mis amigotes, que me mantienen al día de todo lo que tenga que ver con la acción.

—¿Cómo qué?

—Bueno, sobre agencias secretas y todo eso. Hay una en particular que me gusta seguir. Despertó mi curiosidad desde hace seis meses cuando estaba revisando el presupuesto del gobierno. Una agencia de seguros con un presupuesto tan enorme que sencillamente no tenía sentido. Así que hice algunas averiguaciones, y estoy bastante seguro de que se trata de un grupo encubierto. Se trata del BAD, es decir, la Oficina de Defensa Americana. —Le dirigió a Syd una mirada penetrante—. ¿Has oído hablar de ellos?

Ella no respondió.

—Sí. Eso pensaba. —Por su tono ella supo que él sabía que era uno de ellos.

—Creo que Joe necesita contratar a alguien más —dijo Syd a Steele.

Jack soltó un bufido.

—No tienen nada que me interese, salvo esa tal Tee… eso podría convencerme. He advertido que gasta mucho dinero en esas galletitas de lujo para perros. A *Cletus* probablemente también le gustarían. Y esa cama especial acolchada para perros que compró… bueno, podría funcionar.

Syd lo miraba boquiabierto. No sabía si debería sentirse enfadada con él por andar fisgoneando o si quedarse simplemente impresionada.

Steele tenía razón. Aquel tipo era un don del cielo, y realmente necesitaban ponerlo en plantilla.

—Entonces —dijo Jack cambiando de tema—, os pregunto si estáis buscando a alguien en particular.

—Sí, pero no sabemos su nombre.

—De acuerdo, dadme la descripción.

Syd le explicó los detalles mientras Steele fue a sentarse en un sillón de cuero reclinable. Parecía cansado, pero continuaba estando guapo, mientras ajustaba el asiento. Ella no podía imaginar cuánto dolor sentía y, sin embargo, no se quejaba en absoluto.

Si no los estuviesen persiguiendo, ella le habría hecho ir a la cama a descansar. Pero para qué iba a hacerlo si tal vez podría verse obligado a levantarse de un salto en unos pocos minutos para tener que enfrentarse a quién sabe qué maldad o qué peligro que se cerniera sobre ellos.

Él levantó un mando de control remoto y se volvió hacia la pared de monitores que mostraban diferentes ángulos de la superficie por debajo de la cual se encontraban.

Su BMW y el viejo Chevy estaban totalmente visibles en una de las pantallas. La carretera por la que habían entrado se veía en otra, y otras áreas el territorio de Jack se hallaban igualmente cubiertas.

—¿Cuántos acres tienes? —le preguntó Syd a Jack mientras éste introducía en el ordenador la información que ella le había dado.

—Alrededor de cien, más o menos.

Steele se rio mientras cambiaba de monitor, revelando una tras otra las zonas de su propiedad.

—Vaya tinglado que te has montado.

—Y que lo digas. Dale al número cuatro en el control remoto.

Steele lo hizo. El monitor del centro se encendió con la CNN.

Jack hizo un sonido juguetón con los dientes.

—Si le das al ocho te encontrarás con el canal de Playboy.

Steele sacudió la cabeza y lanzó una mirada de reojo a Syd.

—Mejor no hacerlo, ¿verdad?

Ella le dedicó una mirada encendida.

—No si quieres conservar todas las partes unidas.

Jack dejó escapar otro ruido extraño... parecía disfrutar con aquello.

—¿Eres su mujer?

—No.

—¿Por qué no? —preguntó como si la respuesta le chocase.

—Ella me encuentra irritante.

Jack se rascó la cabeza mientras asumía esa nueva información.

—Entonces, ¿por qué está ella aquí?

—Me he estado haciendo esa misma pregunta cada minuto desde que la conocí.

Syd dejó escapar un suspiro de disgusto.

—Soy su observadora.

Jack parecía impresionado

—¿En serio? Maldita sea, chico, mis observadores jamás tuvieron semejante pinta. Siempre escogían hombres para ayudarme con mis coordenadas de francotirador. ¿Quién iba a saber que algún día entrenarían a mujeres? Tal vez me fui del Ejército demasiado pronto.

Syd vio que Steele le estaba dirigiendo una mirada no muy agradable.

—Estoy segura de que Steele piensa que no se fue lo bastante pronto.

Steele no hizo ningún comentario mientras Jack continuaba con la búsqueda. Tras unos pocos minutos, varios miles de informes aparecieron.

—Oh, esto es inútil —suspiró Syd mientras miraba los resultados. Nos llevaría días ojearlos todos. Es peor que intentar encontrar una aguja en un pajar.

—Jack, ¿puedes poner en referencia cruzada estos resultados con los de un policía que fue entrenado como francotirador y expulsado del cuerpo? ¿Y que ahora reside en el área del distrito de Columbia?

—Claro. ¿Conocéis su modelo de coche? También puedo cruzar los resultados con el registro del vehículo.

Syd se estremeció al oír eso. ¿Podía ser tan fácil?

—Un Escalade negro de 2005.

—Hay tres —dijo Jack al cabo de pocos segundos. Los revisó en su monitor.

Los dos primeros eran afroamericanos que continuaban trabajando para las fuerzas de la policía, pero el tercero…

Había sido expulsado hacía dos años por una infracción de armas.

—¿Steele, quieres ver éste?

Antes de que pudiera levantarse de la silla, Jack envió la fotografía al monitor del centro.

—¿Es éste el que buscabas, Flaco?

Steele sonrió al ver al hombre de pelo negro del hotel.

—Diablos, sí. Caimán, eres un genio.

—Dime algo que no sepa.

Syd los ignoraba mientras leía los informes sobre el hombre. Había sido acusado de tráfico de drogas, de dos asaltos a su ex mujer y de disparar a un estudiante que iba desarmado. Eso último era lo que le había valido la expulsión del cuerpo de la policía de Baltimore.

Pero fue el último dato lo que la hizo sonreír tanto como a Steele.

—Aquí dice que actualmente es un empleado de nuestra agencia de seguridad favorita.

—Ése es nuestro bastardo —dijo Steele con un tono que parecía el de un padre orgulloso—. ¿Puedes encontrar su actual localización, Jack?

—Dame unos diez minutos.

Syd lo observó mientras la apartaba a un lado y extraía tantos datos privados del hombre que Andre se hubiera sentido orgulloso. Pero fue su teléfono móvil lo que finalmente hizo que lo localizaran.

—Que Dios bendiga la maravilla del GPS[30] y a Nextel[31] —dijo Jack—. Tu amigo está en un coche a unos sesenta y cuatro kilómetros de distancia, dirigiéndose hacia aquí.

Steele sacudió la cabeza.

—Ese tipo no es tan estúpido. Todo el mundo sabe cómo el GPS sirve para coger la pista de un Nextel.

—Sí —dijo Jack en un tono igual de sarcástico—. Y su jefe no es tan confiado. Piénsalo un momento. Si tuvieras asesinos a sueldo trabajando para ti, ¿ibas a dejarlos solos o los supervisarías a través de un monitor?

Syd se mostró de acuerdo con eso.

—Tiene razón.

Steele resopló.

—Sí, y eso encaja con que lleve la cabeza… cubierta con papel de estaño.

Syd tuvo que toser para disimular su risa.

Jack estaba de lo más ofendido por el comentario.

—Muy bien, levanta tu gordo y perezoso culo, muchacho, y ven a verlo por ti mismo. Tengo a ese feo gilipollas justo aquí.

Steele echó la cabeza hacia atrás y suspiró profundamente.

—¿Sabes qué? Estoy cansado, estoy herido y en fin… ni quiero mencionar lo otro. Pero la cuestión es que no quiero levantarme de esta silla. Lo único que quiero es una hora de paz.

—¿Quieres que lo mate por ti? —le ofreció Jack casi con regocijo.

—No es tu lucha, Jack.

Él le hizo un gesto grosero.

---

30. El GPS o Sistema de Posicionamiento Global es un sistema global de navegación por satélite que permite determinar en todo el mundo la posición de un objeto, una persona, un vehículo o una nave. Fue desarrollado y es utilizado por el Departamento de Defensa de Estados Unidos. *(N. de la T.)*

31. Empresa pionera en sistemas de comunicación informáticos. *(N. de la T.)*

—Hasta ahora eso nunca me ha detenido. Al tío Sam nunca le importó si yo tenía un asunto pendiente con alguien o no antes de arrancarle la cabeza.

Syd frunció el ceño mientras observaba la constante puesta al día del ordenador, que indicaba que su «amigo» se estaba acercando mientras los dos hombres discutían sobre su futuro. Honestamente, a ella le tenían sin cuidado sus argumentos respecto a él.

—No creo que debamos matarlo.

Los dos hombres la miraron atónitos.

—Podemos usarlo —explicó Syd—. Ya sabéis, obtener información acerca de APS a través de él. Estoy segura de que conoce a otros de sus contratistas y sabe cómo trabaja la compañía. Si muere, no nos será útil.

Jack se encogió de hombros.

—A mí inútiles ya me están bien. Si están muertos, no pueden dispararte por la espalda.

Steele asintió enfáticamente.

—Siendo el único que tiene una herida de bala, me inclino a estar de acuerdo con Jack. Definitivamente, a mí también me convence verlos muertos.

Ella puso los ojos en blanco.

—Los dos sois terribles. No podéis matar a alguien sin razón.

Jack frunció el ceño.

—¿Ella no sabe lo que hiciste en el Ejército, Flaco?

Steele no respondió mientras clavaba sus atractivos ojos en ella.

—Vuelvo a opinar que siendo el único con una herida de bala tengo buenas razones para querer ver muerto a ese cabrón.

Syd cruzó los brazos sobre su pecho e insistió en que las cosas se hicieran a su manera.

—Y yo tengo una razón mejor para querer que siga con vida. Puede ayudarnos a introducirnos en APS.

Steele dejó escapar un sonido de irritación.

—Bueno —dijo Jack lentamente—. Vais a tener que decidiros rápido porque ya está aquí.

Steele miró fijamente a Syd mientras pensaba en cuántas

complicaciones podía ocasionarles ese tipo. Por no mencionar la posibilidad de la destrucción.

—Si se nos escapa, estamos jodidos.

Ella frunció el ceño ante esa consideración.

—Puede hacer saltar por el aire todos tus planes —la presionó Steele, intentando que fuera consciente de todo lo que podía salir mal—. Ellos esperan que lo mate, Syd. ¿Qué pasa si quieren pruebas?

Ella no respondió a esa pregunta. En lugar de eso, se volvió hacia Jack.

—¿Podemos esconderlo aquí?

Jack se rascó la barbilla pensativo.

—Tengo esposas y esas cosas. Supongo que podemos retenerlo aquí durante un rato, siempre y cuando se muestre educado y no ronque. No puedo soportar a la gente que ronca.

Ella oyó un perro ladrando antes de que éste apareciera por un túnel que había a su izquierda. *Cletus*, un hermoso perro marrón tostado con unos espléndidos ojos dorados, se acercó a sus rodillas.

—Ya lo sé, *Cletus* —dijo Jack mientras rascaba la cabeza del pastor alemán—. Tenemos compañía.

Steele se levantó, murmurando por lo bajo sobre lo poco razonable que era cierta mujer, mientras se encaminaba hacia el estuche donde tenía guardado su rifle. Vaciló.

—¿Sabes una cosa? Me estoy dando cuenta de que salir ahí fuera con un rifle cargado sabiendo que no puedo matar a ese hijo de puta es como estar de guardia con balas de caucho. Una pérdida de tiempo total. Jack, ¿tienes algún sedante?

—Claro. —Jack se acercó sin prisas a un baúl que había bajo una mesa. Lo abrió para mostrar diferentes tipos—. ¿Quieres uno que sirva para derribar a un elefante?

—Personalmente, quisiera lo más doloroso que tengas. Echó una mirada a Syd. Al hablar pronunciaba claramente las sílabas—. Eso no lo matará.

—Gracias —dijo ella amablemente.

Steele gruñó por dentro mientras esas palabras hacían eco en su mente. Gracias. Sí, gracias. Lo menos que podría hacer sería darle las gracias con algo un poco más tangible que las palabras.

Un buen beso…

Un pequeño toqueteo…

Pero no, en lugar de eso lo enviaba allí fuera para que ese capullo volviera a dispararle. ¿Por qué había dejado la cárcel?

Jack se rascó el pecho antes de sacar el rifle y cargarlo.

—Esto lo quemará como ácido. —Le entregó a Steele más munición adicional—. ¿No vas a necesitar esto, verdad?

—No, pero sólo por si acaso.

Mientras Steele se dirigía hacia la cabina del ascensor, Jack lo detuvo.

—Te oirá y tendrá tiempo de preparar su posición. —Le entregó un auricular Bluetooth.[32] Él también se puso uno al mismo tiempo que Steele.

—¿Puedes oírme?

—Estás justo enfrente de mí, Jack.

Jack le dirigió una mirada poco divertida.

—Sí, Jack. Te oigo en mi oído.

—Bien, porque esta preciosura y yo vamos a supervisarte desde aquí. —Jack se dio una palmada en la pierna e hizo ruidos dirigidos a su perro.

—*Cletus*, vamos, busca.

El perro se puso en marcha.

Jack se movió hacia la zona donde *Cletus* había desaparecido.

—Sigue al perro. Él te llevará directo al tobogán que sube hasta el área de servicio sin esa tontería mecánica. Aparecerás detrás del asesino, silenciosa y rápidamente. Ahora vete.

Steele todavía no se sentía muy contento con aquello, pero salió tras *Cletus*.

Podía oír a Jack y a Syd hablando mientras seguía al perro pastor a través de un largo y estrecho túnel. Había luces tenues cada pocos pasos que le procuraban la suficiente iluminación para poder seguir el camino, pero no tanta como para que pudiera ver del todo lo que tenía delante.

---

32. Bluetooth es la norma que define un estándar global de comunicación inalámbrica que posibilita la transmisión de voz y datos entre diferentes equipos mediante un enlace por radiofrecuencia. *(N. de la T.)*

—Necesitas un generador nuevo, Jack.

—No, me gusta la oscuridad.

—Sólo hay una cosa que a mí me guste hacer en la oscuridad.

Syd hizo un ruido de disgusto.

—¡Eres un cerdo!

—¡Dormir! —dijo Steele a modo de defensa—. Me refería a dormir. Personalmente, odio el sexo en la oscuridad. Quiero… —Se interrumpió al advertir que *Cletus* bajaba la cabeza y gruñía en un tono profundo y con saña. Tenía las orejas echadas hacia atrás y los pelos de la espalda de punta.

—A tu derecha —oyó la voz de Jack en su oído—, hay una palanca. Accciónala y eso soltará un resorte. *Cletus* te mostrará el camino hacia arriba.

Steele hizo lo que le había dicho. Otra trampilla se soltó.

Subió por una escalera de tierra, con cierto temor de que el pistolero a sueldo lo estuviera esperando justo allí al llegar.

—No te preocupes —le susurró Jack al oído—. Está todavía arrastrándose alrededor de tu coche. Parece como si quisiera asegurarse de que no estás ahí… Estás a quince miliradianes al sur de su posición.

Steele se movía a la manera de los militares avanzando a través de la densa vegetación agazapado y sosteniendo su arma ya preparada.

Al igual que su rifle de francotirador ésta tenía un seguro y una mira telescópica que le permitía una buena vista de aquel bastardo. En completo silencio, *Cletus* lo guió como un perro cazador que va tras su presa.

—¿Has ido de cacería con este perro, Jack? —susurró Steele—. Está demasiado bien entrenado.

—Sobre todo por los intrusos. Créeme, sabe cómo seguir la pista y no delatará tu posición.

Sí, era cierto. *Cletus* era un animal especial.

Steele recorrió su camino a lo largo del borde de las maderas hasta toparse con el claro donde estaban los coches. El asesino había cambiado de lugar para examinar la cabaña cubierta de malas hierbas. Steele no veía el Escalade, pero eso no significaba nada. Sin duda, el hombre lo habría aparcado más lejos para asegurarse de que no lo oirían ni lo verían venir.

Sin hacer caso de su hombro dolorido, Steele se agazapó mientras tomaba posición en el suelo y preparaba su rifle para disparar. Igual que él, *Cletus* se dejó caer al suelo y haciendo un extraño movimiento de serpiente, se abrió camino a través del follaje.

Era el animal más extraño que había visto nunca. Pero perfectamente adecuado para Jack.

Steele comprobó la dirección del viento y escuchó a Jack, que hacía de observador y le daba las coordenadas para disparar. Por supuesto eso era todo lo que Jack podía hacer, dado que estaba bajo tierra. Y mientras Steele se preparaba para el disparo, los recuerdos lo desgarraron.

La imagen de Brian riendo se abrió paso en su mente, seguida de la imagen de su amigo tendido muerto apenas a unos pocos metros de él, con una bala en la cabeza.

No pudo evitar un temblor en su cuerpo.

Esa acción involuntaria le hizo provocar un ruido con el pie en el suelo.

El asesino volvió la cabeza y miró directamente hacia donde estaba, lo cual no habría sido tan malo si hubiera ido vestido de camuflaje. Pero con tejanos y una camiseta…

¡Mierda! Apretando los dientes, se quedó completamente inmóvil mientras observaba al asesino sacando su rifle.

Quizás no lo había visto.

Ese pensamiento murió un instante más tarde cuando el asesino apuntó directamente en su dirección.

Antes de que Steele pudiera moverse, *Cletus* arremetió contra el hombre que iba a disparar. El asesino disparó el tiro contra el perro. Afortunadamente, *Cletus* se movió antes de que la bala lo alcanzase.

Maldiciendo por lo bajo, Steele disparó. Le dio al hombre en la pierna, pero éste todavía no cayó al suelo. Continuó avanzando. Enfadado, el asesino volvió a apuntar contra el perro.

Steele le disparó otra vez.

Cletus atacó al asesino a sueldo un instante más tarde.

—Dale, chico —dijo Steele con alegría—. Arráncale el brazo.

Cuando Steele llegó hasta él, el asesino ya estaba fuera de juego por el calmante.

Steele se quedó de pie junto a él, considerando lo que deberían hacer.

—Realmente deberías permitirme que le metiera una bala en el entrecejo, Syd —dijo al auricular.

La suave voz de Syd le recordó algo que era fácil de olvidar.

—Nosotros somos los chicos buenos, Steele. Quien lucha durante demasiado tiempo contra dragones acaba por convertirse en un dragón, y si miras fijamente demasiado tiempo un abismo, el abismo acabará por mirar dentro de ti.

Escupió al suelo indignado.

—¿Qué demonios es eso? ¿Nietzsche?

—Muy bien —dijo ella, llena de asombro.

Steele frunció los labios. Ser bueno era una mierda y él más que nadie lo sabía. ¿De qué le había servido eso en la vida? A Brian ser bueno le había costado la vida.

«Y casi te cuesta la tuya…»

Suspiró con rabia. Había algo que decir por eso. En el tiempo que dura un latido, había pasado de ser un soldado condecorado a convertirse en un convicto despreciado.

Cletus echó a correr hacia el bosque.

—Espera ahí, Flaco —le dijo Jack al oído—. Vamos a subir, no vas a moverlo tú, porque estás herido. Déjanos ayudarte.

«Ayu… darte…»

Las palabras se abrieron paso por la mente de Steele dos segundos antes de darse cuenta de algo.

El asesino no estaba solo.

—¡Mierda! —gruñó mientras alguien abría fuego contra él.

Capítulo doce

Steele se escabulló entre los árboles.

¿Cómo podía ser tan estúpido? Cuando estaba en la ferretería con Syd habían visto a aquel tipo que los vigilaba. ¿Cómo podía haberse olvidado tan fácilmente de aquello?

«¡Imbécil!»

Afortunadamente, quien quiera que fuese el que ayudaba al asesino era presa del pánico. Estaba esparciendo balas por toda la zona, sin tomarse tiempo ni para apuntar.

—¿Qué está pasando? —le preguntó Jack a través del auricular.

—Es obvio que me están disparando.

—¿Quién? Creí que el asesino había sido neutralizado.

—Así es. Pero al parecer tenía un compañero de juego. —Steele se escondió detrás de un árbol un instante antes de que un torrente de balas destrozaran la corteza. Sintió las punzadas de dolor en el hombro otra vez.

—Prepárate —ordenó Jack—. Viene la caballería.

—Pues más le vale darse prisa —murmuró Steele por lo bajo mientras volvía a cargar el arma. La munición se atascó. Steele soltó una maldición mientras luchaba por desatascar el sedante del rifle. Colocó el segundo cartucho entre los dientes mientras tiraba del primero.

Las balas cesaron.

Steele se apoyó contra el árbol y deseó que su corazón dejara de latir con tanta fuerza para que le dejara oír lo que estaba haciendo el otro tipo.

Oyó el débil sonido de unas pisadas acercándose sigilosamente.

«Muévete, maldita sea, muévete», le gruñó a la munición atascada.

Pero era inútil. El rifle no tenía interés en hacerle la vida más fácil.

El ayudante del asesino se estaba acercando...

Cada vez más cerca.

Steele se apretó contra el árbol al tiempo que volvía la cabeza hacia un lado para poder observar la sombra del hombre que se aproximaba.

Oyó el claro sonido del hombre cambiando la recámara. Aprovechando el momento, Steele se apartó del árbol y arremetió con el rifle, golpeándole la cabeza con la culata.

Aturdido, el hombre dio un traspié.

Sujetando el cañón del rifle con una mano, Steele cogió el rifle que tenía entre los dientes y lo clavó en el brazo del asesino.

El hombre soltó una maldición y se abalanzó sobre él. Steele perdió el equilibrio, tropezó y se cayó. Se dio un duro golpe contra el suelo y el asesino se tiró sobre él. El hombre sacó un cuchillo de caza de su cinturón. Steele soltó su rifle para sujetar el antebrazo del hombre.

El hombre le arañó la cara mientras él lo empujaba hacia delante.

Steele apretó los dientes mientras rezaba para que el tranquilizante penetrara en el sistema nervioso del hombre. Éste le asestó dos golpes más en la cabeza antes de que pudiera liberarse. El cuchillo le hizo a Steele un corte en el brazo mientras el asesino fue levantado de su pecho y arrojado contra el suelo.

Haciendo un gesto de dolor, Steele se cubrió la nueva herida con la mano mientras observaba cómo Jack le daba varias patadas al hombre.

Dos segundos más tarde, se oyó un disparo entre los árboles que había a su alrededor.

El ayudante del asesino se desplomó contra el suelo.

—¡Jack! —dijo Syd, colocándose entre él y su víctima—. ¿Qué has hecho?

—¡Este cabrón le disparó a mi perro! —Él la apartó de su camino mientras se dirigía hacia el hombre muerto.

—¡Jack! Steele necesita atención.

Jack estaba a punto de darle un pisotón al cuerpo cuando las palabras de ella finalmente penetraron a través de su ira. Se volvió para mirar a Steele, que continuaba tendido sobre el suelo.

Syd sintió que el corazón se le encogía al ver la herida sangrante en el brazo de Steele. Corrió hacia él y cayó a su lado de rodillas. Se sentía terriblemente mal ante el nuevo daño que había sufrido.

—¿Ves lo que pasa cuando no los matas? —le dijo Steele, con sus ojos oscuros acusándola.

—Está bien, tú ganas. La próxima vez mata a esos cabrones.

Sus ojos oscuros se entrecerraron aún más acusadores.

—No eres graciosa.

—Lo sé —dijo ella con honestidad.

Jack lo ayudó a ponerse en pie.

—Necesitamos ocuparnos de eso. —Señaló la herida de Steele con una inclinación de cabeza.

Luego miró al asesino a sueldo, que todavía seguía tendido sin moverse. Por el brillo de sus ojos era evidente que también quería matar al asesino.

Syd suspiró.

—Primero necesitamos atar al asesino.

—Tú encárgate de Steele y yo me ocupo de éste.

Ella dirigió a Jack una mirada suspicaz.

—¿Podrás manejarte bien o tendremos otro desafortunado accidente?

Jack se quejó entre dientes.

—Lo ataré sin causarle ningún otro daño. A menos que se despierte e intente escapar. En ese caso, cualquier cosa que le ocurra mientras intento apresarle de nuevo será culpa mía.

Syd soltó un suspiro de exasperación. Pero no podía hacer nada con Jack. Era un hombre que tenía sus propias ideas. Lo mejor que podía hacer era llevar a Steele a un lugar seguro y esperar que Jack no fuera demasiado duro con su cautivo.

Al mirar a Steele y ver la gran mancha roja que se filtraba a través de su camiseta todos sus pensamientos sobre el asesino se evaporaron.

—Oh, Dios mío, ¿estás bien?

—¿Nunca te has cortado al afeitarte?

Completamente confundida ante su pregunta, ella asintió.

—Sí.

—¿Conoces ese ardor infernal que se siente?

—Sí.

—Esto no tiene nada que ver con eso. Es mucho peor.

Ella puso los ojos en blanco ante su humor tan fuera de lugar.

—Sólo estoy un poco mareado —dijo Steele dando un traspié—. Puedes ayudar a Jack. Yo puedo volver a…

—No, tengo la impresión de que si das un solo paso más, vas a desmayarte por haber perdido tanta sangre.

—No voy a desmayarme.

Ella tuvo que sonreír ante su bravuconería.

—No es necesario ser Superman, Steele. Ésa es la cuestión. Yo sé que eres humano, y me gustas así.

El rostro de él se suavizó mientras colocaba el brazo sobre los hombros de ella.

—Pues eso está bien, porque me siento como una mierda, y lo único que en realidad quiero hacer es sentarme y encontrar algún medicamento que me calme el dolor. ¿Todavía tienes la botella que te dio la doctora?

—Sí.

—Entonces encuentra una cama para mí y déjame dormir.

Su voz le recordó a la de un niño pequeño. Y esas palabras le dijeron mejor que ninguna otra cosa lo malherido que estaba.

—De acuerdo. Eso está hecho.

Ella pasó el brazo entorno a su cintura y le sostuvo la mano, que todavía colgaba por encima de sus hombros. No era un abrazo de amantes y, sin embargo, la hizo sentirse extrañamente excitada. Realmente le gustaba aquel hombre, con todo su sarcasmo y su malicia.

Y se odiaba a sí misma por eso. Syd se enorgullecía de estar por encima de los defectos de las mujeres sentimentales. Ella podía ser tan objetiva y seria como cualquier hombre. Su madre había sido una mujer muy dulce y suave que había abandonado una buena carrera de negocios para casarse con su padre y educar a sus hijos.

Era una lamentable maldición que dos personas no pudieran

tener dos trabajos exigentes de manera simultánea y ocuparse de una familia. Alguien tenía que renunciar a su meta, y no quería ser ella. Ella quería convertirse en la profesional exitosa que su madre no había podido ser. Por no mencionar que tenía una vocación.

Había jurado ante la tumba de Chad que no permitiría que otro niño muriera tan absurdamente si ella podía evitarlo.

Pero Steele tenía facilidad para hacerle olvidar esa dura parte de sí misma. Algo en su interior la hacía marearse cuando estaba junto a él. Se ablandaba.

Y Syd, *la Despiadada*, podía ser cualquier cosa menos blanda.

Ella no le habló mientras lo ayudaba a bajar de vuelta al pozo de minas y lo conducía hasta el centro de mando de Jack. Steele acababa de sentarse en el sofá cuando *Cletus* entró corriendo a la habitación tras ellos.

El perro se lanzó sobre Steele, quien hizo un gesto de dolor.

—Tranquilo, viejo amigo.

El perro le lamió la barbilla antes de salir otra vez.

Syd fue en busca de su bolso, sólo para recordar que con la precipitada salida del hotel había olvidado los medicamentos allí.

—Oh.

—¿Qué?

Ella lo miró avergonzada.

—No los tengo. Lo siento.

La decepción se reflejó en su rostro, pero se recuperó rápidamente.

—Estoy bien.

—Tal vez Jack tenga algo. —Pero Syd se sentía fatal mientras volvía junto a él para hacerle un improvisado vendaje en el brazo—. Necesitas quedarte quieto.

Steele se echó sobre el sofá y cerró los ojos. Ella lo observó con una extraña ternura en el pecho mientras descansaba.

Le sorprendía que confiara en ella lo suficiente como para cerrar los ojos y mostrar su vulnerabilidad. Aquel hombre no confiaba en mucha gente, y ella era ahora una de esas pocas personas en quien sí confiaba.

Una sonrisa de satisfacción planeó sobre las comisuras de sus labios.

Al menos hasta que oyó volver a Jack. Con seriedad, ella volvió la cabeza para verlo arrastrando al asesino inconsciente. Tenía al hombre completamente atado. Jack lo empujó bruscamente contra la pared. Luego se acercó a un pequeño casillero del ejército que había bajo la mesa de centro.

Frunciendo el ceño, ella observó a Jack hurgando en el casillero durante algunos minutos antes de extraer de allí lo que parecía una caja de municiones del Ejército. La abrió de golpe mostrando el contenido de su interior: vendas, alcohol, pomada balsámica y cinta adhesiva médica.

—Si buscas allí dentro, encontrarás Tylox también. Eso te ayudaría con el dolor.

—¿Es seguro?

Jack asintió.

—Somos más o menos del mismo tamaño. Me lo recetaron hace seis meses cuando tuve dolor de muelas. Te aliviará algo.

—Gracias, Jack —dijo Steele sinceramente agradecido.

—De nada. —Jack hizo un gesto a Syd para que se levantara—. Tengo una habitación de invitados. Tal vez quieras llevarlo allí.

Steele abrió de golpe los ojos.

—Eres un buen tipo, Jack.

—Lo sé. Ahora levanta ese culo perezoso antes de que empieces a llenar de sangre mi sofá.

—Sangraré sobre ti, viejo espantapájaros. —Steele se levantó con una mueca de dolor.

Tan pronto como estuvo de pie, Jack los condujo hacia lo que Syd creía que era una pared. Tiró de lo que parecía ser una estalactita del techo. Dos segundos más tarde la pared se movió para dar paso a un pasillo escondido.

—Nunca duermo al descubierto —dijo Jack con un guiño—. Nunca se sabe quién puede dejarse caer por tu casa.

Ella sacudió la cabeza mientras él entraba dentro y le daba a un interruptor de la pared. Las luces iluminaron el estrecho pasillo.

—La segunda puerta a la izquierda. El cuarto de baño está justo enfrente. Tú ayúdalo a acomodarse y yo me aseguraré de que nadie pueda encontrarnos.

—Gracias, Jack.

Él inclinó la cabeza y los dejó solos.

En posesión de los suministros médicos, Syd recorrió el camino hasta el dormitorio, que era sorprendentemente acogedor. Tenía una cama de la talla de una reina, junto con un tocador y una mesilla de noche. Como en el resto del lugar, no había ventanas, pero las luces eran tan brillantes que realmente no se necesitaban. Steele fue directo a la cama mientras ella colocaba sus instrumentos sobre la mesilla de noche.

Ayudó a Steele a quitarse la camisa, y se horrorizó ante la visión de su hombro sangrante.

—Parece doloroso.

—Por una vez las apariencias no engañan. Es un dolor infernal.

Ella no podía ni imaginarlo. En cuanto estuvo acostado, ella se dispuso a limpiarle y vendarle las heridas. La del hombro tenía un aspecto terrible. Estaba roja e hinchada, probablemente ya se había infectado.

—De verdad, necesitas descansar.

—Eso es lo que quería hacer, pero alguien… —la miró de un modo significativo— me hizo levantarme para ir a la caza de asesinos.

—De acuerdo, lo siento. ¿Ya estás contento?

—En realidad, no.

Ella sacudió la cabeza y lo dejó a solas para ir al cuarto de baño. Tal como esperaba, encontró allí una pequeña pila de vasos de plástico. Cogió uno y lo llenó antes de regresar junto a Steele. Le entregó el vaso y luego sacó las medicinas del recipiente del Ejército.

—Bendita seas —dijo Steele mientras las aceptaba.

Las tragó junto con el agua y ella colocó el vaso sobre la mesilla. Lo metió en la cama y le apartó el pelo de la frente húmeda. Ya tenía un poco de fiebre.

—No te me enfermes, Steele. —Ella cogió la caja y sacó los instrumentos que necesitaba para atender la herida de su brazo.

Él abrió un ojo para dirigirle una mirada penetrante.

—No te preocupes. Estaré lo bastante bien como para enfrentarme a tu asesino jefe mañana.

—No me refería a eso.

—¿No?

Ella negó con la cabeza.

—No. Tú eres un buen tipo, Steele. Odiaría que te pasara algo por este asunto.

Él abrió el otro ojo.

—¿Qué? ¿Te estás ablandando?

—Sólo un poco, pero no se lo digas a nadie. Esto es sólo entre tú y yo, ¿de acuerdo?

Él subió una comisura del labio. Movió el brazo que no tenía herido para poder acariciarle la mejilla. Ella notó la palma áspera contra su piel. Le rozó suavemente los labios con el pulgar.

—Es nuestro secreto. Prometido.

Necesitó de todo su autocontrol para no mover el rostro y besarle la mano. Hacía demasiado tiempo que no tenía un momento tan íntimo, y tenía que decir que le resultaba entrañable aquella novedad.

Podía oír a Jack en el pasillo. Steele dejó caer su mano a un lado y volvió a cerrar los ojos. La repentina falta de su calor le produjo a Syd un dolor en el pecho.

«¡Qué demonios, Syd! ¿Qué pasa contigo?»

Pero sabía lo que era. Estaba sola. No importaba lo mucho que quisiera pararse sobre sus propios pies y no tener lazos emocionales con nadie. Lo cierto es que ella era humana. Y todos los humanos quieren a alguien de quien puedan depender. Alguien que puedan sentir propio.

En realidad ella nunca había tenido a un hombre así. Alguien que se entregara abiertamente. Por alguna razón, siempre parecía toparse con personas que tenían miedo de abrirse, de perder algún tipo de respeto o prestigio. Hombres que no estaban dispuestos a ningún tipo de demostración pública de afecto.

Pero había crecido con películas como *Casablanca* y *Lo que el viento se llevó*. Películas en las que una mujer veía caer a sus pies hombres a quienes no les importaba lo que otra gente pensara de ellos. ¡Oh, qué idea tan estúpida!

Tenía cosas mucho más importantes en las que pensar en lugar de esas fantasías escolares hace tanto tiempo enterradas.

Se levantó, luchando contra el deseo de acariciar a Steele. Él era delicioso, tendido allí a su disposición. Pero tenía allí fuera un asesino al que interrogar y un lunático que podía mutilarlo o matarlo simplemente por el hecho de que mirara con recelo a su perro. Apresuró sus pasos mientras volvía al centro de mando. Tal como temía, Jack había atado al asesino con tanta fuerza que los miembros se le estaban poniendo azules.

—¿Jack?

Gruñendo, él se puso inmediatamente a aflojar las cuerdas.

—¿Sabes una cosa? Éste es el problema de este país. Demasiados corazones heridos. ¿Qué pasa con mi corazón herido? Podían haber matado a *Cletus*.

Volvió a apretar la cuerda.

—¡Jack! Si le hace daño a *Cletus*, dejaré que lo mates. Todo lo que hizo fue intentar herirlo.

—En mi diccionario intentar es lo mismo que hacer. —A pesar de todo aflojó las cuerdas, de modo que los miembros del asesino comenzaron a recuperar su color original.

—Gracias.

Jack hizo un ruido grosero mientras se apartaba sin prisas. Negando con la cabeza, Syd volvió a comprobar que el asesino estuviera vivo y bien atado, pero no corriera peligro.

—¿Cuánto tiempo estará dormido?

Ella podía jurar haber oído que Jack murmuraba: «Espero que toda una eternidad». En tono más alto dijo:

—No lo sé. Un par de horas, probablemente.

Syd hizo una mueca al oírlo. Era demasiado tener que esperar hasta la noche para interrogarlo. Maldición.

Jack la miró con simpatía.

—¿Tienes hambre, ángel?

Syd asintió, recordando que era la hora de la cena y no había comido nada desde el desayuno.

—De hecho estoy muerta de hambre.

—Entonces, ¿qué te apetece? Y, por favor, no le digas al viejo Jack que eres una de esas personas que comen repollo.

Sonriendo, Syd sacudió la cabeza.

—Me gusta el repollo. Los alimentos ricos en fibra son buenos para ti, ¿sabes?

—Sí, bueno, aquí no tengo nada de eso.

—También me gusta la carne de vaca en conserva.

Él apreció aliviado.

—Tengo filetes y patatas.

—Suena estupendo. ¿Quieres que te ayude?

—No, ya está bien. Vigila a nuestro amigo yo iré a preparar la parrilla.

Ella abrió los ojos con sorpresa al oír eso.

—¿Tienes una parrilla aquí abajo?

—No, eso sería estúpido. Hay una diferencia entre estar loco y ser estúpido, mujer. Y yo soy lo primero, ni lo segundo.

Syd levantó las manos en señal de rendición. Steele tenía razón, la lógica de Jack era única. Cuestionarla estaba muy lejos de su intención.

—¿Te importa que juegue un poco con alguno te tus ordenadores mientras no estás?

Él se arañó el pecho mientras consideraba la idea.

—Puedes usar a *Roberta*. Creo que no hay nada en ella que puedas estropear.

—¡Qué bien! Gracias.

Él le guiñó el ojo mientras se dirigía a la computadora que estaba al lado de aquella que habían usado para localizar al pistolero a sueldo. Movió el ratón para sacarla del modo de descanso. Se volvió hacia ella y le dio otros auriculares.

—Si necesitas algo, da un grito.

—Lo haré. Gracias.

Él le hizo una inclinación de cabeza antes de salir.

Tan pronto como estuvo a solas, Syd se sentó ante el ordenador y consultó información sobre los uhbukistanis. El presidente no había llegado todavía, pero ese momento continuaba acercándose.

Consideró la posibilidad de contactar con Andre, hasta que echó un vistazo al asesino que había tras ella. Dado lo extraña que había sido la entrevista de trabajo de Steele, prefería estar sola en aquello. Lo último que quería era poner a Andre en peligro. Por supuesto que él podría arreglárselas, pero entonces ella también.

Se le paralizó el corazón al darse cuenta de algo.

—El teléfono del asesino... —Ellos podrían seguir su rastro directamente hasta la puerta.

Ni quiera se había dado cuenta de que había hablado en voz alta hasta que oyó la voz de Jack al oído.

—Relájate, muchacha. Jack ya se ocupó de eso.

—¿Cómo?

—Hay una caja de acero a tus pies. ¿La ves?

Ella bajó la vista.

—Sí.

—Nada que haya en su interior puede emitir señal. Metí los teléfonos de los dos asesinos allí cuando estabas atendiendo a J.D. Por no mencionar que además estás a tanta profundidad bajo tierra que es muy improbable que incluso sin la caja la señal pudiera llegar hasta una torre. Simplemente prefiero no correr riesgos.

—¿Has pensado alguna vez en volver a trabajar para el gobierno, Jack?

—De tanto en tanto la idea me cruza por la mente. Entonces me voy a almorzar a Langley con algunos amigos e instantáneamente se esfuman todos mis pensamientos respecto a eso. Me gusta mi vida tal como es. ¿Y qué me dices de ti?

—Me gustaba más cuando no me parecía a Angelina Jolie.

Él se echó a reír.

—No te sientas tan mal, Syd. Personalmente, yo creo que tú eres mucho más guapa.

A pesar de sí misma, sus palabras la reconfortaron.

—Eres un viejo encantador, Jack. Sigue hablando así y acabarás metiéndote en problemas.

—No, ya he visto la forma en que te mira J.D. Nunca he sido el tipo de hombre que invade el territorio de otro.

Ella se burló.

—Lo único que Steele quiere es sacar mi trasero fuera de su vida.

Jack se quedó tan callado que por un momento ella pensó que había perdido la conexión.

—¿Jack?

—Tú eres una agente, Syd. No me digas que no sabes observar mejor a la gente.

Ahora le tocó a ella enmudecer.

—Yo… esto… tengo trabajo que hacer.

—Y yo bistecs que cocinar.

Ella oyó un clic, como si cortara la comunicación con ella. Se sacó el auricular y abandonó la pantalla para ir a comprobar cómo estaba Steele. No sabía muy bien por qué había sentido esa repentina urgencia de ir a verlo, pero lo hizo.

Lo encontró profundamente dormido, echado sobre un costado. Había algo en él infernalmente sexy, incluso estando inconsciente. O tal vez era que cuando se hallaba inconsciente no la investigaba con la mirada o no le hacía comentarios de sabelotodo. Aunque tenía que reconocer que, en realidad, le gustaba su humor extraño e irreverente.

Le gustaba de verdad. Punto.

Lo malo era que ni siquiera sabía por qué. No era el tipo de hombre que debería atraerla, pero la atraía.

Sacudió la cabeza y se apartó el pelo de la cara. Luego rozó con un dedo la barba incipiente de su mejilla. Hay algo especial en el rostro de un hombre a la última hora del día… la rudeza de las sombras que se avecinan…

Se mordió los labios al recordar la forma en que él la abrazaba mientras se acariciaban el uno al otro.

«Eres peligroso para mí, Steele.» Para su cordura y para sus convicciones.

Y, sin embargo, quería volver a saborearlo.

—Si continúas haciendo eso, Westbrook, voy a meterte en la cama conmigo.

Syd se echó hacia atrás al oír la profunda y áspera voz de Steele.

—Pensé que estabas dormido y drogado.

—Lo estaba, pero tendría que estar muerto para no despertarme si una mujer me toquetea. —Abrió un ojo juguetón para mirarla—. ¿Estás interesada en algún trabajo clandestino?[33]

Syd dejó escapar un sonido de disgusto.

---

33. Hay un juego de palabras. *Undercover* es clandestino. Pero *cover* significa entre otras cosas colcha, manta o cubrecama. Así que *undercover* también sería literalmente «bajo la manta». *(N. de la T.)*

—Y pensar que estaba teniendo pensamientos tiernos sobre ti. Hazte un favor a ti mismo, Steele… enmudece.

Él se rio y la risa acabó con un silbido de dolor.

—¿Estás bien?

—Sí, pero ya sabes lo malo que es cuando has tomado analgésicos pero todavía sientes el dolor si te mueves.

Tenía razón.

—Gracias, Steele.

Él frunció el ceño y dejó de moverse.

—¿Por qué?

—Por hacer todo lo que has hecho.

—¿Para eso fui contratado, verdad?

—Sí, pero aun así… gracias.

—De nada. —Él se estiró y le capturó la mano. Clavando sus ojos ardientes en los de ella, se incorporó para poder darle un tierno beso en los nudillos.

La mujer que había en su interior se derritió ante aquel asalto de ternura.

Steele la atrajo suavemente hacia él y hacia la cama. Syd se acercó, sin estar muy segura de por qué lo hacía. Y cuando estuvo justo encima de él, Steele se incorporó para atraparle los labios entre los suyos.

Syd cerró los ojos y disfrutó de su sabor. Entonces, por un momento, se permitió a sí misma preguntarse cómo sería estar junto a ese hombre. ¿Cómo sería una relación con él?

«Nunca sería aburrida.»

Se rio ante aquella idea.

Steele se echó hacia atrás frunciendo el ceño.

—¿Qué ha sido eso?

Ella se mordió los labios pero continuó sonriendo.

—Sólo estaba pensando que la vida contigo nunca es aburrida.

Su expresión se suavizó y apareció una sonrisa deslumbrante.

—Yo diría lo mismo de ti, despiadada Syd.

A pesar de que ella sabía que debería apartarse de él, le acarició el labio inferior con el pulgar.

—Jack está cocinando. ¿Tienes hambre?

—Estoy seguro de que lo que quiero no está en el menú. —Dejó caer la mirada hacia sus pechos.

Ella sabía que debería sentirse ofendida por eso, pero por una vez no lo estaba.

—Te ajustas tanto a los estereotipos.

—¿Y tú no?

—No.

Él sacudió la cabeza mientras la atraía de nuevo hacia sí.

—Duerme conmigo esta noche, Syd. Quiero abrazarte.

—¿Por qué?

—Porque me enciendes. —Le cogió la mano y la puso sobre el bulto de sus pantalones para que pudiera sentir lo duro que estaba por ella—. Apiádate de mí, Syd.

—¿Y a cuánta gente se lo contarás?

—Ni a un alma. Nadie llegará a saberlo nunca por mis labios. Te lo juro.

Era tan tentador…

Syd se lamió los labios mientras se debatía.

—¿No deberías descansar?

—Descansaré mucho mejor con tu aroma en mi piel. —La besó suavemente—. Vamos, Syd. Te lo prometo, no te arrepentirás.

Ojalá ella tuviera tanta confianza… pero mientras él lamía y jugaba suavemente con sus labios, su resistencia se vino abajo. Honestamente, sería estupendo ser abrazada de madrugada.

—Una sola noche, Steele.

Él se echó hacia atrás y la miró atónito.

—¿Qué?

—Me has oído.

Una expresión de júbilo asomó a su rostro.

—Pero ahora necesitas descansar. —Suavemente lo empujó hacia atrás—. Volveré con comida dentro de un rato.

Su alegría se transformó en una profunda y oscura sospecha.

—¿No me estarás dando falsas esperanzas?

—No. Confía en mí, esto es algo con lo que nunca haría bromas. Tienes una noche, Steele. Sólo una.

Steele apenas podía respirar mientras trataba de no mostrar

lo emocionado que estaba. Syd se inclinó para darle un beso rápido antes de levantarse y dirigirse hacia la puerta.

Él quería seguirla, pero estaba demasiado mareado por las medicinas. Ella tenía razón, necesitaba descansar un rato y dejar que su cuerpo se recuperara. Porque estaba completamente decidido a procurarle una noche que ella no podría olvidar jamás. Y cuando ésta hubiera acabado, ella volvería para pedirle más y más y más.

Capítulo trece

Syd terminó su bistec, que estaba tan quemado como Jack había prometido. Pero se lo comió sin quejarse mientras vigilaba a su «amigo», que todavía seguía inconsciente sobre el sofá. Ella no sabía que les reservaba el día de mañana. Lo más probable era que más de lo mismo… travesuras, caos derramamiento de sangre. Posiblemente a Steele le dispararían otra vez, a juzgar por la suerte que estaba teniendo.

Suspirando ante aquel pensamiento, se levantó del taburete.

—¿Dónde…?

—Déjalo ahí en la mesa y yo me ocuparé —dijo Jack al tiempo que le daba un pedazo de bistec a *Cletus*, que se lo arrebató con voracidad y comenzó a masticarlo.

Syd cogió el plato de Steele y una lata de soda antes de dirigirse hacia su habitación. Giró primero hacia el cuarto de baño para proveerse de algunas cosas antes de cruzar el pasillo.

Al abrir la puerta de la habitación se encontró a Steele dormido. Sonrió a la vista de él extendido al través en la cama… al menos hasta que vio que las sábanas estaban manchadas porque su herida había comenzado a sangrar otra vez. Ella se encogió al verlo. Pobre muchacho. A ella le sorprendía que fuera capaz de soportar esas heridas sin quejarse. La mayoría de los tipos del BAD solían gimotear como bebés ante cualquier daño.

Se acercó a la mesilla de noche y colocó allí el plato y la soda antes de sentarse en el borde del colchón.

—¿Steele? —dijo, sacudiéndolo suavemente.

—¿Syd? —Su voz era profunda y entrecortada; susurró su nombre como si se hallara en medio de un sueño.

—Soy yo.

—¿Tienes tu revólver?

Ella frunció el ceño ante la extraña pregunta.

—Sí.

—Entonces remátame para que no sufra.

—Ahhh —dijo ella mientras se arrimaba a él por detrás. Era demasiado para no quejarse, tenía derecho a hacerlo—. Pobrecito. Has tenido un día realmente chungo.

Él se puso boca arriba para mirarla.

—Sí, así es. Y espero que estés aquí para mejorarlo.

Ella le sonrió mientras él hacía pucheros. ¡Qué demonios! Ese hombre era delicioso. Tenía que esforzarse para no inclinarse hacia delante y atrapar esos labios entre los suyos durante un largo y cálido beso.

Pasó la mano sobre su brazo firme mientras su corazón comenzaba a acelerarse.

—¿Qué tal está la herida de cuchillo?

—Estoy relativamente seguro de que sobreviviré, salvo que me venga una infección o reciba una nueva herida de cuchillo en el corazón.

Ella ladeó la cabeza mientras miraba cómo la observaba él.

—Te he traído bistec y puré de patatas. —Ella se estiró para acercar el plato y entregárselo.

Steele se incorporó con una mueca de dolor.

—Aquí tienes —dijo ella, cogiendo el cuchillo y el tenedor—. Tú descansa el brazo, yo te lo cortaré.

Vio una expresión de alivio en su rostro.

—Gracias.

Ella troceó el bistec y luego le pasó el tenedor. Él le capturó la mano y le dio un dulce beso en los nudillos.

—¿Por qué haces eso? —preguntó ella.

—¿Hacer qué?

—¿Por qué me besas tanto la mano?

Él le dirigió una mirada incendiaria.

—Me gusta el olor de tu piel. Usas algún tipo de loción perfumada.

—Leche de rosas.

Él asintió.

—Hace que me den ganas de darte un bocado.

Pero en lugar de eso, se metió en la boca un trozo de bistec y descubrió lo que ella había descubierto antes... que Jack no podía cocinar.

Puso cara de asco ante el sabor carbonizado y masticó durante varios minutos antes de poder tragar.

Syd le pasó la soda.

—Creo que he perdido un diente —dijo él antes de beber un trago.

Ella se rio.

—Tiene buenas intenciones.

Steele miró el plato con escepticismo antes de probar las patatas.

—Betty Crocker[34] —le dijo ella con una sonrisa.

—Oh, gracias a Dios.

Syd contuvo su risa esta vez.

—Sí, es difícil estropearlas. —Lo observó comer durante unos minutos mientras pensaba en su anfitrión tan cascarrabias.

—¿Por qué a veces llamas a Jack «Caimán»?

Steele se tomó un segundo para aclararse la garganta antes de responder.

—Cuando estaba en el Ejército una vez lo dejaron caer por error sobre una charca de caimanes. El Ejército estaba seguro de que lo habían devorado por completo, pero hicieron un reconocimiento y, cuando lo encontraron, estaba rodeado por los cuerpos de diez caimanes a los que había disparado mientras esperaba a que recordaran el lugar donde lo soltaron. Desde entonces comenzaron a llamarlo el Rey Caimán, que más tarde se quedó en Caimán a secas.

—¡Ah! —dijo ella, horrorizada ante la idea de encontrarse en una charca de caimanes. Incluso Jack debió sentirse aterrorizado ante una cosa así. Pero eso la llevó a hacerse una pregunta acerca de Steele—. ¿Y qué me dices de ti? ¿Nunca te dieron un apodo?

—Steele, como acero. Es de lo más acertado.

Sí, lo era. Extremadamente adecuado.

—Pero mi nombre en clave era Azrael —añadió él.

---

34. Famosa cocinera americana que dio origen a una marca que posee una amplia gama de productos alimenticios. *(N. de la T.)*

—¿Azrael?

—El ángel de la muerte.

Probablemente ése era todavía más adecuado.

—¿Y tú? —preguntó Steele antes de coger otro bocado de patatas—. ¿Tienes un nombre como agente secreto?

—Cobra.

Él la miró arqueando las cejas.

—¿Algún significado especial para eso?

—Rápida y mortal, y me gusta mantenerme quieta y escondida hasta encontrar el momento perfecto para atacar.

Él jugó con su mano, acariciándole los dedos con los suyos.

—Tenemos mucho en común.

Era gracioso, pensándolo bien, él tenía razón. Tenían mucho en común. El sarcasmo, la profesionalidad, y la necesidad innata de proteger a aquellos que tenían alrededor. Por no mencionar otros rasgos menos deseables, como la tendencia a mantener las distancias con todo el mundo.

—¿Alguna vez has pensado en hacer alguna cosa diferente a lo militar? —preguntó ella.

Él se atrevió con otro bocado de carne.

—Cuando era niño pensaba en convertirme en un conductor de carreras de coches.

Ella podía imaginarlo haciendo algo así. Sin embargo, era también una profesión para la que se necesitaban unas agallas y unos nervios… de acero.

—¿Por qué no lo intentaste?

Él soltó un bufido.

—¿Estás de broma? Mi padre era un francotirador de los duros. No se discute con un hombre que está entrenado para matar. Cuando le dije que quería ir a la universidad, creí que iba a sufrir un infarto cerebral. Llegamos al acuerdo de que sólo me lo permitiría si yo aceptara cursar primero el ROTC[35] y hacer el servicio militar después. —Negó con la cabeza—. Entonces, cuando mi hermana trató de reclutarse se puso furioso con ella.

—¿Por qué?

35. Reserve Officers' Training Corps (Cuerpo de Entrenamiento de Oficiales de Reserva). *(N. de la T.)*

—Para su mentalidad, las mujeres no deberían estar en el Ejército. Su trabajo es estar guapas, casarse y tener hijos. Y ésas no eran exactamente las metas que Tina tenía en la vida.

Qué atrasadas debían de ser las ideas de su padre.

—Apuesto a que Tina no se lo tomó muy bien.

—Para nada. Ella y mi padre estaban realmente muy unidos hasta que ella alcanzó la pubertad y él dejó de hablar con ella salvo para corregir su comportamiento. Cuando éramos pequeños creo que se olvidó del hecho de que ella no era un chico. Solía llevarla de caza y de pesca con nosotros cuando era pequeña, pero en el momento en que se hizo evidente que era una chica comenzó a dejarla en casa cuando hacíamos nuestras excursiones.

Syd sintió compasión por su hermana.

—Mi padre siempre fue fantástico. Quería tanto que uno de nosotros lo siguiera en el mundo de las finanzas que de hecho me compró una calculadora el día que cumplí los cinco años.

Steele se rio.

—¿En serio?

—Sí, eso hizo. Se llevó un buen disgusto al ver que todos sus hijos nos dedicábamos a campos diferentes.

—¿Cómo qué?

Syd sintió que una ola de amor la embargaba al pensar en su familia. No eran perfectos, pero tenía que reconocer que había tenido mucha suerte de tener un grupo de gente tan fantástico con quien compartir su sangre.

—Mi hermana tiene una pequeña tienda de ropa en Boston, y mi hermano enseña gimnasia en un instituto. Mi padre está orgulloso de nosotros, pero cada vez que vamos a casa saca la revista *Fortuna* y comienza a intentar que nos interesemos en las inversiones.

—¿Y qué hay de tu madre?

—Ella también es fantástica. Trabaja en la oficina de administración de mi padre. Creo que se sintió perdida cuando todos nos hicimos mayores y nos fuimos de casa.

Él ladeó la cabeza para observarla.

—Eso te da miedo. —No era una pregunta, sino una afirmación.

Syd tragó saliva ante su perspicacia.

—En cierto modo. Quiero decir, no me interpretes mal. Me encanta el hecho de tener una madre hogareña, pero recuerdo cómo estaba cuando nos hicimos mayores. Durante un tiempo fue como si no supiera qué hacer con su propia vida. Era algo que daba miedo. No quiero entregarme nunca de manera tan absoluta a otras personas. —Los viejos miedos e incertidumbres crecieron en su interior, y no podía creer que le estuviera confiando aquello a él. Era algo de lo que nunca había hablado—. ¿Crees que es una actitud egoísta?

Él le apartó el pelo de la cara.

—No, cariño. No es egoísta querer ser fiel a uno mismo. Tú eres una gran mujer con mucho que ofrecer al mundo.

Nadie le había dicho nunca nada tan bonito. Una emoción cálida y extraña la embargó mientras le sonreía. Le apretó la mano y se la besó.

Él apartó después la mano para continuar comiendo.

—¿Y qué me dices de ti, Steele? —preguntó ella—. ¿Planeabas quedarte en el Ejército?

Él negó con la cabeza.

—Yo no soy mi padre. No me molesta ser militar, pero no quería ser como él… tan distante de sus emociones que cuesta darle el calificativo de ser humano.

—¿Era realmente tan malo?

Aquellos ojos oscuros ardían con sinceridad.

—No tienes ni idea. Mi padre nunca dijo «tráeme una taza de té». Más bien era «¡Muchacho! Coge una taza de la vitrina. Ponla en la encimera. Coge hielo. Cierra la puerta. Pon el hielo en la taza. Sirve el té sobre el hielo. Ahora tráemelo. Ahora. Ahora. ¡Ahora!».

Ella tenía que creerle, pues se sabía al dedillo el ritmo taladrante del instructor.

—Pasaba tanto tiempo en el campo de batalla que perdió la habilidad para relacionarse con todo lo que no fuera ese maldito rifle que se pasaba horas y horas lustrando. Puedo jurar que tocó más a su rifle de lo que nunca tocó a mi madre. El hombre de hecho nos regaló a Tina y a mí escopetas en nuestro séptimo cumpleaños. Luego vendió la de Tina cuando cumplió doce, y a mí me enseñó todos los trucos que conocía.

Sus oscuros ojos marrones estaban llenos de dolor al encontrarse con la mirada de Syd.

—No soy mi padre, Syd. Esta tarde cuando intentaba dispararle a nuestro querido asesino sentía que me ahogaba.

—No, no es cierto.

—Sí, lo es. Ni siquiera llevaba un rifle cargado con balas. En lugar de disparar el tiro cuando debía volví a ver a Brian. —Cerró los ojos con fuerza, como si el fantasma de su amigo lo estuviera rondando también en aquel momento—. No creo que pueda volver a matar a nadie más, Syd. No puedo.

A ella le dolía el corazón por él. Y mientras pensaba en eso, se dio cuenta de que él no había realizado ni un único disparo durante toda su huida. Ella sí… pero él no.

—¿Cómo ocurrió lo de Brian?

Todavía más angustia apareció en su frente. Ella nunca había visto a alguien con un aspecto tan atormentado.

—Seguíamos órdenes. Lo que no sabíamos era que el capitán no estaba autorizado para enviarnos ahí. Es más, el bastardo tenía una información de pacotilla. Nuestro blanco no estaba donde se suponía que tenía que estar. Entonces, comportándonos como los buenos imbéciles que el Ejército nos había enseñado a ser, Brian y yo nos acercamos más hasta poder cumplir con nuestra misión. Mi instinto me decía que debíamos marcharnos. Que aquello era una trampa. Pero Brian sacudió la cabeza y se negó a abortar el plan. Para él, el objetivo lo era todo. Así que permanecimos allí tendidos durante diez horas enteras hasta que el blanco apareció ante mi vista. Disparé y el infierno se nos vino encima. Nuestro blanco era un señuelo colocado para detenernos. En cuanto disparé, ellos pudieron identificar nuestra localización.

—Y mataron a Brian.

Él asintió.

—De repente yo ya no era un soldado, volvía a ser otra vez aquel chiquillo asustado de once años tendido en el patio trasero mi padre dándome gritos. Él solía obligarme a quedarme tumbado inmóvil mientras él imitaba un ejército en marcha pasando sobre mi cuerpo. Me decía que aquel entrenamiento que me daba algún día me salvaría la vida. El muy hijo de puta tenía razón. Permanecí allí tumbado, incapaz de respirar ni de pensar. Y estoy seguro de que ésa es la única razón por la que ahora estoy aquí y no en una tumba al lado de Brian.

Syd ansiaba desesperadamente consolarlo, pero no sabía cómo. La experiencia por la que había pasado… era de las que dejaban cicatrices, y ni una montaña de palabras sería capaz de curar esa herida.

Llevaría tiempo, y ella lo sabía. Ojalá ella pudiera acelerar el tiempo hacia delante para que ahora él no sintiera un dolor tan crudo. Sus ojos estaban llenos de horror.

—Ellos capturaron el cuerpo de Brian y de hecho pasaron caminando justo por encima de mí sin saberlo.

—¿Cómo es posible que no te encontraran?

—En mi traje de cazador llevaba un disfraz térmico, así que no podían captar mi temperatura corporal. Y, literalmente, estuve sin moverme durante el día entero. Sembraron el área de balas, y recibí una en la pierna y otra en el brazo sin inmutarme. Finalmente, la mayor parte del grupo se marchó. Hubo tres que se quedaron atrás para buscarme. —Sus ojos quemaban—. Los maté, y luego hice el camino de vuelta a mi campamento.

Y ahora ella le pedía que volviera a matar.

—¿Por qué disparaste a tu comandante?

Steele guardó silencio, como si estuviera reviviendo aquel momento en su mente.

—La razón más simple es que él me amenazó y yo estaba demasiado enfadado para tolerarlo. Quería enviarme con otro observador en otra misión para la que yo no creía que tuviera autorización. Dijo a nuestros superiores que Brian y yo nos habíamos perdido. Cuando lo vi marcharse como si nada hubiera pasado, no pude contenerme. Me dijo que los accidentes ocurren, y que si no iba con cuidado, también podía ocurrirme uno a mí. Así que decidí mostrarle mi propia idea de un accidente. —Soltó un largo y cansado suspiro—. Realmente, la cagué.

Syd le apartó el pelo de la cara mientras él tomaba otro bocado de bistec. No sabía qué decirle. No podía imaginarse pasar por lo que había descrito. Debía haberse sentido terrible. Solo. Sin nadie que lo ayudara.

Realmente estaba hecho para formar parte del BAD.

Sus ojos ardientes la miraron.

—Entonces, ¿ahora voy a volver a la cárcel?

Ella frunció el ceño al oír sus palabras.

—¿Por qué?

—Ya te lo he dicho. No puedo hacerlo. No puedo apuntar a otra persona viva y apretar el gatillo. Si me envías tras ese asesino, no hay ninguna garantía de que sea capaz de hacer lo que me pides.

—Steele…

—No, Syd —la interrumpió él—. No hay ningún argumento que puedas usar para influirme.

—¿De verdad prefieres pasar el resto de tu vida encerrado en la cárcel antes que eliminar a un perro rabioso?

—Ese perro rabioso podría tener un hijo. Un gran amigo. Una madre que lo echaría de menos.

—Y ese perro rabioso podría lanzar un arma nuclear sobre la casa de mis padres. Eso es lo que me mantiene despierta por la noche. ¿A ti no?

Él apartó la vista de ella.

—Vamos, Steele. Eres la única oportunidad que tenemos. APS no dejará que nadie más se acerque a ellos. Averigua el nombre del contratista que tiene como misión el asesinato del presidente y yo me encargaré del resto.

La incredulidad que vio en sus ojos le dolió. Era un hombre que estaba acostumbrado a que lo traicionaran, y ella lo sabía.

—¿Lo harás?

—Sí —dijo ella con énfasis.

Esos ojos intensos continuaban observándola.

—Dime una cosa, Syd. ¿Has matado a alguien alguna vez?

Ahora fue su turno de apartar la vista.

—¿No lo has hecho, verdad?

—No, pero…

—No hay peros en esto, Sydney. Matar a alguien te cambia para siempre. Cuando cierras los ojos, ¿sabes lo que aparece? Sus caras. El aspecto que tenían al darse cuenta de que iban a morir y todo lo que querían hacer con sus vidas estaba acabado. Que ya no habría segundas oportunidades para ellos. Y con cada muerte, algo de tu propia alma muere. Es por eso que mi padre se convirtió en un bastardo sin corazón.

Ella oía lo que él decía, pero eso no cambiaba nada.

—Es un riesgo que estoy dispuesta a asumir.

—Estás jugando a un juego que ni siquiera entiendes.

—Bueno, entonces ¿qué quieres que haga? —preguntó con la voz teñida de ira—. ¿Quedarme sentada viendo cómo a nuestro país se le echa la culpa de un asesinato con el que no tiene nada que ver? ¿Contemplar cómo un chiquillo hambriento de poder convoca una subasta pública para que otra persona, también hambrienta de poder pueda hacerse con un arsenal nuclear que intimide al resto del mundo? No sé tú, pero lo que soy yo, nunca he podido soportar a un matón.

Steele permaneció en silencio mientras reflexionaba sobre ello. Ella tenía razón, él tampoco había sido nunca el tipo de persona capaz de tener estómago para soportar a un matón.

—Te introduciré en APS, pero eso es todo lo que puedo prometerte. Lo siento.

Syd asintió.

—¿Sabes una cosa, Steele?

—¿Qué?

—Confío en que harás lo correcto. —Ella no podía creer que aquellas palabras hubiesen salido de su boca. Después de todos esos años, Joe estaba por fin dejando de influirla—. Sé que no nos dejarás en la estacada.

La mirada de sus ojos oscuros mostraba que él no estaba de acuerdo, pero por primera vez en su vida, ella quería decir lo que había dicho. No sabía de dónde brotaba su fe. Pero en su interior sabía que él no la defraudaría.

Steele acabó su comida en silencio mientras ella examinaba sus heridas. La herida de bala había mejorado un poco su aspecto. Ya no estaba tan inflamada. Pero todavía tenía que dolerle muchísimo. Mientras pasaba la mano por su piel para alisar el vendaje, se dio cuenta de que Steele tenía los ojos cerrados, como si estuviera disfrutando de sus caricias. Ella se detuvo y sonrió ante la plácida expresión de su rostro. Él abrió sus ojos oscuros para mirarla con una ternura que le provocó un hormigueo en el estómago.

—Tu manera de tocar es increíblemente suave.

—Hunter no estaría de acuerdo contigo.

Él sonrió mientras alargaba una mano para tocarle la cara.

—¿Cómo te sientes ahora? —dijo ella, al tiempo que se daba cuenta de por qué se lo preguntaba tan a menudo. Le encantaba oír sus originales y a veces sarcásticas réplicas.

—Como para poder hacerte el amor toda la noche.

El cuerpo de ella se calentó ante aquella idea.

—Realmente deberías descansar.

—Dormiré mejor si tengo tu olor en mi piel —le dijo él antes de capturarle los labios entre los suyos.

Syd suspiró al sentir su sabor. Para ser sinceros, era mejor que el chocolate. Él se volvió para empujarla contra él mientras apoyaba la espalda en la cama. Oh, era agradable ser abrazada así. Demasiado agradable. Había algo en el hecho de sentir la dureza del cuerpo de un hombre yaciendo junto al suyo que desafiaba cualquier descripción. Y en particular abrazar el cuerpo de Steele era como estar en el cielo.

Steele no podía pensar mientras se ocupaba de desabrocharle los botones de la blusa. Hubiese querido desgarrarla de un tirón, pero no quería asustarla mostrándole de qué modo tan desesperado necesitaba estar dentro de ella. La suavidad de su piel era como una canción susurrada a través de toda su alma. No sabía por qué, pero había algo en ella que lo calmaba de una manera extraordinaria.

Debería estar enfadado con ella por haberlo metido en todo aquel lío pero, sin embargo, no podía. ¿Cómo podía enfadarse con una mujer que no sólo lo había devuelto a la vida, sino que lo había encendido de aquella forma?

Hizo reventar el cierre de su sujetador y soltó un silbido cuando sus grandes pechos se liberaron de golpe. Le encantaba que no estuviese delgada. Sus exuberantes curvas lo encendían y le hacían ponerse tan duro que deberían ser ilegales.

Le soltó los labios y le sostuvo el seno derecho entre las manos, disfrutando al notar su pezón firme contra su palma. Sopló suavemente sobre la punta de su pezón y observó cómo éste se arrugaba aún más. Oh, sí, eso era lo que él quería. Syd cálida y dócil entre sus brazos.

Al menos sabía que ella no se metería en la cama con cualquier chico que conociera en un bar. No sabía por qué, pero se sentía extrañamente especial por el hecho de estar con ella.

Con el corazón latiéndole a toda velocidad, apretó suavemente su pecho antes de llevarse el pezón a la boca para saborearlo.

Syd arqueó la espalda mientras sentía un hormigueo en el estómago con cada lametazo de la lengua de Steele contra su carne sensible. Se sentía extrañamente vulnerable ante aquel hombre.

«Es sólo sexo, Syd.»

Y, sin embargo, sentía cómo se abría ante él. Cómo confiaba en él. Y si él la traicionara…

No sabía lo que haría en ese caso. Matarlo, era lo más probable. Y sin arrepentirse.

Pero todos esos pensamientos se dispersaron cuando pasó la mano por su espalda y sintió la flexión de sus músculos. Apoyó la mejilla contra la suavidad de su pelo negro mientras él jugaba con ella. Hundió sus manos en los sedosos cabellos, dejando que éstos se le enredaran entre los dedos.

¿Por qué estaba rompiendo su estricta regla de no tocar con aquel hombre? No tenía ni idea, más allá del hecho de que él la encendía como ningún otro hombre había conseguido antes.

Le cogió la cara entre las manos y lo apartó de su pecho para poder besarlo profundamente. Gimió al sentir su sabor y su lengua en la boca. Todas las hormonas de su cuerpo ardían mientras sus emociones la arrastraban lejos.

Steele tembló al notar la respiración de Syd al oído. Los escalofríos recorrieron todo su cuerpo. Permaneció tendido sobre ella, sintiendo su cuerpo caliente y suave apretándose contra el suyo.

Se apartó un poco de ella sólo lo suficiente para quitarle los pantalones y los zapatos. Todo lo que quería era notar que estaban piel contra piel. Sentirla respirar sobre su piel desnuda. Había pasado demasiado tiempo sin hacerle el amor a una mujer. No contaba lo que habían hecho antes. Había sido improvisado y ansioso.

Esto era diferente. Quería apropiarse de ella, poseerla, lo cual era una idea de lo más extraña. Pero así era. Quería sentir cómo ella se envolvía contra él mientras la penetraba. Quería oír sus gritos de placer al oído y sentir sus uñas clavándose en su espalda.

Syd envolvió su cuerpo contra el de él antes de rodar para ponerse encima de Steele y clavarlo contra el colchón.

Luego se apartó.

¿Habría cambiado de idea? Steele frunció el ceño hasta que la vio estirarse hacia la mesilla de noche y coger una pequeña bolsita de aluminio. Era un condón.

Vaya, esa mujer realmente estaba preparada para todo.

—¿De dónde lo sacaste?

—Estaban en el cuarto de baño.

Él se rio.

—Jack, menudo pícaro.

—Sí, pero has tenido suerte. De lo contrario tendrías que esperar hasta que tuviéramos tiempo de encontrar un almacén.

Él lanzó una mirada sobre ese exuberante cuerpo desnudo que lo atraía de aquella manera terrible.

—Créeme, le estoy agradecido hasta la médula.

Steele la observó abrir el condón y luego colocárselo. Su corazón galopaba ante la idea de poseerla.

Syd se emocionó al ver a Steele tendido sobre la cama, a su disposición. Toda aquella carne bronceada y masculina implorándole que probara cada rincón. Jugó con su miembro erecto mientras él contenía la respiración y apretaba los dientes. Sonriéndole, le puso la mano sobre los testículos, y se tomó un tiempo en acariciarlos y estimularlos. Incapaz de contenerse, se inclinó para lamer suavemente aquella parte tan sensible. Notó que él se tensaba y gemía. Ese sonido la excitó aún más. No sabía por qué, pero le gustaba dar placer a aquel hombre.

Se apartó para mirarlo.

—Dime lo que te gusta, Steele.

Sus ojos oscuros y ardientes la observaban.

—Me gustaría que me llamaras Josh.

Aquellas palabras hicieron añicos algo en su interior. Ese hombre odiaba la intimidad tanto como ella. Sin embargo, le estaba ofreciendo llamarlo con un nombre que no le permitía usar a nadie. En aquel momento se sintió más cerca de él de lo que nunca se había sentido de nadie.

—¿Y qué más te gustaría, Josh?

—Estar dentro de ti, Sydney.

Syd lo miró fijamente antes de deslizarse hacia él para hacer que la penetrara. La expresión de éxtasis que vio en su rostro la conmovió tanto como la sensación de tener su grueso miembro por fin dentro de ella. Soltó el aire mientras se movía para que él entrara aún más adentro, desgarrándola de placer.

Oh sí, eso era lo que ella había estado anhelando también. Pasó las manos sobre su pecho duro y fuerte.

Se inclinó sobre él para poder notarlo aún más adentro. Más profundo. Había pasado tanto tiempo que casi había olvidado lo agradable que era sentir a un hombre de aquella forma y, a decir verdad, no podía recordar a nadie que la llenara tanto como Steele.

Él se llevó una mano de ella a los labios para poder darle pequeños mordisquitos en las yemas de los dedos mientras la observaba cabalgándolo con lentitud y facilidad. Nunca había visto nada más sexy que ella. Comenzó a moverse más rápido contra él a medida que sentía crecer su placer. Steele bajó la mano para empujarla contra su sexo, llevándola así más cerca del éxtasis.

Al correrse, ella se mordió los labios para contener su grito de alivio.

Steele puso las manos en sus mejillas mientras observaba el placer en su rostro. La vista de su rostro en combinación con los espasmos de su cuerpo lo condujeron al éxtasis a él también.

Soltó un gruñido en lo profundo de su garganta mientras estallaba dentro de ella. Luego no quiso salir. Estaba hermosa a horcajadas sobre él. Él podía sentir el vello corto y fresco de su sexo haciéndole cosquillas en la piel, mientras sus pezones estaban todavía duros.

Con sus cuerpos todavía unidos, Syd se inclinó hacia delante para cubrirlo. Realmente no había nada mejor que la sensación de sus senos desnudos descansando contra su pecho. Todo el dolor de sus heridas había quedado completamente olvidado. Pero más que eso, el dolor de su pasado parecía haberse amortiguado también, y eso sí era algo que le costaba comprender. Steele la sostuvo quieta contra él, simplemente disfrutando de la sensación de su cuerpo cubriendo el suyo. De sus sedosas piernas entrelazadas contra las suyas. Era uno de los momentos más plácidos de su vida. No quería levantarse nunca de aquella cama.

En cuanto a Syd, jamás en su vida se había sentido tan satisfecha. Completamente saciada, se sentía de pronto terriblemente cansada. Cerró los ojos para descansar y, antes de darse ni cuenta, se halló profundamente dormida.

Steele sonrió al oír sus suaves ronquidos. Bueno, aquélla era la primera vez. Nunca había habido una mujer con la que le pasara eso. Normalmente ellas se quejaban cuando era él quien caía dormido encima.

Pero aquél había sido un día largo, y ella, a diferencia de él, no se había echado una siesta.

Con toda la suavidad que pudo para no despertarla ni hacerse daño en el brazo o en el hombro, se movió para salir de debajo de ella. Ella suspiró profundamente dormida y se reacomodó sobre el colchón. Su cuerpo desnudo estaba enrojecido por sus juegos amorosos y sus labios hinchados por los besos.

Steele permaneció un minuto tendido junto a ella contemplándola. Una ternura inesperada afloró en su interior mientras una parte desconocida de él se preguntaba cómo sería pasar el resto de la vida junto a ella. Syd era una mujer realmente única.

Cerró los ojos y enterró el rostro en sus sedosos cabellos negros, inhalando su dulce fragancia.

Estaba allí tendido perdido en sus pensamientos cuando de repente oyó un claro e inconfundible estallido.

Era un disparo.

Capítulo catorce

Steele recogió sus pantalones del suelo y se apresuró a vestirse. Miró a Syd, que todavía estaba durmiendo. Maldita sea, estaba realmente cansada. Tal vez él había malinterpretado el ruido y su causa. No había sido particularmente alto.

Sin embargo…

Alcanzó su revólver antes de abrir la puerta y recorrer el pasillo hacia el centro de mando.

Sujetando su revólver ante él, avanzó sigilosamente, preparado para cualquier cosa. Accionó la palanca que había al final del pasillo y esperó expectante a que la puerta se abriera.

Cuando esto ocurrió, quedó boquiabierto ante la vista que tenía ante él. Jack estaba limpiando sangre del suelo.

—Capullo listillo —gruñó—. ¿No podías quedarte ahí sentado, verdad? No, tenías que hacer un desastre para que yo lo limpiara. Debería dispararte en la cabeza otra vez, sólo por si acaso.

—¿Jack?

Con una expresión de lo más irritada, alzó la vista hacia él.

—Ya sé que estás ahí, muchacho. No soy sordo ni estúpido.

Steele se relajó mientras se acercaba a mirar el cuerpo que había al otro lado del sofá.

—¿Qué ocurrió?

Él hizo un sonido de disgusto con la garganta.

—Syd le había aflojado las cuerdas porque tenía miedo de que se hiciera daño y él fingía dormir. Yo me estaba preparando para ir a la cama cuando el muy capullo se abalanzó sobre mí. Pensó que un pequeño viejo chocho no podría con él. Bueno, le demostré lo contrario. Ahora estoy seguro de que Syd querrá mi cabeza para desayunar. Pero no fue culpa mía. ¿Qué se suponía que tenía que hacer? ¿Dejar que me matara?

No cabía duda de que a Syd le fastidiaría. Jack realmente había hecho una carnicería.

—Sí, ella quería interrogarlo.

Jack alzó la vista hacia él.

—¿De verdad crees que le habría dicho algo útil?

—Ni en un millón de años.

—Exacto.

Tras dejar su pistola, Steele lo ayudó a limpiar aquello, a pesar de que su hombro protestara de manera contundente. Cuando Jack se inclinó para arrastrar el cuerpo una idea horrible acudió a su cabeza.

—Oye, Jack…

Él se detuvo y lo miró.

—¿Sí?

—Estoy teniendo un mal momento «Soylent Green».

Jack frunció el ceño.

—¿Soylent Green? ¿Qué diablos es eso?

—¿Conoces esa película cutre de ciencia ficción de Charlton Heston donde encuentran una nueva fuente de alimento para un planeta superpoblado y nadie sabe en qué consiste. Y cuando él descubre lo que es, da un grito: «Soylent Green es carne humana». Por favor, dime que el bistec que me comí no era un trozo del otro tipo que mataste.

Jack se quedó callado.

Demasiado callado.

A Steele se le revolvió el estómago.

—Jack, tú no…

La expresión solemne de Jack se convirtió en una sonrisa.

—No, no fui tan rápido pensando, pero sabes qué… no es una mala idea, excepto que no me gusta el sabor de la carne humana. Demasiado fuerte.

Steele quería pensar que continuaba bromeando con él, pero con Jack nunca se podía estar del todo seguro.

—A *Cletus* es al único que le gusta el sabor de los humanos.

Steele miró al perro, que estaba en el suelo royendo un hueso. Sí…

A diferencia de *Petey*, *Cletus* no parecía particularmente agresivo. Pero nunca se sabe.

—Entonces, ¿qué has hecho con el otro cuerpo?

Jack se encogió de hombros.

—Lo escondí en el congelador donde guardo la carne de venado en el invierno.

Steele dio las gracias a Dios por ese pequeño favor.

—¿Qué vas a hacer con los cuerpos?

Jack se detuvo a pensar en ello.

—Tengo una azada y cien acres de tierra. Supongo que los enterraré cerca de la carretera.

Steele no sabía que era peor, el congelador o la tierra.

—De momento dejémoslos en el congelador. Llamaré a Andre mañana para ver si tienen alguna manera de ocultar este desastre y devolver los cuerpos a las autoridades.

Jack se burló.

—Mira la parte divertida de todo esto, ¿quieres? En mis tiempos sólo podías enterrarlos bajo la gravilla de la madera y obtenías un gran fertilizante para tu césped. Realmente se ponía muy verde en primavera.

—Sí, pero no quiero que vayas a la cárcel por algo que yo he provocado.

Jack carraspeó mientras cogían el cuerpo y comenzaban a arrastrarlo hacia el pasillo que Steele había usado antes para salir a la superficie.

Steele se dispuso a ayudarlo.

—Ni se te ocurra —le gruñó Jack—. Te han disparado. Vuelve a la cama y deja que me encargue de esto.

—De acuerdo, sólo que hay un problema.

—¿Cuál es?

—Le he dado mi cama a Syd.

Jack le hizo una mueca de irritación.

—Bien, mi cama está…

—Usaré el sofá —lo interrumpió él. Había algo desagradable en el hecho de quitarle la cama a un hombre, especialmente si no se habían cambiado las sábanas.

—¿Estás seguro?

—Sí. ¿Dónde están las mantas extra?

—En el armario del cuarto de baño.

—Gracias, Jack.

Steele se dirigió hacia el baño, pero antes de entrar no pudo reprimir las ganas de echar otra mirada a Syd. Estaba todavía durmiendo, tal como la había dejado.

Jack tenía razón, debería ponerse a su lado, pero ella estaba tan paranoica con la idea de que nadie supiera que habían estado juntos que pensó que sería mejor mantener las apariencias y no dormir juntos.

«Eres tan imbécil.»

Sí. No iba a discutir eso. La estupidez y Steele eran una misma cosa. Si tuviera una sola célula en el cerebro, se acurrucaría junto a ese precioso cuerpo desnudo y lo envolvería entre sus brazos. Dios, no podía imaginar nada mejor que despertar abrazado a ella. Suspirando, la dejó y fue a coger su manta para pasar una miserable noche en el sofá.

Syd se despertó y al principio trató de recordar dónde estaba. De repente, los recuerdos afloraron a su mente y se vio a sí misma quedándose dormida en los brazos de Steele.

Miró alrededor de la habitación y vio que se encontraba sola. Una extraña tristeza la embargó. Mientras se sentaba en la cama, su mirada reparó en una pequeña nota que estaba doblada en la mesilla de noche.

Frunciendo el ceño, la recogió y la desdobló.

> Buenos días, ángel:
> No te preocupes, nadie sabe lo nuestro. Jack tampoco. Es sólo un dulce recuerdo que nos quedaremos para nosotros.
>
> Josh

Syd mordió la nota con los labios mientras se quedaba literalmente sin habla.

Era una nota concisa y estúpida y, sin embargo, la había conmovido profundamente.

Pero aún más significativo que las palabras había sido la forma en que la había firmado. Josh.

—Te odio —susurró. Porque con aquel simple gesto él había destruido esa parte de ella que quería mantener las distancias.

Aquel hombre era el diablo encarnado. Irritada con él, recogió sus ropas y fue al cuarto de baño para tomar una ducha rápida antes de ponerse unos pantalones tejanos y un suéter.

En cuanto estuvo vestida, se dirigió al centro de mando, donde encontró a Jack ocupado trabajando con uno de los teclados.

Él alzó la vista al oírla entrar y le hizo un gesto para que guardara silencio. Hasta hallarse delante del sofá ella no entendió por qué.

Steele estaba durmiendo.

Syd cruzó la habitación para ponerse junto a Jack.

—¿Por qué está en el sofá? —susurró.

—Me dijo que te había dado su cama y no quiso usar la mía.

Ella se sintió fatal por eso, especialmente porque él estaba herido.

—Yo no pretendía quitarle la cama.

—Sí, ya, eso le pasa por ser un estúpido.

—¿Por qué lo dices?

Le guiñó un ojo.

—Si yo hubiera sido él, te habría hecho compartirla.

Ella se ruborizó, hasta que se dio cuenta de algo.

—¿Dónde está el tipo que capturamos ayer?

Jack pareció avergonzarse repentinamente.

—¿Jack?

—Está muerto.

Ella se volvió hacia la voz atontada de Steele para ver que la observaba.

—¿Muerto?

—Trató de matarme —se defendió Jack—. Fue defensa propia.

Ella lo miró no muy convencida.

—Lo fue —corroboró Steele—. Y deberías aprender a despertarte cuando se oye un disparo, agente Westbrook. Me da escalofríos pensar qué te hubiese pasado si Jack y yo no hubiéramos estado aquí.

Aquello era ridículo.

—Yo no sigo dormida si oigo un tiro. Es imposible.

—Sí, lo hiciste —dijeron los dos hombres al unísono.

Ella sintió cómo palidecía. No era posible que estuviera tan cansada. ¿O sí?

—¿Habláis en serio?

Por sus caras ella podía ver que sí. Notó que su rostro seguía perdiendo el color.

—No puedo creerlo.

—Pues créetelo —dijo Jack—. Yo hice lo que tenía que hacer. No me disculpo.

Syd le creía, pero todavía no podía creer que ella no hubiera oído el ruido de un disparo.

—Sé que hiciste lo correcto, Jack. —Volvió hacia el sofá—. ¿Cómo te sientes esta mañana?

—¿Sabes que el dolor no acaba de establecerse realmente hasta el día siguiente?

—Es cierto.

—Entonces puedes imaginarte cómo me siento. Pero estoy más que preparado para enfrentarme a Randy y darle una patada en el culo.

El problema era que ella no estaba tan segura de eso. Lo último que quería era verlo herido otra vez.

—¿Qué hora es? —preguntó ella.

—Las diez y diez —respondió Jack.

Ella dejó escapar un suspiro.

—No tenemos mucho tiempo.

—No, no lo tenemos —corroboró Steele.

Syd lo miró.

—Entonces, ¿cuál es nuestro plan de acción?

Él se quedó atónito ante su pregunta.

—¿Me lo estás preguntando a mí?

—Sí, pero no se lo digas a nadie, ¿de acuerdo?

Steele no sabría decir qué le sorprendió más si sus palabras o el hecho de que tras decirlas, se acercara hasta él, se inclinara para apretar su mejilla contra la de él y le susurrara «Gracias, Josh». Varios escalofríos lo recorrieron, especialmente cuando le dio un beso en la mejilla antes de retirarse.

Y eso lo hizo ponerse duro otra vez. Maldita sea, ¿qué pasaba con aquella mujer y sus hormonas? No se había sentido tan fuera de control desde que tenía diez años.

Y no es que tuviera un buen recuerdo de aquellos años.

Se levantó del sofá tratando de no gemir demasiado alto.

—Dejad que me dé una ducha y hablaremos de esto cuando vuelva.

Syd puso una mueca de dolor al ver el sufrimiento con que Steele se movía.

—¿Jack? —dijo cuando estuvieron a solas—. ¿Crees que hay alguna manera de entrar en APS sin recurrir a Steele?

—¿Por qué lo preguntas?

—Necesita descansar, y lo último que quisiera es que le dispararan o lo apuñalaran otra vez.

Jack se rascó la barbilla mientras pensaba en eso. Tras unos minutos de silencio, sacudió la cabeza.

—Teniendo en cuenta lo paranoicos que son esos cabrones, no. No puedo imaginar ninguna otra forma de entrar ahí.

Ella se dijo que un milagro era mucho pedir. Bueno, valía la pena intentarlo. Esperando que aquel día fuese mejor que el anterior, fue a coger las maletas, sacó ropa para Steele y se dirigió a la habitación donde había pasado la noche.

Estaba dejando las ropas sobre la cama cuando él entró en la habitación.

Se quedó sin respiración al verlo húmedo y goteando cubierto únicamente por una toalla azul. La luz brillaba sobre sus lustrosos hombros mientras se sacudía con una mano el cabello mojado.

Se había quitado los vendajes, dejando a la vista la piel herida y roja. Pero aún así, era espléndido.

Ella tenía que contenerse para no cruzar la habitación, arrancarle la toalla y lamer cada centímetro de ese divino cuerpo masculino.

—Si continúas mirándome así, Syd, no saldremos de esta habitación en todo el día.

Ella sintió que se ruborizaba, especialmente dado que podía ver en él la prueba de su excitación.

—Lo siento. Deberías haberme avisado de que ibas a venir aquí.

Sonriendo, él se acercó furtivamente a ella y la atrajo hacia sus brazos. Ella notaba su miembro duro contra el centro de su cuerpo y eso hizo que lo deseara aún más.

—Me gusta pillarte desprevenida.

Ella cerró los ojos estremeciéndose mientras él se arrimaba contra su cuello.

—Vas a tener que dejar de hacer eso, Steele.

—Josh —murmuró él.

—Josh —repitió ella, saboreando el hecho de que él le dejara usar ese nombre.

Él la agarró del trasero y apretó sus caderas contra él para que pudiera sentir aún más lo hinchado que estaba su sexo.

—Si sobrevivo al día de hoy, prométeme que me dejarás volver a probarte a modo de recompensa.

Syd deslizó su mano hacia abajo y tiró la toalla al suelo. Le cogió el miembro suavemente y puso las yemas de sus dedos en la punta para notar su humedad. Steele gimió en respuesta.

Toqueteó la punta húmeda de su sexo antes de llevárselo a los labios y probarlo.

—Si sobrevives al día de hoy, esta noche seré yo quien te pruebe a ti.

Él soltó un gemido al oír eso.

—Eres cruel, agente Westbrook.

Ella sonrió con malicia.

—Lo sé, pero es un gran incentivo para que no dejes que te maten hoy, ¿verdad?

—Sí, lo es.

Ella se puso de puntillas y le dio un beso sofocante mientras se frotaba contra su erección.

Apartarse de ella fue lo más duro que Steele había hecho nunca. Pero lamentablemente, no les quedaba tiempo que perder. Tenían un compromiso demasiado urgente con un lunático.

La calle M estaba todavía llena de gente, pero al menos esta vez quedó un aparcamiento libre a pocos metros de la puerta principal de APS. Syd aparcó allí su BMW con destreza.

Miró a Steele con preocupación.

—Sigo pensando que me gustaría que llevaras un micrófono.

Él le dirigió una mirada divertida.

—Ayer no nos ayudó.

—Ya lo sé. —Y así era, sin embargo, odiaba enviarlo allí solo. Él se inclinó hacia ella y la besó.

—Mantén el motor encendido, sólo por si acaso. —Acercó una mano a su espalda y le extrajo el revólver. Se lo colocó junto a la pierna.

Ella frunció el ceño.

—¿Estás paranoico?

—No, sólo quiero estar seguro de que no va a pasarte nada. Su preocupación le gustó.

—No te preocupes. Puedo arreglármelas sola.

Steele asintió antes de salir del coche. Caminó sin prisa por la calle como si ésta le perteneciera. En caso de que estuviera siendo observado, quería demostrarle a Wallace que no tenía miedo de aquel matón de pacotilla.

Abrió la puerta de la oficina y entrecerró los ojos al dirigirse a la recepcionista.

—Qué hay, Agnes. Llama a Wallace por el interfono y dile que su cita de las tres y media está aquí.

Ella pareció un poco sorprendida al verlo, lo cual rebatía lo que él había pensado el día anterior. Ella debía de saber qué era lo que realmente hacían allí. Antes de que pudiera apretar el botón, se oyó la voz de Wallace por el intercomunicador.

—Hazlo pasar, Agnes.

Steele miró a la cámara con una agresiva y arrogante sonrisa antes de dirigirse hacia la puerta. Tal como suponía, el matón estaba allí, esperándolo.

—No te atrevas ni a mirarme, capullo. En el humor que estoy, te partiría el cuello por la mitad.

Bruce no dijo nada mientras lo acompañaba por el pasillo hasta la oficina de Wallace.

Igual que el día anterior, aquel gilipollas estaba sentado ante su escritorio con una mirada de piedra en su fea y rechoncha cara.

—¿Todavía estás vivo?

—No. Soy un cadáver andante. Tú dirás.

Wallace resopló.

—Verás, el solo hecho de que estés aquí no prueba nada. Por lo que yo sé simplemente has huido de mi contratista.

Steele le dirigió una mirada tan inexpresiva como la suya.

—Tú no me dijiste que tuviera que darte más prueba que la de estar hoy aquí.

Wallace le lanzó una mirada de odio mientras alcanzaba el teléfono y levantaba el auricular. Steele se cruzó de brazos y lo observó macar un número.

Dos segundos más tarde, el móvil que Steele llevaba en el bolsillo vibró. Steele lo sacó y respondió.

—Lee Perry no puede ponerse ahora al teléfono, pues lamentablemente ha sufrido una intoxicación letal por plomo. Si quiere dejarle un mensaje, sugiero que vea a un sacerdote o a un vidente.

Colgó el teléfono y se lo dio a Wallace, que estaba realmente pálido.

—¿Satisfecho?

Él asintió con expresión sombría.

—Entonces, ¿el trabajo es mío o no?

Syd no podía soportar no saber qué estaba pasando. Tenía los nervios de punta. No le gustaba no poder tener contacto con Andre, y realmente odiaba no estar en contacto con Steele.

Se quedó mirando el reloj, luego la puerta, luego el reloj otra vez. ¿Qué estaría pasando allí?

Finalmente, después de lo que a ella le pareció toda una eternidad, aunque sólo fueron quince minutos, Steele salió de las oficinas con una sonrisa de satisfacción.

Syd sacó el seguro de la puerta al verlo acercarse. Él la abrió de un tirón y entró en el coche.

—¿Y bien?

—Ya estamos dentro.

Sintió que el júbilo la embargaba.

—¿En serio?

—Sí, pero no te excites todavía demasiado. —Le entregó un pequeño ordenador portátil.

El corazón de ella latió todavía más rápido.

—¿Hay información aquí?

Él negó con la cabeza.

—Aquí no hay nada. Tiene un código especial para que cuando Wallace quiera que yo mate a alguien, o vengo yo aquí para recoger la información o él me envía por correo electrónico unos ficheros que sólo se pueden leer en este ordenador. Abro los ficheros y me encuentro con el objetivo.

Syd soltó una maldición al sentirse frustrada.

—Esto nos deja igual que cuando empezamos.

—Tú estarás igual. Yo estoy peor. Cuando esto empezó, no tenía una herida de bala y una puñalada.

Ella se encogió al recordarlo.

—Lo sé. Lo siento. —Suspiró. Habían sido superados de nuevo por los tipos malos—. ¿Él no te ha asignado a nadie para enseñarte cómo funciona todo ni nada así, no?

Él negó con la cabeza.

—No, ya he sido iniciado. Pero…

—Pero ¿qué?

—Estoy pensando que todos los archivos son enviados desde la oficina de Wallace. De su propio ordenador personal.

Ella entendió adónde quería llegar.

—Podemos entrar esta noche cuando él salga y robarlo.

—No.

Frustrada, lo miró con rabia.

—¿Qué quieres decir con ese no?

—Ese cabrón tiene un ordenador portátil. Lo tiene puesto en su escritorio. Estoy seguro de que se lo lleva allí donde vaya. Es un hijo de puta particularmente obsesivo compulsivo.

—Entonces, ¿qué propones que hagamos?

Lentamente una sonrisa se dibujó en su rostro.

—Lo vigilaremos, y cuando tengamos una oportunidad, se lo sacaremos directamente de las manos.

—No sé. Creo que tengo una idea aún mejor.

—¿Cuál?

Ella le respondió con una amplia sonrisa.

Capítulo quince

Syd y Steele dieron la vuelta a la manzana y aparcaron de nuevo en la zona pública. Steele se puso a un lado de la calle que le permitía tener la oficina de Wallace bajo vigilancia mientras contactaba con Andre.

Lo que Wallace no sabía era que Steele había recogido un par de juguetes de Jack antes de abandonar su refugio. La pretensión de Steele había sido controlar electrónicamente a Wallace, pero aquel cabrón era tan paranoico que no le había permitido acercarse lo suficiente como para poner el micrófono oculto en su cuerpo.

Como eso le había fallado, Steele había colocado un pequeño e inofensivo micrófono en el cojín de la silla donde se sentaba. Ahora, con el asistente digital personal de Jack como receptor, Steele podía escuchar todo lo que Wallace estaba haciendo.

De momento, sin embargo, ese gilipollas no estaba diciendo gran cosa. Transcurrieron al menos diez minutos antes de que Steele pudiera oír finalmente el sonido del intercomunicador.

—Tiene una llamada por la línea uno, señor Wallace. Es del presidente Kaskamanov.

«¿Presidente?» Steele frunció el ceño ante las palabras de Agnes. Se refería al hijo, ¿no?

Steele apretó el auricular contra su oído y subió el volumen para no perderse nada.

Oyó cómo Wallace cogía el teléfono.

—Hola, señor presidente. Es una alegría oírlo. Sí, sí, lo tenemos todo preparado. He reservado para su caso a mi mejor contratista. Stalin ha recibido instrucciones y se encargará de garantizar su seguridad. Sí, señor. Muy bien. La transferencia bancaria tendrá lugar tres horas después de que cumplamos con nuestros servicios. Sí, señor. Lo veremos dentro de dos días. Que tenga un vuelo agradable.

Steele permaneció a la escucha mientras que Wallace colgaba el teléfono. Luego todo quedó en silencio.

Aquello era simplemente para ponerse enfermo… la compañía le estaba diciendo al presidente que iba a protegerlo mientras secretamente recibía dinero del hijo para matarlo. Había que reconocerlo. Tenía cojones eso de darle al presidente el nombre del hombre que probablemente había sido asignado para matarlo. Pero al menos ahora tenían un nombre que investigar… Stalin, el cual probablemente era un alias. Todo lo que necesitaban hacer era ponerlo en referencia cruzada con cualquier archivo que Wallace usara para seguir el rastro de sus trabajadores contratados, y así tendrían a su francotirador.

Steel bajó el volumen mientras Syd se reunía con él, radiante como podría estarlo un gato que se hubiera quedado encerrado en una pajarera.

—¿Qué pasa? —preguntó él.

—No tenemos que seguirle la pista.

Él arqueó una ceja al oírlo.

—Y, entonces, ¿cómo lo haremos?

—Dale veinte minutos a Andre.

—¿Para?

Ella sacó un chicle y lo desenvolvió lentamente antes de metérselo en la boca y masticarlo como una colegiala feliz y enamorada.

—Ahora verás. Vamos. —Señaló un edificio que había al otro lado de la calle, con un pequeño café en la planta inferior—. Busquemos un buen sitio para esto. —Le ofreció chicle, pero él lo rechazó.

—¿Syd, a qué viene todo esto?

Ella no respondió mientras se dirigían al restaurante.

—¡Syd!

Tenía que reconocer que esa mujer era capaz de guardar un secreto, y eso estaba empezando a molestarlo. La siguió hasta el restaurante, donde ella escogió una mesa cerca de la ventana que daba hacia las oficinas de APS.

Por más que él lo intentara, ella se negaba a responder ninguna pregunta respecto a qué era lo que estaban esperando. Era extremadamente irritante estar junto a alguien que podía mantener la boca tan bien cerrada respecto a un asunto.

Pero su irritación terminó poco después, cuando vio llegar un Sedán negro con placas del gobierno. Segundos más tarde aparecieron una brigada de coches patrulla y una furgoneta negra que bloqueó la calle.

Steele se atragantó con el café cuando vio a Carlos y a Andre bajarse del Sedán. Vestidos con trajes negros y gafas de sol oscuras recordaban a Will Smith y Tommy Lee Jones en la película *Hombres de negro*. Ambos llevaban también gabardinas negras del FBI. Los dos caminaban lado a lado al estilo de los agentes federales, con pinta de duros mientras entraban en el edificio al tiempo que daban órdenes a la policía para que entrara en acción. Steele subió el volumen para escuchar.

Después de algunos minutos se oyó la voz de Wallace soltando una gran cantidad de improperios.

—¿Qué es esto? —preguntó.

Fue Carlos quien respondió con una voz inexpresiva.

—Hay una orden de registro, señor Wallace. Parece ser que varios miembros de su oficina han sido arrestados esta mañana por formar parte de un timo pornográfico. Hemos rastreado sus protocolos de Internet y hemos descubierto que han usado muchos de los ordenadores de esta oficina para propósitos ilegales.

—¡Sandeces! ¡Sandeces! —No había forma de ignorar la ira beligerante en el tono de Wallace—. ¡Eso no tiene nada que ver conmigo!

Andre fue el siguiente en hablar.

—Sí, señor, por lo visto sí. Estamos aquí para llevarnos todos los ordenadores de sus oficinas como pruebas para nuestro caso.

—Su gente ha sido muy traviesa, señor Wallace —dijo Carlos con un fuerte acento español. Luego su voz recuperó su habitual cadencia, que apenas tenía un ligero acento—. Somos del FBI y sus ordenadores están siendo incautados ahora mismo mientras estamos hablando. Oh, y no olvidaremos este de aquí…

—¡No se atreva a tocarlo!

—Somos del FBI, señor Wallace —metió baza Andre—. Nos atrevemos a todo. Su personal ha estado bajo vigilancia durante los últimos seis meses, y ahora es objeto de una redada.

—¡Eh! —gruñó Carlos—. Apártese del portátil, señor Wallace. Ahora es propiedad del gobierno de Estados Unidos.

—¡Eso es una estupidez! Nadie más que yo toca mi portátil.

Andre intervino.

—Si está en esta oficina, ellos han tenido acceso a él, lo cual significa que se viene con nosotros. Pero no se preocupe. Aquí está su recibo. La dirección está en el reverso. Si no hay en el ordenador nada relacionado con nuestro caso, usted podrá ir a recogerlo. De lo contrario, nos veremos en los tribunales.

—Voy a llamar a mi abogado.

—Hágalo, señor Wallace —dijo Andre en un tono grave y letal.

—¡No toque eso!

—Somos del gobierno, señor Wallace. No puede detenernos. Que tenga usted un buen día, señor.

A continuación siguió una oleada de improperios tan terrible y a un volumen tan alto que Steele tuvo que apartar el auricular para no quedarse sordo. Miró a Syd, que continuaba sonriendo de oreja a oreja.

—Estáis enfermos.

Ella se rio maliciosamente.

—¿Lo estamos, tú crees? Tienes que adorar a Carlos y a Andre. Ahora ya sabes lo que hacía Andre en el FBI. ¿Es bueno, verdad?

—¿Y qué pasará si Wallace llama al FBI?

—No le dirán nada. Tiene un número de caso en la orden de registro que lo conducirá directamente hasta Tee en Nashville, y él es tan bueno dando rodeos que cuando uno cuelga ya ha olvidado por qué había llamado.

Ella dejó unos pocos dólares en la mesa para la camarera.

—Vamos, es la hora de nuestra cita.

Steele dio un último trago a su café antes de salir y seguirla hasta el coche. Ella lo llevó cerca del paseo que hay frente al viejo edificio del Smithsonian,[36] donde vieron a Andre y a Carlos comiendo un perrito caliente sentados en un banco. Carlos se había desecho de su corbata y su abrigo y llevaba una camisa blanca con el cuello desabrochado y el dobladillo suelto.

Andre estaba todavía impecable con la gabardina del FBI.

Aparcaron el coche y se reunieron con ellos.

—¿Perrito caliente? —les ofreció Carlos al verlos acercarse.

—Ordenador —respondió Syd sin vacilar.

Carlos bebió un trago de soda.

—No has dicho por favor.

—Por favor, Carlos, déjame el ordenador.

—No sé si…

Andre soltó un suspiro de exasperación.

—¡Oh, por Dios, dale el maldito ordenador, muchacho!

Carlos estaba completamente imperturbable.

—Necesitas aprender meditación zen, Andre. Ohm… Ohm…

—Te voy a dar un ohm en el culo. Dale eso inmediatamente.

—Gringos impacientes. —Se agachó y abrió el maletín que tenía entre las piernas. Sacó de allí el portátil de Wallace—. También cogimos el disco duro de la secretaria y el ordenador de la plantilla.

Steele sacudió la cabeza.

—¿Os dais cuenta de que acabáis de robar los ordenadores de un hombre que se dedica a matar gente como modo de vida?

Carlos tragó un bocado de su perrito caliente con chile.

—Que coja un número de la tanda. Créeme, hay muchos otros hombres que quieren verme muerto.

Syd empujó a Carlos para poder sentarse mientras encendía el ordenador. Tras unos segundos, soltó un taco.

—Hay una clave de seguridad.

Steele la miró divertido.

—¿Tú crees?

Ella le lanzó una mirada de odio antes de pasarle el aparto a Andre.

—Entra.

36. La Smithsonian Institution es un complejo formado por diecinueve museos y siete centros de investigación. (N. de la T.)

—No hay problema. Dame unos pocos minutos en la furgoneta. —Andre arrugó el envoltorio de su perrito caliente, luego se levantó y se dirigió hacia la furgoneta negra que había al otro lado de la calle.

—¿Cuándo entraste en esto? —le preguntó Syd a Carlos.

Él se limpió la boca con una servilleta.

—Joe me envió ayer después de que dispararan a Steele. Pensó que necesitaríais un pequeño refuerzo.

Syd sonrió, y una extraña sensación de celos inundó a Steele.

—Bueno, estamos encantados de tenerte.

Carlos le sonrió con malicia.

—Y yo estaría encantado de que me tuvieras, Syd.

Steele se contuvo para no saltarle al cuello a Carlos.

—Ten cuidado, Carlos —dijo Syd—. Acabarás cojo.

—Ah, no me atormentes, Syd. Sueño con ser tan descarado contigo como para quedarme cojo después.

Syd le golpeó un brazo.

—¡Ay! —se quejó Carlos, frotándose el bíceps—. ¿Te ha dicho alguien alguna vez que pegas como un hombre?

—Sólo Hunter.

Carlos se deslizó por el banco para apartarse de ella.

Syd alzó la vista. Steele debía de tener una expresión sombría, porque ella inmediatamente frunció el ceño al mirarlo. Él no dijo nada por miedo a poder acabar asfixiando a Carlos.

O disparándole.

En cualquier caso, esperaba que el hombre se atragantara con su perrito caliente de chile.

Transcurridos unos minutos, sonó la bocina de la furgoneta. Los tres cruzaron la calle y subieron por la parte de atrás.

—¿Y bien? —preguntó Syd.

Andre suspiró.

—No estoy seguro de cuánto podremos usar. Hay que reconocer que el hombre es paranoico. Todo está cifrado. No conserva e-mails, pero conozco su servidor, así que ya he llamado a Marc, que está haciendo un examen del correo saliente por dicho servidor. Probablemente llevará varias horas, o incluso un par de días.

Syd sacudió la cabeza.

—No tenemos un par de días, Andre.

—Es todo lo que puedo hacer, Syd.

Syd echó la cabeza hacia atrás, sintiéndose completamente derrotada. Estaba entre frustrada y cansada. Cada vez que avanzaban un paso, parecía que daban diez hacia atrás.

—Los cogeremos —le aseguró Steele.

—¿Cómo?

—Ten fe.

—Sin ánimo de ofender —se burló ella—, pero yo no puedo dar más.

Steele le dedicó una maliciosa y encantadora sonrisa.

—Bueno, eso es porque no estás pensando correctamente.

Ahora era ella la que se sentía ofendida.

—¿Ah, sí?

—Imagina por un momento que eres el jefe de una banda de asesinos y mercenarios. El gobierno aparece y te quita tu ordenador. ¿Qué estarías haciendo ahora mismo?

—Alucinando —dijo Carlos, mientras se movía hacia uno de los paneles—. Estarías contactando con tu gente como un hijo de puta, tratando de avisarles.

Steele asintió.

Tenía razón. Syd observó cómo Carlos comenzaba a hacer funcionar un localizador de los teléfonos de Wallace mientras sacaba el asistente digital personal de su bolsillo y escuchaba.

Pero mientras escuchaban las llamadas telefónicas, la esperanza de Syd rápidamente volvió a verse defraudada. Wallace usaba tantos dobles sentidos y referencia tan vagas que podía estar perfectamente hablando griego antiguo.

El tiempo transcurría lentamente mientras escuchaban llamada tras llamada sin hacer muchos progresos.

—¿Stalin? Habla Wallace. Nuestros datos de seguridad corren cierto peligro.

—Es ése, Carlos —dijo Steele, dándole un empujón en el hombro—. Localiza la llamada y grábala.

Carlos frunció el ceño.

—Confía en mí.

Carlos hizo le que le decía. Pero Syd estaba de acuerdo con

Carlos. ¿Cómo demonios sabía Steele que aquella era la llamada que les interesaba?

Steele se sacó el auricular mientras Carlos encendía el altavoz del interior de la furgoneta par que todos pudieran oír la conversación.

—¿A qué te refieres con cierto peligro? —La voz era fuerte y profunda, y teñida con acento del sur. Había en ella una especie de distorsión, probablemente para hacer que sonara unas pocas octavas más bajas. Pero con una pequeña limpieza Andre sería capaz de descifrar la voz auténtica.

Syd observó cómo el rostro de Steele se volvía de piedra.

—No tengas miedo —dijo Wallace—. Dudo que puedan averiguar nada. No soy tan estúpido.

—Nadie es tan estúpido, Wallace. Si la misión corre peligro, acabemos con ella.

—¡No! Escucha, no tengo tiempo de asignarle el caso a otro. Acaba y te daré una bonificación adicional de veinte mil dólares.

—No sé…

—Vamos, Stalin. Te necesitamos en esto.

—Cincuenta mil.

Steele entrecerró aún más los ojos.

—Que te jodan —gruñó Wallace. Hizo una pequeña pausa antes de añadir—: Veinticinco.

—Cincuenta y cinco mil.

Wallace gruñó con voz grave en el fondo de su garganta.

—Se supone que uno va bajando en las negociaciones, so gilipollas.

—Sesenta mil —insistió la voz distorsionada.

—Cincuenta.

Hubo un silencio.

—¿Estás todavía ahí? —preguntó Wallace.

—Lo que yo decía, cincuenta, ingresados en mi cuenta habitual una vez haya completado la misión.

—Trato hecho. —Wallace colgó.

Syd miró a Steele.

—¿Qué te hace pensar que ésa es la llamada que buscamos? Con la excepción de la bonificación se parece a todas las demás que hemos oído.

—Oí una conversación que hubo antes en la oficina de Wallace. Ésa es la persona que buscamos.

—¿Qué conversación?

Steele no se sentía con ánimos de responder a esa pregunta en aquel momento. Se sentía enfermo por lo que acababa de oír. No podía creerlo. Simplemente no podía.

—¿A qué hora fue esa conversación? —preguntó Andre—. Podemos sacarla de las grabaciones.

Steele negó con la cabeza.

—No necesitáis hacerlo.

Syd abrió la boca para discutir, pero él se lo impidió.

—Sé a quién han contratado.

—¡Eso es fantástico! —dijo ella con los ojos rebosantes de júbilo.

Qué curioso, él no se sentía para nada contento. De hecho, tenía hasta el estómago revuelto.

Ignorando su tormento, Syd continuaba haciendo planes.

—Todo lo que tenemos que hacer ahora es mantener vigilado a ese tipo, y cuando llegue el momento, lo arrestamos.

—No es tan simple, Syd —dijo Steele con la garganta tensa.

—Por supuesto que lo es.

—No, no lo es.

Desconcertada, ella frunció el ceño.

—¿Has estudiado historia de Rusia en la escuela? —le preguntó él.

—Por supuesto.

—¿Recuerdas el significado del nombre «Stalin»?

Ella frunció aún más el entrecejo.

—¿Qué importa eso?

—Significa «acero»[37] —dijo Carlos.

Steele asintió lentamente.

—Sí. Ese contratista del teléfono… es mi padre.

---

37. En el original «steel». *(N. de la T.)*

Capítulo dieciséis

Syd notó cómo se le aflojaba la mandíbula mientras Steele se dirigía a la puerta de la camioneta y abandonaba el vehículo. Miró a Carlos, que soltó un silbido.

—Qué duro —dijo en voz baja.

Andre asintió y alzó la vista hacia Syd.

—Creo que debemos sustituir a Steele. No veo que pueda cumplir con la misión si se halla emocionalmente involucrado.

Ella asintió. Las emociones y ese tipo de trabajo no podían ir juntas. De hecho, mezclar esas dos cosas significaba la mayoría de las veces una sentencia de muerte.

Con el corazón dolorido por Steele, salió de la furgoneta para reunirse con él. Caminaba firmemente a través de la hierba hacia la sección de ciencias naturales del Smithsonian. Ella aceleró sus pasos para alcanzarlo.

—¿Josh? —lo llamó, haciéndolo detenerse—. ¿Estás bien?

Él permanecía allí de pie con un tic nervioso en la mandíbula. En lugar de mirarla a ella, dirigía la vista hacia el museo.

—Mi padre me trajo aquí cuando tenía trece años. Todo lo que yo quería era ver los huesos de dinosaurio, pero él me arrastró hasta la colina para ver el monumento a la guerra de Vietnam y me mostró el nombre de su hermano mayor, que murió allí.

Él la miró, y esos ojos oscuros la quemaron con su dolor.

—Me hizo leer cada uno de los nombres de esa pared y me dijo que Dios, la patria y el deber eran las únicas cosas que importaban en la vida. Haz tu deber y nunca traiciones tu honor. Romper ese código deshonra a cada uno de los nombres de ese monumento y es como escupir en sus caras y en su memoria.

Maldita sea, Syd, ¿cómo puede hacer esto ahora? ¿Cómo puede ese hombre haberse convertido en un asesino a sueldo?

Syd sintió pena por él y lo atrajo hacia sus brazos.

—Quizás no era él.

Él la abrazó más fuerte y apoyó la cabeza en su hombro.

—Conozco el sonido de su voz, Syd. Incluso aunque estuviera distorsionada. Es mi padre. Era él. Ésas eran sus palabras. Era su cadencia y su método. Siempre le encantó Stalin y los métodos de ese hombre. Si tuviera que escoger un nombre en clave, sería ése.

Ella lo apretó con fuerza, queriendo aliviar el dolor que oía en su voz. Pero no sabía cómo. Honestamente, no creía que nada pudiera aliviar el dolor de aquel momento. Dios, ¿cómo se sentiría ella si estuviera en su lugar?

—No te preocupes, Josh. Todo esto ha acabado para ti. Te sacaremos de aquí.

Él negó con la cabeza mientras se apartaba para mirarla.

—No. Dios. La patria. El deber. Me comprometí con eso y seguiré hasta el final.

—Pero…

—Nada de peros, Syd. No puedes arrestarlo hasta que trate de atacar al presidente.

—Tú puedes decirnos cómo cogerlo.

—No —dijo él enfáticamente—. Quiero llegar hasta el final.

—¿Estás seguro?

Él asintió.

—No te preocupes. Soy tu as en la manga. No hay nadie en este planeta que conozca a ese hombre mejor que yo. Conozco cada una de sus tácticas, cada movimiento.

Ella suponía que así era. Y eso le rompía el corazón. Pero en aquel momento, sentía un respeto por él como el que jamás había sentido por ninguna otra persona.

Le levantó la mano y le dio un beso en la palma, luego la acercó a su mejilla. Aunque viviera mil años nunca llegaría a entender la fuerza de aquel hombre.

Steele se derritió ante la sensación de sus suaves labios sobre la piel. La luz del sol aumentaba los reflejos rojizos de su pelo negro. Dios, era hermosa.

Por un momento, se perdió en aquellos ojos verdes. Nunca se había sentido así con nadie. Estaba caliente, pero a la vez sentía escalofríos.

—No te dejaré en la estacada, Syd. Lo prometo.

Una lenta sonrisa apareció en el rostro de ella antes de atraerlo hacia sí para darle un rápido abrazo.

—Lo sé.

Luego se apartó y él sintió un repentino vacío entre los brazos, que lo atravesó como un cuchillo.

Ella lo tomó de la mano y lo condujo de vuelta a la furgoneta. Pero lo que más lo sorprendió fue el hecho de que, aunque le soltó la mano para entrar en el vehículo, luego volvió a cogérsela.

Andre arqueó una ceja cuando los vio cogidos de las manos, pero no hizo ningún comentario.

El hecho de que Syd hiciera algo como eso, cuando él sabía lo mucho que le horrorizaba la idea de que alguien supiera que habían estado juntos, lo reconfortó.

—Está bien —dijo Syd, mirando a Steele—. ¿Qué tenemos que hacer ahora?

Steele se frotó la barbilla mientras volvía a su papel de francotirador.

—Necesitamos la agenda del presidente.

Carlos se volvió a mirarlo.

—No tenemos la ruta desde el aeropuerto.

—No la necesitamos. Mi padre no le disparará mientras va en automóvil. A través de las ventanas oscuras no puedes ver a tu blanco. Necesito saber qué planea hacer mientras esté aquí.

—Hay una recepción en la embajada pasado mañana, y luego está la reunión con nuestro presidente y otros dignatarios al día siguiente.

La mente de Steele estaba en pleno funcionamiento.

—Eso es. La recepción de la embajada. Es grande y pública, con mucha gente presa del pánico y sirviéndole de protección mientras huye. ¿Tienes un plano del terreno?

Carlos se volvió para sacar uno.

—También necesitamos el horario del proveedor de cáterin —dijo Steele.

Los tres se volvieron a la vez para mirarlo.

—¿Por qué? —preguntó Syd.

—Porque ellos sabrán dónde y cuándo estará sentado el presidente. Sabrán a qué hora entrará en la habitación, puesto que querrán asegurarse de que no haya camareros o comida allí. Y lo mejor de todo es que ninguna de esa información será secreta. Todo lo que tenéis que hacer es llamarles diciendo que sois de la floristería y os lo dirán todo.

Andre sacudió la cabeza.

—Esa idea da miedo.

Syd asintió, pero tenía sentido.

—Siempre es aquello que pasas por alto lo que finalmente te ayuda. A nadie se le hubiera ocurrido ver a la compañía de cáterin como una oportunidad. Es brillante, Josh.

Carlos le entregó una impresión de la planta de la embajada y luego fue a conseguir el horario del cáterin.

Steele se sentó con el plano para poder estudiar la superficie. Era una embajada bastante grande, con una gran terraza y varios patios de buen tamaño en la parte posterior.

Al cabo de pocos minutos, Carlos tenía la información adicional.

—Diablos, tenías razón. No vacilaron lo más mínimo. Se colocarán diez carpas.

Steele estudiaba el plano cuidadosamente.

—Esto es una putada.

—¿El qué? —preguntó Syd.

—Demasiados salientes. Hay un balcón, árboles... telas y adornos. Va a ser difícil encontrar un lugar desde donde disparar.

Pero tenía que haber algo que él pudiera hacer. Siempre había alguna debilidad pasada por alto que podía ser explotada.

Él volvió a mirar el programa. No había ninguna charla programada. El presidente sería acompañado desde su oficina a través de un pasillo estrecho y luego fuera hacia la carpa colocada más al norte para almorzar con los peces gordos.

Era complicado, pero examinándolo más a fondo, Steele se dio cuenta de que había un lugar que proporcionaba una posición estratégica.

—¿Qué hay justo aquí? —Señaló el edificio que había detrás de la embajada.

Syd miró por encima de su hombro.

—Es un hotel de lujo.

Steele sacudió la cabeza. Eso encajaba.

—Entonces es aquí. Él se propone disparar desde una de estas habitaciones.

Andre inmediatamente cogió el teléfono y marcó el número del hotel.

Steele le quitó el teléfono de las manos.

—Hola —saludó a la empleada que respondió—. Soy Joseph Dzhugashvili. He perdido mi número de reserva. Era para pasado mañana...

Syd estaba sorprendida por su aparente calma. Ese hombre tenía una facilidad natural para aquellas cosas.

Pero, observándolo bien, se dio cuenta de que no estaba contento.

—¿Está segura? Debería estar registrado. Mi ayudante hizo la reserva. ¿Podría comprobar si figura con el nombre de Steele o de Stalin? Sí, Steele, con «e».

Syd se encontró con su mirada y pudo ver que las cosas no habían salido cómo esperaba.

—Mmm, muy bien. Gracias por su ayuda. —Colgó el teléfono.

—¿No hay ninguna reserva? —preguntó ella.

—Ninguna.

Andre se encogió de hombros.

—Tal vez usó otro nombre.

—No, él no haría eso. —Steele volvió hacia el plano y lo estudió otra vez. Pero cuanto más lo examinaba más se convencía de que había un error.

—El presidente no es el blanco.

Syd lo miró con impaciencia.

—Sí, lo es.

—No, no lo es. No puede serlo. No con este itinerario. Alguien se ha equivocado.

Ahora ella se sentía enfadada.

—Yo no cometo esa clase de errores.

—Como dice mi padre, todos cometemos esa clase de errores, Syd. Por confiar en la información Brian acabó con una bala en la cabeza.

Ella se cruzó de brazos y lo miró con los ojos entrecerrados.

—Bien. Supongamos por un segundo que tú tienes razón y que yo estoy equivocada. ¿Quién podría ser el blanco?

Steele no lo sabía. Su mente le daba vueltas a todos los detalles mientras trataba de hallar la respuesta.

—¿Andre? ¿Dijiste que podías poner la conversación que oí antes?

Él asintió.

—Sólo necesito saber la hora en que se realizó la llamada.

—Hace unas dos horas, desde el móvil de Wallace.

Mientras Andre se disponía a hacer su trabajo, Steele volvió a concentrarse en las hojas del plano.

Syd se apoyó sobre su espalda para mirar por encima de su hombro.

—¿Estás seguro de que no pudo haber usado algún otro nombre para hacer la reserva?

—No —dijo él en tono distraído—. Conozco a mi padre. Créeme, cuando se mete en cosas como ésta, no tiene tanta imaginación.

A pesar de todo, Syd no estaba del todo segura de que él no se equivocara. Ella creía en su información.

—¿Y qué me dices de esto? —dijo ella, señalando el edificio que había al lado del hotel—. ¿No podría usar éste?

Steele negó con la cabeza mientras cogía el programa del cáterin.

—Habrá un carro de cóctel portátil ahí.

—Pero lo moverán.

—No cuando el presidente sea anunciado. Esperarán hasta que se siente. No se dispara cuando alguien puede estornudar en el mismo instante en que aprietas el gatillo y tú le vueles la cabeza por error. Recuerda, un disparo, un muerto.

—Eh, chicos —dijo Andre—. Creo que la tengo… ¿Es ésta la conversación?

Syd alzó la vista mientras la grabación comenzaba a oírse.

—Hola, señor presidente. Es una alegría oírlo.

—Saludos, señor Wallace. Sólo quería verificar que todo está organizado tal como acordamos. Es un asunto importante, ¿verdad?

—Sí, sí, lo tenemos todo preparado. He reservado para su caso a mi mejor contratista. Stalin ha recibido instrucciones y se encargará de garantizar su seguridad.

—¿Y está seguro de que entiende cuál es su deber?

—Sí, señor.

—Eso está bien. Usted sabe que en mi país Stalin era un héroe. Era un dios. Hizo lo que era necesario para proteger a su gente, ¿no? Esperemos que ese hombre haga honor a su nombre. Me he asegurado de que la suma que hemos acordado sea transferida a su cuenta después del evento. Envié el segundo depósito esta mañana, como usted solicitó.

—Muy bien. La transferencia bancaria tendrá lugar tres horas después de que cumplamos con nuestros servicios.

—Excelente. Tengo que decirle que en efecto están haciendo honor a la reputación de su compañía. Ahora entiendo por qué me han sido tan recomendados. Es triste que en este mundo se necesiten cosas como éstas. Que debamos contratar a gente como Stalin para protegernos. Deseo que el mundo algún día sea un lugar pacífico para todos. ¿No está de acuerdo?

—Sí, señor. Le veremos dentro de dos días. Que tenga un vuelo agradable.

Steele resopló.

—Suena bastante inofensivo, ¿verdad? Dios, odio estos asuntos.

Syd puso los ojos en blanco.

—Andre —dijo él, levantando la voz—. Pon de nuevo la parte de Stalin.

Syd escuchó atentamente.

—¿Por qué contrata él a APS para protegerse cuando su hijo los ha contratado para matarle?

Steele se quedó de pronto como petrificado.

—¿Tienes llamadas del hijo a APS?

—Sí.

—Syd —dijo él lentamente—. Piénsalo bien. ¿Estás segura de que tienes datos que demuestran que el hijo se dirigió a APS?

¿O simplemente te dijeron que él había contactado con ellos y tú tienes datos de una llamada hecha desde el Capitolio a las oficinas de APS?

De pronto, ella no estaba tan segura.

—¿Qué estás pensando?

—No hay un tiro para el presidente en ese evento. Vosotros conocéis la jerga de esta gente. Escuchad esa llamada de nuevo.

Una vez más Andre la puso.

Syd escuchó atentamente otra vez.

—De acuerdo, sé que están jugando a hacerse los inocentes, pero ¿qué es lo que tú estás oyendo y yo no oigo?

La expresión de Steele era dura y fría.

—Lo que yo estoy oyendo no es al hijo contratando a APS para matar al padre. Lo que oigo es al padre contratando a APS para matar al hijo.

Capítulo diecisiete

Syd negó con la cabeza al oír las palabras de Steele. No… seguro que no.

—No es posible. ¿Qué clase de padre sería tan despiadado como para hacer ejecutar a su hijo en tierra extranjera?

Él resopló.

—Stalin. ¿Recuerdas? Su hijo fue capturado durante la Segunda Guerra Mundial. Los alemanes trataron de hacer un intercambio y Stalin se negó. Sacrificó a su hijo por el bien de su pueblo y fue considerado un héroe. —Se volvió hacia Andre—. Ponle una vez más ese trozo a la dama.

Ella escuchó hablar al presidente.

Excelente. Tengo que decirle que en efecto están haciendo honor a la reputación de su compañía. Ahora entiendo por qué me han sido tan recomendados. Es triste que en este mundo se necesiten cosas como éstas. Que debamos contratar a gente como Stalin para protegernos. Deseo que el mundo algún día sea un lugar pacífico para todos. ¿No está de acuerdo?

Syd soltó una maldición por lo bajo. Steele tenía razón, y ella se había equivocado. El presidente era un hombre de sangre fría. Sin embargo, en el mundo de la política ella había visto cosas mucho más duras que ésa, así que no sabía por qué se sorprendía tanto.

—¿Desde dónde dispararán al hijo? —le preguntó a Steele.

—No lo sé. No tenemos aquí su programa.

Carlos se rascó la barbilla.

—Sabemos que el hijo fuma, ¿verdad?

Syd asintió.

—¿Dónde iría a buscar un cigarrillo? —dijeron Carlos y Steele simultáneamente.

Steele cogió el plano otra vez.

Se dirigiría hacia una puerta de los lados, alejándose de la fiesta, para que papá no se enfadara con él.

—Pero hay muchas puertas —dijo Syd, mirando por encima de su hombro—. ¿Cómo sabes cuál será?

—Lo adivinaremos.

De pronto a ella ya no le gustaba su sentido del humor.

—Estoy hablando en serio.

—Yo también. Él puede dirigirse hacia cualquiera de las puertas. La única manera que se me ocurre de detenerlo es seguirlo y evitar que salga del edificio o se acerque a una ventana.

—Sabes… —dijo Andre—, probablemente sea una buena idea. Dudo que el padre de Steele sea capaz de disparar a su propio hijo. —Dirigió una mirada significativa a Steele, y éste se echó a reír.

—No conoces a mi padre. Créeme, no vacilaría en pegarme un tiro en la cabeza si me interpongo en su camino.

A Syd le hubiera gustado pensar que estaba bromeando, pero el tono de su voz indicaba que hablaba en serio. Se acercó a él y le acarició ligeramente el brazo.

—Yo entraré y seguiré al hijo.

Steele negó con la cabeza.

—Me contrataste para esto. A fin de cuentas, yo también soy un Steele, y nosotros siempre cumplimos con nuestros encargos.

Syd tenía que admirarlo por eso. No estaba muy segura de cómo se sentiría ella justo ahora si supiera que iba a tenderle una trampa a su padre. Pero él lo estaba llevando con una actitud admirable.

—Entonces pongámonos en marcha —dijo Andre—. Voy a ocuparme de las invitaciones falsas. Syd, vosotros dos necesitáis algo de vestuario.

—¿Y qué hay de vosotros dos? —preguntó Syd.

—Estaremos allí —dijo Carlos—. Yo iré como parte del servicio secreto.

Andre arqueó ambas cejas.

—No lo creo. A ti te toca ir de camarero, es a mí a quien le toca esta vez ser del servicio secreto.

—Tú fuiste del servicio secreto la última vez.

—No, no lo fui. ¿No te acuerdas? Cuando entraste tú hicimos un trueque.

Carlos abrió la boca para discutir pero se interrumpió.

—Oh, espera, tienes razón. Yo fui agente del servicio secreto la última vez. Maldita sea. De acuerdo, tú serás el agente y yo el camarero.

Andre se cruzó de brazos y sonrió satisfecho.

Steele se rio.

—Realmente me asustáis.

—También nos asustamos entre nosotros —dijo Carlos riendo.

Eso era bastante cierto. Syd cogió del brazo a Steele.

—Vamos, tenemos muchas cosas de las que ocuparnos. Vosotros haced lo vuestro y nos reuniremos para cenar.

—De acuerdo —dijo Andre mientras se sentaba ante un ordenador portátil.

Cuando salieron de la furgoneta, Steele hizo detenerse a Syd.

—¿Te has dado cuenta de cuántas veces me has cogido de la mano hoy?

Ella bajó la vista para mirar sus manos unidas.

—Teniendo en cuenta que no quieres que nadie sepa lo nuestro no estás siendo nada discreta.

Syd ladeó la cabeza mientras continuaba mirando fijamente su mano dentro de la de Steele, mucho más grande. Steele no había dicho nada a nadie sobre el hecho de que hubieran estado juntos tampoco esta vez. De hecho, había hecho todo lo posible por mantener el secreto.

Tal vez, quizás debería aprender a confiar otra vez. Era difícil después de haber salido herida y, sin embargo, mientras lo miraba, ella no veía ninguna serpiente esperando para hacerle daño. Veía a un hombre que había caminado a través del infierno, y lo había hecho con honor y dignidad.

Sin duda, una persona así no la traicionaría.

Por primera vez en mucho tiempo, quería confiar de nuevo.

Antes de poder detenerse, se alzó de puntillas y besó con ardor esa deliciosa boca.

Steele cerró los ojos mientras disfrutaba del sabor de Syd. La lengua de ella se mostraba juguetona mientras él inhalaba la dulce fragancia de su pelo y su aliento. Para él, ella era la mujer más hermosa del mundo, y la ardiente pasión de ese beso encendió su cuerpo.

De mala gana, él interrumpió el beso y apretó su frente contra la de ella.

—¿Sabes que Andre y Carlos pueden vernos, verdad?

Ella le dedicó una sonrisa que tuvo para él el efecto de un golpe.

—Déjalos.

Él le devolvió la sonrisa antes de atraerla aún más cerca hacia él y besarla otra vez. A decir verdad, él nunca había sido el tipo de hombre a quien le gusta besar en público, pero en aquel momento no le molestaba para nada. Lo único que parecía importarle era Syd.

Pero, lamentablemente, tenían demasiadas cosas que hacer como para estar besuqueándose como dos adolescentes en celo en medio de un centro comercial. Dejando escapar un lamento, él se obligó a soltar esa tentadora boca.

—Tenemos que acudir a una fiesta, jovencita.

—Ya lo sé —dijo ella antes de darle un último beso rápido y ardiente. Suspiró mientras se apartaba unos pasos—. ¿Qué necesitarás?

—Únicamente un traje.

Ella asintió.

—Yo puedo hacerme con un vestido y zapatos. No me llevará mucho tempo, y después…

Bajó la mirada significativamente hacia la protuberancia que se marcaba en sus pantalones.

Steele sintió una sacudida en su miembro mientras una ráfaga de excitación lo atravesaba.

—No bromees conmigo, Syd.

Ella se mordió juguetona el labio inferior.

—¿Todavía no has aprendido que no bromeo?

Dios, realmente comenzaba a adorar a aquella mujer.

—¿Cuánto tiempo puede tardar una mujer en comprarse un vestido?

Ella se rio con malicia al tiempo que comenzó a dirigirse hacia el coche.

Steele aprendió unas cuantas cosas aquella tarde. La primera fue que las mujeres tardan terriblemente en encontrar ropa y zapatos.

La segunda fue el descubrimiento de que Syd creía que su culo tenía el tamaño de una pantalla de cine, pero para ser sinceros, a él le encantaban esos kilos de más. Él pensaba que sus exuberantes curvas eran infernalmente sexys, y cada vez que ella se volvía de espaldas a él y le mostraba su trasero para preguntarle si el vestido la hacía gorda, él creía que iba a morirse del dolor que le producía su erección.

La tercera fue decirle siempre que estaba apetitosa, se probara lo que se probase, a lo cual ella respondía recompensándolo con un beso y riñéndolo por mentiroso.

Y la cuarta fue la más importante de todas…

—¿Josh? —lo llamó Syd en un susurro desde el final de los vestuarios, abriendo la puerta un centímetro—. Necesito ayuda.

Él se apartó de la ropa de los estantes para acercarse a ella.

—¿Qué?

—La cremallera está rota. Creo. No puedo quitarme el vestido.

Esas palabras casi lo hicieron babear.

—De acuerdo. Date la vuelta y yo te la bajaré.

Ella le lanzó una mirada feroz.

—No aquí fuera en público. No llevo sujetador debajo y no quiero que nadie me vea.

Ella volvió a entrar en el probador.

El comentario sobre la ausencia de sujetador produjo en la mente de Steele una imagen absolutamente cruel, a su modo de ver.

Miró alrededor para asegurarse de que no había ninguna otra mujer cerca antes de deslizarse en el interior del probador y cerrar la puerta. El cuarto era mucho más bonito que la mayoría de vestuarios de hombres en los que había estado. Tenía una butaca acolchada y dos espejos donde ambos se reflejaban.

Syd se volvió de espaldas a él. Steele se recreó ante la vista de ella de pie frente a él. Podía ver perfectamente su espalda mientras cogía la pequeña cremallera y luchaba con ella. Al principio ésta se le resistía, pero finalmente él logró sacar la tela que se había enganchado en ella. Tiró de la cremallera hacia abajo, dejando toda la espalda de Syd desnuda. Eso fue un error.

En el momento en que vio la pálida piel, sólo pudo pensar en probarla.

Syd se quedó sin respiración al ver el fuego que incendiaba la mirada de Steele. Todas las hormonas de su cuerpo respondieron. Todo lo que podía hacer era observar cómo él dejaba correr suavemente su mano desde la espalda hacia su hombro. Estalló en escalofríos ante el ardor de esa caricia.

Sus miradas se encontraron en el espejo antes de que él le bajara el vestido de los hombros, desnudándola para deleite de sus ojos hambrientos. Era extrañamente erótico estar desnuda frente a él con sus pezones duros y sus grandes pechos.

La atrajo hacia él y le deslizó el vestido por debajo de las caderas. Éste cayó de golpe a sus pies mientras su cuerpo se estremecía con una repentina ansiedad. Había algo en Steele que siempre lograba excitarla.

Él bajó la cabeza para enterrar sus firmes labios en su cuello. Syd se echó hacia atrás con un gemido mientras él la rodeaba con sus brazos para agarrarle los pechos y estimularlos hasta que ella se sintió débil y hambrienta. Ella hundió una mano en sus espesos cabellos mientras las manos de él, grandes y morenas, la estimulaban y la calmaban.

Ella nunca antes había hecho nada como aquello, y por alguna razón que no lograba desentrañar, no quería detenerse. Le gustaba ser traviesa con él. Los labios de Steele la quemaban mientras la besaba arriba y abajo por el cuello. Suspiró en su oído un segundo antes de dejar correr su lengua por esa zona de carne tan sensible. Ella estaba completamente comprometida y lo sabía. Su cuerpo estaba demasiado revolucionado como para poder detener a Steele ahora. Todo lo que quería era saborear a ese hombre.

Volvió la cabeza para capturar sus labios un instante antes de que él bajara la mano izquierda por su estómago.

Syd se moría de deseo mientras él jugaba y la atormentaba abriéndose camino con una insoportable lentitud hacia esa parte de ella que tanto reclamaba sus caricias. Y cuando finalmente puso la mano entre sus piernas, tuvo que esforzarse para no gritar de alivio.

Steele sabía que lo que estaba haciendo era completamente inapropiado. Diablos, nunca antes había hecho nada como aquello. Alguien podía aparecer por allí en cualquier segundo, y saber eso sólo hacía la situación aún más excitante.

La respiración de él se hizo irregular y subió la mano apenas lo suficiente para poder hundirla bajo sus bragas de satén rosa. Ella tembló en sus brazos cuando él frotó su mano contra el vello corto y rizado de su pubis hasta alcanzar la parte más sensible de ella. Él apretó los dientes y dejó escapar el aire al ver lo húmeda que estaba. Oh sí, eso era lo que quería. Echándose hacia atrás, contempló el rostro de ella en el espejo mientras hundía dos dedos en su interior.

Ella apretó más la mano con que agarraba su pelo y abrió más las piernas para él. El corazón de Steele latió salvajemente cuando ella se mordió el labio de manera seductora y cabalgó lentamente sobre sus dedos. Le encantaba que hiciera eso. No era tímida ni pudorosa. Era una mujer que sabía lo que quería.

Él frotó su miembro hinchado contra sus caderas.

—Mi deseo de estar dentro de ti es tan fuerte que puedo saborearlo, Syd —le susurró al oído. Pero sabía que no podía. No tenían ningún condón.

Así que se calmó dándole placer a ella.

Syd no podía pensar con las manos y los labios de Steele en su cuerpo. Lo único que podía hacer era observar en el espejo la magia de sus movimientos. Sus dedos la acariciaron y la llenaron de placer hasta que ya no pudo soportarlo más.

Tuvo que esforzarse para no gritar cuando alcanzó el orgasmo. Steele capturó sus labios con los de él mientras su cuerpo se retorcía en espasmos. Todavía no se apartó. La atormentó hasta arrancar de su cuerpo el último temblor. Sólo cuando ella cayó contra él, retiró la mano.

Le sonrió tiernamente mientras apoyaba la palma contra su sexo.

—Eso es lo que quería ver… a mi Syd totalmente saciada y ronroneante.

Su Syd. Esas palabras deberían hacerla enfadar, pero en lugar de eso sintió un extraño placer en su interior. Y era verdad que estaba ronroneando. ¿Cómo no iba a hacerlo?

Pero ahora un juego justo exigía cambiar los papeles…

Lamiéndose los labios, se volvió hacia él.

Steele tuvo un momento de pánico al ver la determinación de su mirada. Esa sensación no hizo más que aumentar cuando ella se dispuso a hacerlo volar.

—¿Qué estás…?

Ella interrumpió sus palabras con un encendido beso antes de abrirle la cremallera de los pantalones y bajarlos lo suficiente como para que su miembro erecto quedara libre. Steele gruñó en lo profundo de su garganta mientras ella lo envolvía con su mano. Ella lo empujó hacia la butaca. Él perdió el equilibrio y aterrizó sobre ella. Antes de que pudiera recuperarse, Syd le bajó aún más los pantalones. Lamiéndose los labios, ella miró su sexo con una intención seductora que a él lo puso más caliente que nunca.

No se atrevió ni a respirar cuando ella le separó las piernas y se colocó entre sus rodillas. No había visto en su vida nada más sexy que aquello.

Ella le levantó la camisa sobre el pecho y dejó correr las manos sobre él, estimulándolo. Sintió su aliento sobre su erección cuando ella se inclinó y pasó la lengua, juguetona, contra su pezón. Él podía jurar estar viendo estrellas mientras oleadas de intenso placer lo sacudían.

Syd quería reír triunfal ante lo sexy que le resultaba tener a Steele a su disposición. Inhaló su sensual aroma mientras bajaba por su pecho hacia su ombligo. Él arqueó la espalda mientras ella lo observaba cuidadosamente.

Alzó la mirada y gozó al ver la expresión de placer en su rostro. Él siempre se mostraba tan tierno, ponía tanto cuidado en asegurarse de que ella fuera la primera en recibir placer. Era de verdad un caballero… en todo el sentido del término.

Queriendo hacerlo feliz también a él, le sonrió un instante antes de bajar la cabeza y llevarse su sexo a la boca. Syd gimió al sentir su sabor salado mientras suavemente jugaba con su lengua.

Steele hundió la mano en su pelo mientras la contemplaba en el espejo. Podía ver cada matiz de ella dándole placer. Estaba desnuda excepto por las bragas, que él no le había quitado.

¿Por qué no se las había quitado?

Aun así, fue el momento más increíble de su vida. Nunca había sentido nada mejor que la boca de Syd en él. Con la mano le masajeaba los testículos mientras con su lengua hacía maravillas en su cuerpo. Al correrse, apretó los dientes para no hacer ruido. Pero era difícil… demasiado difícil.

Syd no se apartó mientras él se estremecía dentro de ella. Se tomó su tiempo, asegurándose de procurarle tanto placer como él le había dado.

Cuando finalmente se apartó, la pequeña sonrisa que vio en su rostro la conmovió completamente.

Se relamió los labios llenos de su sabor y de pronto unos horribles celos aparecieron tratando de estropear aquello. Ciertas palabras de Steele volvieron a su mente obsesionándola.

Steele frunció el ceño como si hubiera sentido su repentino cambio de humor.

—¿Qué pasa?

«No lo digas…» Pero lo soltó antes de poder detenerse.

—¿Lo hago mejor que aquella novia tuya?

Él parecía un poco aturdido.

—¿Cómo?

Ella se echó hacia atrás.

—Ya sé que es una estupidez. Sólo estaba preguntándome qué tal lo hago. No importa. Olvídalo.

Mientras ella comenzaba a levantarse, él la detuvo. Aquellos ojos oscuros ardían con un calor sincero.

—Cariño, tú eres la mejor amante que he tenido nunca.

Esas palabras la conmovieron.

—Gracias, Josh.

Él inclinó la cabeza hacia ella y la besó. Luego se echó hacia atrás con una sonrisa.

—Claro que tal vez debería tener otro asalto para estar seguro de que no me equivoco.

Ella sacudió la cabeza.

—Eres tan malo…

—Sí, pero a ti te encanta eso de mí.

En aquel momento ella se dio cuenta de algo. Él tenía razón. A ella le encantaba eso de él.

No hablaron mucho aquella noche mientras se preparaban para la llegada del presidente. Comprobaron y volvieron a comprobar cada uno de los datos que tenían, y cuanto más lo hacían, más convencida estaba ella de que Steele estaba en lo cierto en cuanto a quién era el auténtico objetivo.

¿Cómo podían haberse equivocado creyendo que el encargo era del hijo y no del padre?

Pero las recriminaciones se extinguían mientras llegaba la tarde de la fiesta.

Llegaron como si fueran una pareja y encontraron a Andre ya en su lugar como agente. Steele estaba impecable con su traje negro y una corbata de seda roja, y ella llevaba un sencillo vestido negro con perlas y unos tacones discretos… por si tuviera que salir corriendo detrás de alguien.

—Recuerda —le dijo Syd al oído a Steele mientras le enderezaba la corbata—. Son de Uhbukistan, no de la tierra *Ooga-Booga*.

—El rey *Oompa-Loompa*.

Ella puso los ojos en blanco y se apartó unos pasos. Ni el presidente ni su hijo habían llegado aún.

«¿Dónde podrán estar?»

—El presidente está en el estudio con su hijo —dijo Carlos en un tono muy bajo mientras pasaba detrás de ella con una bandeja de copas de vino—. El muchacho no parece muy contento de estar allí.

—Me pregunto si lo ha descubierto —dijo Syd sin siquiera mover los labios mientras cogía un vaso.

Steele se aclaró la garganta.

—¿Puede ir Andre a echar un vistazo?

—No —dijo Carlos por lo bajo antes de alejarse.

Steele dejó escapar un suspiro.

—Bueno, sólo era una idea. —Miró hacia la puerta que separaba la zona del banquete de las oficinas, luego le entregó a Syd su copa de vino.

—Tengo una repentina necesidad de perderme.

Syd quería seguirlo, pero sabía que era mejor no hacerlo. Ya había llamado la atención de muchas personas que se estaban preguntando si era Angelina Jolie o no… y eso que llevaba el pelo suelto. Si no hubiese sido porque tal vez tendría que correr o podrían dispararle, se hubiese puesto las gafas.

A decir verdad, sentía ganas de tener las palabras «No soy Angelina» tatuadas en la frente. Pero eso sólo serviría para llamar más la atención. Así que en lugar de unirse a él, se apartó y trató de pasar desapercibida mientras él se desviaba hacia las dobles puertas de la oficina del presidente.

Steele entró en la habitación sin ningún preámbulo. El presidente, su hijo y los guardias lo miraron.

—Me temo que esto no es el cuarto de baño —dijo Steele jovialmente—. Mis disculpas, caballeros.

El hijo era un hombre de baja estatura, cabello castaño oscuro y un aire zalamero. Basura europea. Siempre había odiado esa expresión, pero resultaba extrañamente adecuada para él.

—Yo también necesito ir al baño —dijo con desprecio a su padre—. Sígame, americano, y le mostraré el camino.

A Steele no le pasó por alto la mirada que el presidente dedicó al joven. Oh, sí, no había amor entre esos dos, a pesar de que ambos compartían las mismas facciones de ave de presa.

El hijo pasó por delante de Steele con rapidez y no miró atrás hasta que abrió de un tirón la puerta que daba al pasillo.

Steele se excusó ante el presidente antes de seguirlo. El hijo iba mascullando en uhbukistani mientras lo conducía por un pasillo estrecho hacia el cuarto de baño.

—Dime, americano, ¿tienes un padre?

—Todavía no he conocido a alguien que no lo tenga.

El joven se rio.

—Eso me ha gustado. Tendré que recordarlo. —Se puso serio—. ¿Te gusta tu padre?

Aquella charla era demasiado personal para dos extraños, e hizo que Steele se sintiera muy incómodo.

—Está bien.

—Está bien… Tienes suerte, americano. Mi padre… Yo trato de complacerlo, y todo lo que ve en mí son fallos. Piensa lo peor de mí no importa lo que haga o lo que diga. Yo me rindo.

Steele decidió ser un poco audaz con la conversación.

—Bueno, ya sabes cómo son los padres. Quieren que los hijos sigan sus mismos pasos.

—Y yo lo he intentado muchas veces. Pero con algunas cosas… simplemente no puedo estar de acuerdo.

—¿Cómo qué?

—Sus armas de seguridad. Espero que tu presidente le ayude a entender por qué nuestro país necesita deshacerse de las viejas armas soviéticas. No son más que un imán para otros países que quieran robarlas o comprarlas para usarlas contra sus vecinos. Lo último que quisiera ver es una bomba nuclear detonando en mi patio trasero o algo por el estilo. No sé qué piensas tú, pero a mí los matones me ponen enfermo.

Steele asintió mientras se daba cuenta de hasta qué punto estaba equivocada la información de Syd. A aquel chico le habían tendido una trampa, y el pobre bastardo ni siquiera lo sospechaba.

Aquél no era un hombre que quisiera vender armas nucleares. Aquél hombre tenía la cabeza en su sitio.

Suspiró profundamente antes de extender su mano hacia Steele.

—Soy Viktor, por cierto.

Steele estrechó la mano que él le ofrecía.

—J.D.

—Encantado de conocerte, Jotadé. Vamos. El baño está aquí.

Steele entró tras él mientras vigilaba que no hubiera nada extraño… como su padre derribando una puerta a patadas para abatirlos a tiros. O algo un poco más sutil, como su padre entrando en la habitación y apuñalando a Viktor en las costillas.

Pero nada disparó la luz de alarma.

Se dedicaron a sus asuntos y no volvieron a hablar hasta que salieron de la habitación.

Viktor vaciló en la entrada mientras hacía un pequeño ruido de emoción.

—¿Es ésa la actriz que hace de Lara Croft? ¿Sabes quién te digo, Angelina Jolie?

Steele observó cómo Syd charlaba con un grupo de mujeres, mientras su mirada, de manera despreocupada pero minuciosa, vigilaba a las otras personas de la sala.

—No. Ésa es mi mujer —dijo él, agradecido de que Syd no pudiera oírlo. Aunque a decir verdad, nada le hubiese gustado más que ser capaz de decir eso de ella de verdad.

—Eres un hombre afortunado, Jotadé —dijo Viktor antes de excusarse y dirigirse hacia un pequeño grupo de gente que había en el centro de la habitación.

«Sí, lo soy. En más de un sentido.»

Syd se acercó furtivamente a él y le devolvió su bebida.

—¿Has descubierto algo?

—El chico no quiere vender las armas.

Syd se atragantó con el vino.

—¿Qué?

—Ya me has oído. Empiezo a dudar seriamente de tu inteligencia, Syd.

—Gracias —soltó ella en tono enfadado.

Steele se encogió al darse cuenta de lo que acababa de decir.[38]

—Me refería a tus informes, no a tu cerebro.

—Sí, claro, seguro que sí. —Pero él notaba la diversión en su tono.

Se puso al otro lado de él.

—¿Alguna señal de tu padre? —preguntó desde detrás de la copa de vino después de dar un sorbo.

—Nada. —Y eso le resultaba preocupante. ¿Dónde podría estar el viejo? Realmente no había ningún lugar fuera desde donde disparar, lo cual significaba que tenía que estar en alguna parte del edificio.

Pero ¿dónde?

Steele había comenzado a darse la vuelta cuando alguien

---

38. Hay un juego de palabras intraducible. *Intelligence,* en inglés significa tanto «inteligencia» como «información». *(N. de la T.)*

chocó contra su brazo herido haciendo que el vino se le desparramara sobre la ropa. Reprimió una maldición mientras el embajador de Grecia se disculpaba.

Él miró con rabia hacia Syd mientras el brazo le quemaba como si estuviera ardiendo.

—Tengo que ir otra vez al cuarto de baño. Enseguida vuelvo.

Ella inclinó la cabeza hacia él.

—Vigilaré a nuestro chico.

Syd no se movió mientras Steele se alejaba. Observó cómo Viktor se paseaba alrededor de la habitación, pasando de un pequeño grupo a otro. Era bastante guapo para ser un terrorista.

Quizás su inteligencia estaba errada.

Puso los ojos en blanco ante el estúpido juego de palabras. Mientras Viktor simpatizaba con otro grupo, apareció una mujer alta y rubia. Syd sintió por un momento antipatía hacia la delgada y espléndida criatura, que rezumaba sofisticación. Miró su vestido negro y se sintió completamente horrorosa en comparación.

¿Por qué sería que las mujeres rubias siempre la hacían sentirse tan mal? De repente, se alegraba de que Steele no estuviera allí para verla. Si la hubiera mirado boquiabierto, ella habría sido capaz de agredirlo.

La rubia cogió una copa de la bandeja de Carlos antes de dirigirse directamente hacia Viktor, que estaba de espaldas a ella.

Todos los ojos masculinos del lugar siguieron a la mujer mientras ella se detenía detrás de él y le daba unos golpecitos en el hombro.

Los ojos de Viktor se ensancharon de asombro en el instante en que se volvió y vio a la sorprendente criatura que lo requería. La mujer extendió la mano y le susurró al oído algo que lo hizo sonreír y reírse.

Syd bebió un buen trago de vino tratando de no enfermar ante lo que veía.

Negándose a contemplar el ritual de apareamiento de esos pijos forrados de dinero, miró por la habitación buscando algún rastro del padre de Steele.

Y

Steele se frotó la mancha de vino de los pantalones. Aquél era el momento más inoportuno para que le pasara una cosa así. Dejó escapar un suspiro de disgusto mientras tiraba la toalla al cubo de la ropa sucia. No podía perder más tiempo con eso.

Todavía cabreado, salió del cuarto de baño y se dirigió de vuelta a la fiesta.

Vio a Syd en cuanto entró a la sala. Era difícil confundirla, especialmente porque verla siempre lo reconfortaba. Pero continuó mirando hacia el resto de la habitación y no vio a Viktor.

Cruzó la estancia hasta hallarse junto a Syd.

—¿Dónde está nuestro chico?

Ella señaló a un rincón con el pulgar.

—Está allí coqueteando con Cameron Diaz.

Steele comenzaba a admirarse de aquel hombre hasta que se dio cuenta de algo.

Él conocía a esa mujer.

Syd frunció el ceño cuando vio que el rostro de Steele palidecía y un instante después se dirigía directamente hacia la mujer rubia.

¿Qué diablos era aquello?

Pero al menos no se trataba de atracción. Ella sabía exactamente cuál era el aspecto de Steele al sentirse atraído por alguien.

Sintiendo curiosidad por saber qué era lo que parecía haberle afectado hasta el estómago, lo siguió. Cuando él ya estaba cerca, la rubia alzó la vista. Su rostro palideció exactamente de la misma forma en que había palidecido el de Steele un instante antes… parecía que hubiera sido sorprendida en medio de… bueno, en medio de algo como lo que habían hecho ellos hacía dos días en el probador de la tienda de ropa.

La mujer se precipitó hacia el pasillo.

Steele corrió tras ella, con Syd pisándole los talones. En cuanto estuvieron fuera de la sala de recepción, Steele se detuvo y lanzó a la mujer una mirada feroz.

—¡Tina! —ladró, con el tono más autoritario que Syd había oído nunca—. No te atrevas a huir de mí.

¿Tina? El nombre atravesó a Syd como una puñalada. ¿Tina era su hermana Tina?

La mujer se detuvo y se volvió hacia ellos.

—¿Qué estás haciendo aquí, J.D.? Se suponía que estabas en la cárcel.

—Y se supone que tú estás en clase en la universidad. —Se movió para situarse justo frente a ella.

Tina se encogió de hombros como si quisiera adoptar un aire despreocupado, pero no funcionó. La chica estaba nerviosa. Demasiado nerviosa.

—A mí me invitaron a la fiesta. Pero lo que no se explica es cómo puede ser que tú estés aquí. Pensaba que estabas huyendo.

De pronto se oyeron gritos desde la zona de la recepción. Alguien estaba llamando a una ambulancia.

Steele se sintió destrozado al oír los chillidos de pánico. ¡Maldita sea! Vaya momento para que su padre entrara en ac…

Volvió a mirar a Tina mientras sentía que realmente se ponía enfermo. Ella estaba muy cerca de la puerta.

—Oh, Dios, no —suspiró él—. Por favor, Tina, dime que tú no lo hiciste.

Ella palideció otra vez mientras corría hacia la puerta.

Steele echó a correr tras ella. La atrapó antes de que pudiera salir y el bolso de ella le dio un golpe en el brazo. Él se lo quitó, lo abrió y encontró un pequeño tubo de cristal, junto con su lápiz de labios, su billetera y su polvera.

Tina lo empujó y trató de escapar otra vez, pero él se lo impidió.

—No me hagas hacerte daño, Tina.

Sus ojos color avellana estaban llenos de pánico.

—No iré a la cárcel, J.D. No iré.

Syd tragó saliva al darse cuenta de lo que estaba pasando.

—¿Ella es el asesino enviado por APS?

Steele asintió mientras contemplaba el rostro no de la mujer, sino de la niña a quien había pasado tanto tiempo de su vida adorando y protegiendo. Tina siempre lo había significado todo para él.

—¿Por qué, pequeña? ¿Por qué has hecho esto?

La ira oscureció sus ojos cuando lo miró fijamente.

—¿Por qué crees que lo hice? Quería unirme al Ejército igual que hiciste tú, igual que papá. Pero ellos no me querían más que como oficinista o conductora de un camión. Papá me entrenó igual que te entrenó a ti, y soy tan buena en esto como lo eres tú. —Entrecerró los ojos con rabia—. Incluso mejor, en realidad. No era justo que tú consiguieses ser un francotirador y a mí me relegaran a cualquier oficina para hacer trabajo administrativo. Nací para hacer esto.

—Al parecer no —dijo Syd con sarcasmo—, ya que te han descubierto.

Ella lanzó a Steele una mirada cruel.

—Debe de ser cosa de familia.

Steele le entregó el vial a Syd con una expresión estoica. Se debatía entre las ganas de darle una zurra a Tina y las ganas de protegerla ante lo que había hecho.

—No sé qué le ocurre exactamente a Viktor, pero apuesto a que lo que había en este frasco es lo que le ha puesto enfermo. Dáselo a los médicos.

—¿Qué pasa con Tina?

Él no sabía qué responder. Era su hermana, pero había hecho algo tan malo que no estaba seguro de si debía protegerla. ¿Qué era lo correcto? Pero de pronto lo supo.

—Está arrestada.

Los ojos de Tina se llenaron de lágrimas.

—No puedes hacerme esto. No puedes.

Dios. El deber. La patria. No tenía elección. Aunque se sintió enfermo al hacerlo, sacó unas esposas de su bolsillo y se las puso alrededor de sus delgadas muñecas.

—Yo nunca intenté matar a nadie, Tina.

—¿No? Tienes un récord de dieciséis muertes confirmadas, hermano. No hay ninguna diferencia entre tú y yo y lo que hacemos.

—Te equivocas respecto a eso, pequeña —le gruñó él al oído. Pero incluso mientras decía esas palabras, Syd podía ver la indecisión en sus ojos.

—Mantenla aquí sin que la vean —dijo ella antes de salir precipitadamente con el vial.

Recorrió el camino de vuelta hacia la zona de recepción, y

allí encontró a Viktor tumbado en el suelo, retorciéndose de dolor. Ella fue hacia Andre, que se hallaba con otros dos hombres tratando de ayudar al joven mientras las sirenas de la ambulancia sonaban fuera. Ella le puso el vial en la mano y vio en sus ojos que comprendía lo que quería decirle.

La ambulancia acababa de llegar cuando ella volvió corriendo junto a Steele y Tina, que estaban discutiendo.

La verdad es que sintió ganas de echarles un cubo de agua por encima para calmarlos.

—Steele, ya basta. Si no la sacamos de aquí, todos vamos a tener serios problemas para explicar las cosas. Hasta el momento todos creen que Viktor simplemente se ha enfermado, pero no tardarán mucho en darse cuenta de que ha sido envenenado.

Inclinando la cabeza hacia ella, Steele no parecía nada contento mientras agarraba a Tina del brazo y la arrastraba hacia una entrada posterior reservada para el servicio. Hasta que no se hallaron fuera del edificio él no aminoró sus largas y agresivas zancadas.

—Llévala a la furgoneta —dijo Syd—, antes de que alguien vea las esposas.

—Preferiría darle una paliza.

—Dásela más tarde.

Lanzó una mirada dura a Syd antes de obedecerla. Colocó a Tina bruscamente en uno de los asientos. Ella se sentó erguida, con todo el cuerpo rígido mientras miraban con odio a su hermano.

—No puedo creer que les hayas hecho esto a papá y mamá —dijo él, apretando los dientes—. ¿Cómo has podido?

—¿Yo? —se indignó ella—. ¿Y tú qué? Papá se niega a acercarse a un cuartel por culpa tuya. Se siente tan avergonzado que le aterroriza la idea de que alguno de sus amigotes del Ejército sepan lo que has hecho.

Steele cerró el puño como si quisiera darle un revés.

—¿Cómo puede ser que eches a perder tu vida por algo tan estúpido?

Ella lo miró entrecerrando los ojos.

—¿Por qué lo hiciste tú?

—Estaba enfadado.

—Yo también lo estaba. No es justo que yo no pueda hacer lo mismo que haces tú sólo porque no haya nacido con una polla.

—Vigila tu boca.

—Que te jodan.

Syd se colocó entre los dos.

—Bueno, niños. Basta de pelearse o tendré que encerraros a los dos en vuestras habitaciones.

—¿Quién demonios eres tú? —le soltó Tina.

—No le hables así, Tina. Te lo digo en serio.

Syd apreció su defensa, pero no la necesitaba.

—No te preocupes, Josh, puedo arreglármelas sola. Si ella quiere meterse conmigo, estaré más que feliz de darle una patada en su flaco y pequeño culo.

Tina se levantó de golpe.

—Inténtalo.

Pero incluso mientras decía esas palabras no tenía modo de ocultar la vergüenza en sus ojos.

La mirada de Steele se encontró con la de Syd, y ella vio el dolor en sus ojos.

—¿Cuántas personas has matado, Tina? —preguntó él calmadamente.

Ella apartó la vista de su hermano. Pero Steele no la dejó. Cogió su barbilla y la obligó a mirarlo.

—Contéstame.

—Más que tú, menos que papá.

Él soltó una maldición.

—¿Por qué?

—¿Por qué lo hiciste tú?

—Porque me lo pedían en el Ejército. Estaba haciendo mi trabajo.

—Igual que yo, J.D. Igual que yo. Todos eran objetivos políticos. Ninguno era inocente. Lo que hice lo hice por Dios, la patria y el deber.

—¿Cómo sabes que eso es así?

Ella lo miró fijamente sin inmutarse.

—¿Y cómo lo sabes tú? ¿Cuál es la diferencia entre que Wallace me diga a mí quién es mi blanco y a ti te lo diga un capitán?

Él la odiaba por su ceguera.

—¿Nunca se te ocurrió pensar que Wallace podía estar mintiéndote? Estuve hablando antes con Viktor, Tina. Él es quien quiere desarmar su país. No su padre. Él es la única posibilidad que nos queda para que estemos a salvo.

Para su alivio, ella palideció.

—¿Qué?

—Ya me has oído.

—No —susurró ella—. Estás mintiendo. Mi información mostraba que Viktor estaba preparado para vender a su país. Él iba a matar a su padre si yo no lo mataba a él.

—¿Qué has dicho? —preguntó Syd.

—Su padre contactó con nosotros para que lo matáramos tras haberse enterado de que Viktor había contratado a un grupo de mercenarios de fuera de Europa para asesinarlo en su casa. El presidente envió un grupo de soldados para arrestarlos, y luego decidió vengarse.

Steele intercambió una mirada de sorpresa con Syd. ¿Nadie tenía las manos limpias en aquel asunto?

—Eso debía de ser lo que Yuri estaba tratando de decirnos —susurró Syd—, cuando lo mataron. ¡Maldita sea!

Antes de que él pudiera hacer ningún comentario, la puerta trasera de la furgoneta se abrió de golpe. Syd se volvió para ver subir a Carlos. Éste se detuvo al ver a Tina con las esposas.

—¿Ella es nuestro hombre?

Steele asintió.

—¿Cómo está Viktor?

—Todavía no lo saben. Pero tiene bastantes probabilidades de sobrevivir, ya que pueden examinar el vial y ver cuál es el veneno.

Steele tenía ganas de llorar por lo que había hecho su hermana. Y estaba enfadado con ella por haberlo puesto en esa posición. ¿Cómo podría vivir en paz consigo mismo si la metía en la cárcel, cuando la misión por la que ella sería condenada era la misma por la cual a él le habían dado la libertad?

—Maldita seas, Tina.

Ella apartó la vista de él.

—¿La conoces? —preguntó Carlos.

—Es mi hermana pequeña.

Carlos soltó un bufido.

—Menuda familia que tienes, Steele. Y yo que pensaba que la mía era mala. ¿Hay alguien en tu familia que no sea un asesino?

Steele tenía la mandíbula desencajada, pero no podía culpar a Carlos por hacer esa pregunta.

—No lo sé. Después de esto estoy empezando a preguntarme si mi madre no será una asesina en serie.

Tina le hizo una mueca con el labio.

—Ojalá. Debería haberte matado a golpes con una pierna de pavo.

Syd ya había tenido suficiente.

—Carlos, vigila a la rubita. Yo me llevo a Steele fuera para calmarlo.

—Vale.

Syd literalmente tuvo que empujar a Steele fuera de la furgoneta. Una vez fuera, se puso a caminar arriba y abajo como un león enjaulado. Ella realmente lamentaba el dolor que estaría sintiendo.

—Míralo por el lado bueno. Al menos no era tu padre.

—Ése no es el lado bueno, Syd —dijo él con tristeza—. Preferiría mil veces tener que enfrentarme con mi padre que entregar a mi hermana a las autoridades. —El tormento que reflejaban sus ojos hacía sufrir a Syd—. No tienes ni idea de lo horrible que es la prisión. No sabes lo que la cárcel hace contigo. ¿Cómo puedo hacerle yo eso a ella? —Se pasó una mano temblorosa por el pelo—. Soy su hermano, Syd. Mi trabajo es protegerla.

—Y tú siempre has hecho tu trabajo, Josh. Con honor y dignidad.

Lo curioso era que él ahora no lo creía así. Sólo podía pensar en lo que significaría aquello para su pobre madre. El disgusto la mataría.

—Quiero saber quiénes fueron sus blancos.

Syd asintió.

—Podemos averiguarlo.

Tal vez podría hallar algún consuelo si Tina no le estaba mintiendo respecto a las víctimas que le asignaban.

Syd lo atrajo hacia sí y lo abrazó.

—Todo saldrá bien.

—¿Cómo, Syd?

Syd se detuvo ante la pregunta. Era extraño pensar que hacía tan sólo unos pocos días ella no creía en la gente, ni en los milagros. Pero Steele le había enseñado algunas cosas.

Sobre todo, le había enseñado a creer en él.

—Cómo, no lo sé, Josh. Pero tengo fe.

Steele cerró los ojos mientras dejaba que el abrazo de Syd aplacara la furia y el dolor que sentía en su interior. Era extraño como algo tan simple lo podía hacer sentir tanto mejor.

Haría lo correcto con su hermana.

Pero, sobre todo, tenía intenciones de hacer lo correcto con Syd.

Epílogo

Seis meses más tarde

Steele suspiró y se dio la vuelta con una Syd completamente desnuda y completamente saciada en sus brazos. Tenía el cuerpo dolorido por su maratón, pero adoraba esa sensación casi tanto como adoraba tener a esa mujer desnuda sobre él.

A Joe no le gustaba que hubieran decidido vivir juntos, pero a él le tenía sin cuidado lo que pensara Joe.

Lo único que le importaba era tener días tan maravillosos como aquél, en los que pudiera despertarse junto al dulce rostro de Syd.

Y mejor aún, junto a su cuerpo caliente.

Ella apretó la mejilla contra su pecho mientras distraídamente trazaba círculos con el dedo alrededor de su pezón.

—Ha sido un bonito modo de despertarse —dijo ella, riendo.

—Sí. Es difícil sentir el mal humor de un lunes después de esto.

Ella se rio y le dio un beso en el pecho, luego se apartó.

Steele literalmente gimoteó.

—¿Dónde vas?

—El terrorismo no espera a nadie, Josh. Tenemos trabajo.

Él le hizo una mueca.

—Trabajo, trabajo, trabajo. Sólo piensas en eso.

Ella lanzó una mirada caliente sobre su cuerpo.

—Tú sabes mejor que nadie que no es así.

Sí, él lo sabía.

Y contentísimo de que así fuera, la siguió a la ducha.

Syd no habló mucho mientras bañaba a Steele. Se había establecido entre ellos una relación tan fácil que todavía la sorprendía. Ella no era un felpudo para él. Eran compañeros. Nunca en su vida había esperado encontrar a alguien como él… y menos aún donde la había encontrado.

¿Cómo era posible que un hombre como él fuera real?

Acababan de salir de la ducha cuando ella oyó que llamaban a la puerta. Como de costumbre, cogió su revólver y se lo puso detrás de los pantalones antes de abrir.

Allí no había nadie.

Irritada, Syd cerró la puerta y comenzó a alejarse de ella. Apenas había dado cuatro pasos cuando llamaron otra vez.

Abrió la puerta de golpe y se encontró con una pequeña cesta de rosas en el porche.

—¿Qué demonios…?

Miró alrededor del jardín, pero no vio a nadie. Frunciendo el ceño, se agachó para coger las rosas.

No había tarjeta.

Qué extraño. Cerró la puerta y se alejó otra vez. Y de nuevo, cuando sólo había dado unos pocos pasos, llamaron a la puerta.

Completamente agitada, abrió la puerta bruscamente para toparse con una pequeña caja, justo donde antes habían estado las flores. Al agacharse para recogerla, notó que Steele estaba detrás de ella.

—¿Qué hay ahí? —preguntó.

Ella se encogió de hombros. Al observar la caja se dio cuenta de que parecía una caja de bombones que ya había sido abierta antes.

—No lo sé. Quizás debería llamar a una brigada antiexplosivos o algo así.

—Mmmm… —Steele dio unos pasos hacia ella y alcanzó la tapa.

Antes de que pudiera detenerlo, había abierto la caja.

A Syd se le detuvo el corazón cuando vio un bello y solitario anillo de diamantes descansando en el centro de los bombones.

—Definitivamente es para ti.

Las lágrimas asomaron a sus ojos mientras lo contemplaba.

Steele sacó el anillo y se arrodilló en el porche frente a ella.

—Sydney…

—¡Sí, quiero! —gritó ella, lanzándose sobre él.

Él se rio.

—No he hecho la pregunta.

Ella notó como se ruborizaba.

—Lo siento.

Él se aclaró la garganta mientras cogía su mano y la ponía entre las suyas mirándola fijamente con esos hermosos ojos oscuros.

—Te amo, Sydney, y quiero vivir el resto de mi vida contigo. ¿Quieres casarte conmigo?

—¡Diablos, sí!

Él se rio mientras deslizaba el anillo en su dedo, luego se lo besó.

Él se inclinó para besarlo cuando llamaron de nuevo a la puerta… sólo que esta vez se trataba de la puerta de atrás. Soltando un gruñido de frustración, ella fue hasta la puerta y la abrió para encontrarse a Tina allí de pie en el patio trasero.

—¿Has aceptado?

Ella levantó la mano para mostrársela a quien pronto sería su cuñada. Ahora sólo tenía que pensar en alguna manera de abrirse camino hacia el padre y la madre de Steele, que todavía se mostraban un poco fríos con los dos.

Sus padres no se creían realmente que su caso había sido anulado en el tribunal. Pero estaban tan agradecidos de que su hijo hubiera sido liberado de sus cargos de manera honorable que no lo cuestionaron demasiado.

Tina hizo un gesto de triunfo con el pulgar antes de abrir más la puerta.

—Bien, pero ahora los dos estáis llegando tarde al trabajo. Vamos, vamos. No hay tiempo que perder, y Joe se va a enfadar bastante con vosotros.

Syd se rio ante la referencia de Tina a la idea de Joe de que los agentes no deben confraternizar.

—Está bien. Si hace algún comentario, sé dónde podemos conseguir algo de buena estricnina.

Tina hizo una mueca ante el recuerdo. Pero no podía enfadarse. Como Steele había pedido, habían investigado sus contratos y comprobado que Tina realmente había escogido sus blancos con cuidado. No había atentado contra nadie que no pudiera haber sido también el blanco del BAD.

Gracias a Dios era una compatriota. Y eso es lo que hizo que Joe le ofreciera un trabajo.

Syd levantó la mano para contemplar el hermoso diamante que brillaba en su dedo.

—¿En qué estás pensando, Syd? —le preguntó Steele mientras la envolvía con sus brazos y la atraía hacia él.

—En lo mucho que te amo.

Él le dio un beso suave en la mejilla.

—Eso está bien. Aunque por mucho que creas que me ames eso no es nada comparado con lo que yo siento por ti. Y si no quieres, no tienes por qué llevar el anillo en la oficina. Sé lo mucho que odias eso. —Comenzó a quitárselo de la mano.

Syd cerró su mano en un puño, apretando los dedos de Steele entre los suyos.

—Quítame ese anillo y te quedarás cojo, Josh Steele. No hay nada de ti ni de nosotros que quiera ocultar. De hecho, lo que quiero es que el mundo sepa exactamente lo mucho que significas para mí.

Porque finalmente, ella sabía que él nunca le haría daño. Y eso era para ella más importante que cualquier otra cosa.

Agradecimientos

A mi marido, mi hermano y mis hijos, por ser el centro de mi universo. A mis amigos, que están siempre, siempre allí, pase lo que pase: Lo, Janet, Loretta, Donna, Jennifer, y mi maravilloso pelotón: Alethea, Dee y Nicole

A todos los fans y miembros de mis grupos, que son tan generosos con su apoyo y con sus risas. Y especialmente a los grupos editoriales RBL y DH. ¡Realmente sois estupendos!

A Lauren, Louise y Maggie, por darme la oportunidad de apartarme de los caminos trillados y por creer en la idea con tanta fuerza. A Lauren (de nuevo), y a Nancy y a Megan, por todo el trabajo duro que vuestro equipo hace por mí. Éste siempre es apreciado mucho más de lo que ninguno de vosotros podéis imaginar.

A mi suegro y a mi marido, por toda la información sobre el Ejército y sobre los trabajos internos de las agencias del gobierno. A Lo, por todo su conocimiento sobre la flota armada. Y a Janet, por todas las horas de investigación que has hecho.

Pero, sobre todo, a mi madre, sin la cual nunca hubiera soñado lo imposible. Tú me diste los mejores dones de todos: la vida, el humor sarcástico, el amor y la habilidad para imaginar otros mundos. Te echo de menos, mamá. Siempre te echaré de menos.

Sherrilyn Kenyon

Sherrilyn Kenyon ha sido número uno en la lista de ventas de *The New York Times* en muchas ocasiones. Sus libros se han traducido a más de treinta idiomas y de ellos se han vendido más de veinte millones de copias. Aclamada por el público tanto como Sherrilyn Kenyon como con su pseudónimo, Kinley McGregor, los libros dedicados al BAD, una reputada agencia de inteligencia, se han convertido en lectura obligada para todos sus seguidores. Actualmente vive con su familia en Nashville, Tennessee.

www.sherrilynkenyon.com.